大人物

古　龙 著

河南文艺出版社
·郑州·

古 龙

1938—1985

作为华语小说界一代宗师，“古龙”二字本身已成为一个文化符号。

古龙以惊人的才华，创作出《小李飞刀》《陆小凤》《楚留香》等七十多部精彩绝伦的经典。这些作品中涌动着永恒的热血、自由和生命力，不仅征服了一代代读者，更引发了巨大的文化浪潮，被无数次改编为影视、游戏、动漫，风靡整个中文世界，半个世纪风行不衰。

古龙为人，像他笔下的英雄们一样，豪气干云、放浪形骸、嗜酒如命、风流倜傥。其传奇一生的尽头，在医生下达严禁饮酒的告诫之后，豪饮三天三夜，大醉归西。

古龙是孤独的，一颗滚烫狂放的自由灵魂，与冷漠的现实世界显得那么格格不入；古龙又是幸运的，无数读者通过他的作品与他成为了知己。

中文世界如果没有古龙，将多么寂寞！没有读过古龙的人生，将多么寂寞！

目　录

第一章

红丝巾

01

这少年手里握着柄刀，刀柄上的丝巾在风中飞扬。

红丝巾，红得像刚升起的太阳。

刀锋在烈日下闪着光，少年在烈日下流着汗，汗已湿透了他那身黑绸子的衣裳。

他已被包围，包围他的人虽然只有四个，但他却知道这四个人的可怕，他已有好几次想抛下刀，想放弃抵抗，放弃一切。

他没有这么样做。

因为他不能辱没了这柄刀上系着的红丝巾，不能辱没这红丝巾所象征的那个人。

系上这红丝巾，就表示你决心要奋斗到底，死也不能在任何人面前示弱！

这红丝巾的本身仿佛就能带给人一种不屈不挠的勇气！

他挥刀，狂呼，冲过去。

鲜红的丝巾飞舞，比刀光更夺目。

他立刻就听到刀锋砍入对方这人骨头里的声音。

这人倒下去，眼珠凸出，还在直勾勾地瞪着这块鲜红的丝巾。

他并不是死在这柄刀下，也不是死在这少年的手下的。

要他命的就是这块红丝巾，因为他早已被这块红丝巾所象征的那种勇气震散了魂魄！

02

这少女斜倚着柴扉，眼波比天上的星光更温柔。

她拉着他的手，她舍不得放他走。

他腕上系着的丝巾在晚风中轻拂。

红丝巾，红得像情人的心。

夜已深，他的确应该走了，早就应该走了。

他没有走。

因为他不能辱没了手腕上系着的这块红丝巾，你只要系上这红丝巾，就不能让任何少女失望。

这红丝巾不但象征着勇气，也象征着热情。火一般的热情。

他终于凑过去，在她耳旁低语。

他的蜜语比春风更动人。

可是她的眼波却还是在痴痴地凝注着他腕上的红丝巾。

他的热情忽然消失，因为他忽然发现她爱的也许并不是他这个人，而是他腕上的这块红丝巾。

当她拉着他的手，她心里想着的也许并不是他，而是这红丝巾象征的那个人。

也不知有多少少女的心中、梦中都有那个人。

那个人叫秦歌。

03

他洗过澡，挽好发髻，将指甲修剪得干干净净，然后才穿上那身新做成的黑绸衣裳，小小心心地在腰上系起一条红丝巾。

他不喜欢穿黑绸衣服，也不喜欢鲜红的丝巾。

可是他不能不这么样做。

因为他若不这么样做，就表示他没有勇气，没有热情。

自从虎丘一战后，江南的染坊中就不能不将各色各样的丝巾都染成红的，因为所有的少年都要在身上系一块红丝巾。

一个少年身上若没有系着块红丝巾，简直就不敢走出门去。

有的人纵已不再少年，若是想学少年、学时髦，也会在身上系块红丝巾，表示自己并不太老，并没有落伍。

风流的少年将红丝巾系在腕上、腰上；勇敢的少年将红丝巾系在刀上、剑上；市井中的少年甚至将红丝巾系在头上。

但却从来没有人将红丝巾系在脖子上。

没有人敢！

因为秦歌是将红丝巾系在脖子上的。

你若也敢将红丝巾系在脖子上，秦歌自己就算不在乎，别的人也会将你这条红丝巾砍断，连着脖子一齐砍断！

你可以学他，可以崇拜他，却绝不能有丝毫冒犯他。他若喜欢一个人站在桥上静赏月色，你要赏月色也只能站在桥下。

秦歌就是秦歌，永远没有第二个，以前没有，将来也不会有！

自从虎丘一战后，秦歌就成了江南每个少男心目中的英雄，每个少女心目中的偶像。

04

秦歌当然是田思思心目中的大人物！

第二章

一百零八刀

01

田思思斜倚在一张铺着金丝毡的湘妃竹榻上，窗外浓荫如盖。

风中带着荷花的清香，她手里捧着只碧玉碗，碗里是冰镇过的莲子汤。

冰是用八百里快马从关外运来的，“锦绣山庄”中虽也有窖藏的冰雪，但田思思却喜欢关外运来的冰。

没有别的理由，只因为她认为关外的冰更冷些。

她若认为月亮是方的，也没有人反对。

只要田大小姐喜欢，她无论要做什么事都没有人敢反对。

这不仅因为她是世袭镇远侯、“中原孟尝”田白石田二爷的独生女儿，也因为她实在是个甜丝丝的人儿。不但人长得甜，说话也甜，笑起来更甜，甜得令任何人都不愿，也不忍拒绝她的任何要求。

大家唯一的遗憾是，能见到这位甜人儿的机会太少了。

只有在每年元宵田二爷大放花灯时，她才会在人前露一露面，除此之外，她终年都藏在深闺中，足不出户，谁也休想一睹她的颜色。

田二爷号称“中原孟尝”，当然不是个小气的人，纵然挥手千金也不会皱一皱眉，但却绝不肯让任何人有接近他女儿的机会。

他对他的女儿看得比世上所有的珠宝加起来都珍贵千百倍。

02

莲子汤已不再凉沁人心，田思思只轻轻啜过一口，就随手递给了她的丫环田心。

田心不但是她的贴身丫环，也是她最好的朋友，唯一的朋友。

若没有田心，她更不知道要多么寂寞。

现在田心就坐在她面前一张小板凳上，低着头在绣花，金炉中燃着的龙涎香已渐渐冷了，风吹竹叶，宛如思春的少女在低诉。

田思思忽然夺过她使女手中的绣花针，带着三分娇嗔道："你别总是低着头绣花好不好？又没有人等着你的绣花枕头做嫁妆。"

田心笑了，用一只白生生的小手轻捶着自己的腰，道："不绣花干什么？"

田思思道："陪我聊天。"

田心撅起嘴，道："整天不停地聊，还有什么好聊的？"

田思思眼波流动，道："说个故事给我听。"

"锦绣山庄"终年都有客人，许许多多从四面八方来的客人，田心从他们嘴里听到许许多多又可怕、又好听的故事，然后再回来说给她的小姐听。

田心道："这几天来的客人都是笨蛋，连故事都不会说。只晓得拼命往嘴里灌酒，就好像生怕喝少了不够本似的。"

田思思的眸子在发光，却故意装得很冷漠的样子，淡淡地道："那么你就将虎丘那一战的故事再说一遍好了。"

田心道："那故事我已忘了。"

田思思道："忘了？那故事你已说了七八遍，怎么会忽然忘了？"

田心的嘴撅得更高，板着脸道："那故事我既已说了七八遍，你也不会忘了的。既然没有忘，为什么还要听？"

田思思的脸红了起来，跳起来要用针去扎这坏丫头的嘴。

田心娇笑着，闪避着，喘着气告饶，道："好小姐，你要听，我就说，只要小姐你高兴，我再说一百遍都没关系。"

田思思这才饶了她，瞪着眼道："快说，不然小心我扎破你这张小撅嘴。"

田心在板凳上坐直，又故意咳嗽了几声，才慢吞吞地说道：“虎丘一战就是秦歌少侠成名的一战，七十年来，江湖中从未有任何战役比这一战更轰动，也从未有任何战役比这一战流的血更多。”

这故事她的确已说过很多次，说起来熟得就好像老学究在背三字经，就算睡着了，都能说得一字不漏。

但田思思却像是第一次听到这故事似的，眸子里的光更亮。

田心道：“那天是五月初五端午节，每年这一天，江南七虎都要在虎丘山上聚会，这七条老虎都不是好老虎，不但吃人，而且不吐骨头。”

田思思道：“这么样说来，别人一定全都很怕他们了？”

田心道：“当然怕，而且怕得厉害，所以大家虽然都很想做打虎的英雄，都知道这一天他们在虎丘，却从来没有人敢去找他们的，直到五年前的那一天……”

田思思道：“那天怎么样？”

这故事她当然也早就听熟了，当然知道应该在什么时候插嘴问一句，才好让田心接着说下去。

田心道：“那天七只老虎上山的时候，半路遇到个很漂亮的女孩子，这七只老虎一看到漂亮女孩子就好像饿狗看到了肉骨头，不管三七二十一就把这女孩子抢上山去。”

田思思道：“他们不知道这女孩子是谁吗？”

田心道：“那时他们当然不知道这女孩子是秦歌的心上人，就算知道，他们也不怕，他们谁都不怕，因为从来就没有人敢去惹他们。”

田思思道：“但这次他们却遇见了一个。”

田心道：“那时秦歌还没有出名，谁也想不到他有那么大的胆子。他说要上山去打老虎的时候，别人都以为他吹牛，谁知他竟真的去了。”

田思思道：“他一个人去的？”

田心道：“当然是一个人，他单枪匹马上了虎丘，找到那七只老虎，虽然将其中两只老虎刺伤，但自己也被老虎刺了一百零八刀。”

田思思道：“一百零八刀？”

田心道：“不多不少，正是一百零八刀，因为这是老虎的规矩，他们活捉了一个人后，绝不肯痛痛快快地一刀杀死，一定要刺他一百零八刀，让他慢慢地死。”

田思思叹了口气，道：“世上只怕很少有人能挨得了这一百零八刀的。”

田心道：“非但很少，简直没有人能挨得了，但我们的秦歌却硬是咬着牙挨了下来，因为他不想死，他还想报仇。”

田思思道：“他还敢报仇？”

田心道：“他不但身子像是铁打的，胆子也像是铁打的，大家都以为他这次侥幸逃了活命之后，一定会谈虎色变了。”

她也叹了口气，才接着说：“谁知第二年他又到了虎丘，又找到了这七只老虎。这次，他重伤了其中的四个。”

田思思道：“他自己呢？”

田心叹道：“他自己又挨了一百零八刀，这次老虎的出手当然更重，但他还是挨了下去，据后来看到他的人说，他挨过这一百零八刀后，身上已没有一块完整的地方，流的血已足够将虎丘山上的石头全都染红。”

田思思咬着嘴唇道：“那些老虎为什么不索性杀了他？”

田心道：“因为那是他们的规矩，他们若要刺这个人一百零八刀，就不能少刺一刀，而且第一百零八刀一定要和第一刀同样轻重，他们从来也没有想到一个人挨过这一百零八刀后，还能活着，还有胆子敢去找他们报仇。”

田思思道：“但秦歌却挨了二百一十六刀。”

田心道：“他挨了三百二十四刀。”

田思思道：“为什么？”

田心道：“因为第三年他又去了，又挨了一百零八刀。只不过这次他已伤了七只老虎的其中五只。”

田思思道：“遇见这样的人，他们难道一点也不害怕？为什么还敢让他活着？”

田心道：“因为那时他们自己也已骑虎难下，因为那时这件事已经轰动了江湖，已经有很多人专程赶到虎丘山看热闹。”

田思思道：“所以他们绝不能刺到第一百零七刀时就让秦歌死了，刺到第一百零八刀时，也绝不能比第一刀重。”

田心道：“不错，像他们这种人，无论如何也不能在江湖中人面前丢自己的脸，否则还有谁会像以前那么样怕他们？”

田思思道：“但他们其中既已有五个人受了伤，别人为什么不索性将他们除去了呢？”

田心道：“因为大家全都知道秦歌受了多么大的罪，忍受了多么大的痛苦，大家谁都不忍令他功亏一篑，都希望能看到他亲手杀了这七只老虎，而且大家都已知道这第三百二十四刀，已经是最后一刀。”

她眸子里也发出了光，接着说：“所以当这最后一刀刺下去，秦歌还没有死的时候，每个人都不禁发出了欢呼。”

田思思道：“那七只老虎自己难道不知道这已是最后一刀？”

田心道：“他们自己心里当然也有数，所以第三年他们已找了不少帮手上山，这也是别的人没有向他们出手的原因。”

田思思道：“第四年呢？”

田心道：“第四年他们找的帮手更多，但就连他们自己的朋友，都不禁对秦歌生出了佩服之心，秦歌向他们出手的时候，竟没有一个人帮他们的忙。等秦歌将最后一只老虎杀了时，虎丘山上欢声雷动，据说十里外都能听到。”

田思思目光凝注着炉中袅娜四散的香烟，她仿佛已看到了一个脖子上系着红巾的黑衣少年，自烟中慢慢地出现，微笑着接受群豪的欢呼喝彩。

田心道：“直到那时，秦歌脸上才第一次露出笑容，他笑得那样骄傲，又那么沉痛，因为那时他那心上人已经死了，已看不到这光荣的一天。”

她轻轻叹息了一声，道：“自从那一天之后，‘铁人’秦歌的名字就响遍了江湖！”

田思思也轻轻叹息了一声，道：“他真是个了不起的大人物。”

田心道：“像他这么勇敢，这么多情的人，天下的确很难找得出第二个。”

田思思忽然跳起来，抓住她的手，道：“所以我非嫁给他不可。”

她脸上带着红晕，看来又坚决，又兴奋，又美丽。

田心却“扑哧”一声笑了，道：“你又想嫁给他？你到底想嫁给多少人？”

她扳着指头，又道："最早你说一定要嫁给岳环山，然后又说一定要嫁给柳风骨，现在又想嫁给秦歌了，你到底想嫁给谁呢？"

田思思道："谁最好，我就嫁给谁。"

她眼波流动，红着脸道："依你看，这三个人谁最好？"

田心笑道："我可不知道，这三个人虽然全都是了不起的大人物，我却连一个都没有见过。"

她想了想，自己的脸也红了，轻轻地接着道："我只知道秦歌既多情又勇敢；柳风骨却是天下第一有智慧的人，无论什么困难，他都有法子解决，而且总令人口服心服，一个女孩子若能嫁给他，这辈子也不算白活了。"

田思思道："岳环山呢？嫁给他难道就不好？"

田心咬着嘴唇，道："他不行，据说他的年纪已不比老爷小。"

田思思也咬起了嘴唇，道："老有什么关系，只要他最好，就算已经有七十岁，我还是要嫁给他。"

田心忍住笑道："他若已经有了老婆呢？"

田思思道："有了老婆也没关系，我情愿做他的小老婆。"

田心终于又忍不住"扑哧"一声笑了，道："他们三个若都一样好呢？你难道就同时嫁给他们三个？"

田思思像是忽然听不见她说话了，痴痴地发了半天怔，忽又拉起她的手，悄悄道："你偷偷溜出去，替我买几身男人穿的衣服来，好不好？"

田心也发怔了，道："小姐，你要男人穿的衣服干什么？"

田思思又出了半天神，才轻轻道："梁山伯和祝英台的故事你听过没有？"

田心笑道："那本《银字儿》也是我偷偷拿给你看的，我怎么会没听说过？"

田思思道："听说一个女孩子要出门，就得扮成男人才不会被人欺负。"

田心瞪大了眼睛，吃惊道："小姐你想出门？"

田思思点点头，咬着嘴唇道："我要自己去看看，他们三个人究竟是谁好！"

田心再也笑不出来了，吃惊道："小姐你一定是在开玩笑。"

田思思道："谁跟你开玩笑，快点去替我把衣服找来。"

田心非但笑不出，简直想哭出来了，合起双手，苦着脸道："好小姐，你饶了我吧，老爷若知道，不打断我的腿才怪。"

田思思也瞪起了眼，道："你若不去，我现在就打断你两条腿。"

她眼珠一转，突又笑了，轻轻拧了拧田心的小脸，吃吃地笑着道："何况，你年纪也已不小，难道就不想到外面去找个好丈夫么？"

田心也顾不得害臊，跳起来拉住她小姐，道："你肯带我一起去？"

田思思笑道："当然，我怎能舍得甩下你一个人冷冷清清地待在家里呢？"

田心已被吓白了的小脸又渐渐苹果般发红，眸子里又渐渐发了光，瞧着窗外痴痴地出了神。

田思思柔声道："外面的世界是那么美丽，那么辽阔，尤其是江南，现在更是万紫千红、繁花如锦的时候。一个人活着时若不到江南去开开眼界，他这一辈子才真是白活了。"

田心就像是做梦似的，走到窗口，她的神魂似已飞越到江南，那温柔的流水旁，温柔的柳条下，正有个温柔而多情的少年在等着她。

十五六岁的小姑娘，有哪个不喜欢做梦呢？

田思思道："快去吧，只要你不说，我不说，老爷绝不会知道的，等我们带了个称心如意的女婿回来，他老人家一定喜欢得很。"

田心的心里面就算已千肯万肯，嘴里还是不能不拒绝，拼命摇着头道："不行，我还是不敢。"

田思思立刻板起了脸，道："好，小鬼，你若真敢不听话，我就把你许配给马房的王大光。"

用"大光"来形容王大光这个人的脸虽不适合，形容他的头却真是再好也没有。

他的头看来就像是个剥光了的鸡蛋，连一根毛都没有。

只可惜他的脸却太不光了，每边脸上都至少有两三百颗黑麻子，比风干了的桔子皮还麻得厉害。

一想到这个人，田心就要吐，想到要嫁给这样一个人，她的腿都软了，几乎当场跪了下来。

田思思悠然道："我说过的话就算数，去不去都看你了。"

田心立刻道："去，去，去，现在就去，却不知小姐你是想做个雄纠纠、气昂昂的花木兰呢？还是做个文质彬彬、风流潇洒的祝英台？"

03

天青色的软绸衫，天青色的文士巾，田思思穿在身上，对着妆台前的铜镜，顾影自怜，自己也实在对自己很满意。

她想板起脸，做出一副道貌岸然的样子来，却忍不住笑了，嫣然道："小撅嘴，你看我现在像不像是个翩翩浊世的佳公子？"

田心也笑了，抿着嘴笑道："果然是文质彬彬、风流潇洒，就算潘安再世见了你，也只有乖乖地再躺回棺材里去。"

田思思却忽然皱起了眉，道："现在我只担心一件事。"

田心道："什么事？"

田思思道："像这样的男人走到外面去，一定会被许多小姑娘看上的，我还没找到丈夫，却有一大堆小姑娘追在后面要嫁给我，那怎么办呢？"

田心也皱起了眉，正色道："这倒真是个大问题，我若不知道你也是个女的，就非嫁给你不可。"

田思思道："好，我就要你。"她忽然转过身，张开手，龇着牙道："来，小宝贝，先让我抱着亲一亲。"

田心吓得尖叫起来，掉头就跑。

田思思追上去，一把揽住她的腰，道："你又不愿了是不是？不愿也不行。"

田心喘着气，道："就算要亲，也没有像你这样子的。"

田思思道："这样子有什么不对？"

田心道："这样子太穷凶极恶了，胆小的女孩子不被你活活吓死才怪。"

田思思自己也忍不住"扑哧"笑了，道："那要什么样子才对呢？"

田心道："更温柔些、体贴些，先拉住人家的手，说些深情款款的甜言蜜语，打动人家的心，让人家自动投怀送抱。”

田思思道：“说些什么呢？”

田心道：“譬如说，你说你一直很孤独、很寂寞啰，从来没有见过像她这么样的女孩子啰，自从见到她之后，你才忽然觉得人生变得有意思起来，若没有她，你一定再也活不下去。”

她话还未说完，田思思已笑弯了腰，道：“这些话肉麻死了，男人怎么说得出口？”

田心道：“这你就不懂了，小姑娘就喜欢听肉麻的话，愈肉麻愈好。”

田思思吃吃笑道：“想不到你还蛮有经验，这种话一定听人说过不少次了。”

田心脸红了，撅起嘴，道：“人家说正经的，你却拿人家开玩笑。”

田思思道：“好，我也问你句正经的。”

田心道：“问什么？”

田思思眨着眼，道：“我问你，你这小撅嘴到底被人家亲过没有？”

田心已扑到床上，一头钻进了被窝，还用两只手蒙住耳朵，道：“不要听，不要听，这种羞死人的话真亏你怎么说得出来的。”

田思思的脸也有些红红的，幽幽道：“别人像我这样的年纪，这种事做都不知道做过多少次了，我说说有什么关系？”

田心道：“听你说话，别人真很难相信你会是个大门不出、二门不迈的黄花闺女。”

她叹了口气，摇着头又道：“这只能怪老爷不好，为什么还没有替你成亲呢？若早有了婆家，你也不会整天地想这些糊涂心思了。”

田思思一甩手，扭过头，板起脸道：“小鬼，说话愈来愈没规矩。”

看到小姐真的有点像发脾气的样子，田心就软了，讪讪地走过来，赔着笑道：“刚刚我才听到一个消息，小姐你想不想听？”

田思思道：“不想听。”

田心叹了口气，道：“其实那倒真是个大消息，但小姐既然不想听，我也不敢说。”

田思思咬着嘴唇，憋了半天气，还是憋不住，恨恨道：“你不敢说，你的胆子呢？”

田心道：“做丫头的人怎么能有胆子。”

看到俏丫头真有点受了委屈的样子，做小姐的心也软了，转过身，一把抱住了田心，道：“你不说，好，我就真的亲你，亲亲你的小撅嘴。”

田心早已笑得连气都透不过来，道：“好小姐，求求你放手吧，我说……我说……”

她好容易才喘过一口气，这才悄悄道：“听说老爷已经有意思把你许配给杨三爷的大公子。”

田思思立刻紧张了起来，道：“哪个杨三爷？”

田心道：“当然是大名府的那位杨三爷。”

田思思怔了半晌，忽然道：“快收拾衣服，我们今天晚上就走。”

田心道：“急什么？”

田思思道：“听说杨三叔那个儿子是个怪物，从小就住在和尚庙里，连庙里的老和尚都说他是天上的怪物投胎的，这种人我怎么受得了？”

她忽又道：“还是我来收拾衣服，你去雇辆大车，在后花园的小门外等着。”

田心道：“雇车干什么？骑马不快些么？”

田思思道：“我们至少有六七口箱子要带走，不雇车怎么行？”

田心瞪大眼睛，道：“六七口箱子？小姐你究竟想带些什么？”

田思思道：“要带的东西太多了，譬如说，妆盒、洗脸盆、镜子，这几样东西就得装一口箱子。我们虽然扮成男人，但总不能不梳头洗脸吧！”

她眼珠子一转，又道：“还有被褥、枕头，也得装一口箱子，你知道我是从不用别人的东西的——对了，你还是先去把我吃饭用的那些碟子碗筷用软巾包起来；还有这香炉、棋盘，也得包起来。”

田心听得眼睛都直了，道：“小姐，你这是在办嫁妆么？婆家还没有找到，就先办嫁妆，不嫌太早了点吗？”

第三章

金丝雀和一群猫

01

田思思道："不带这些东西，你难道要我盖那些臭男人盖过的被睡觉？用那些臭男人用过的碗吃饭？"

田心忍住笑道："就算小姐不愿用别人的东西，我们在路上也可以买新的。"

田思思道："买来的也脏。"

田心道："这些东西难道不是买来的吗？"

田思思撅起嘴，道："我不管，这些东西我非带走不可，一样都不少，否则……"

田心叹了口气，替她接了下去，道："否则就把我许配给王大光，是吗？"

她眼珠子一转，忽又吃吃笑道："有个人总说我是小撅嘴，其实她自己的小嘴比我撅得还高。"

她说要的东西，就非要不可，你就算说出天大的理由来，她也拿你当放屁。

她可以在一眨眼间跟你翻脸发脾气，但你再眨眨眼，她说不定已将发脾气的事忘了，说不定会拉着你的手赔不是。这就是田大小姐的大小姐脾气。

所以我们的田大小姐就带着她的洗脸盆、妆盒、镜子、被褥、枕头、香炉、棋盘……还有几十样你想都想不到的东西，踏上了她的征途。

这是她生平第一次出门。

她的目的地是江南。

因为她心目中三个大人物都在江南。

但江南究竟是个怎么样的地方呢？离她的家究竟有多远？

这一路上会经过些什么样的地方？会遇见些什么样的人？

这些人是好人？还是恶人？会对她们怎么样？

她们是不是真会遇到一些意外危险？是不是能到达江南？

就算她们能到江南，是不是真能找得到她心目中的那三个大人物？

他们又会怎么样对她？

这些事田大小姐全都不管，就好像只要一坐上车，闭起眼，等张开眼来时，就已平安到了江南，那三位大人物正排着队在等她。

她以为江湖就像她们家的后花园一样安全，她以为江湖中人就像她们家的人一样，对她百依百顺、服服帖帖。

像这么样一个女孩子踏入了江湖，你说危险不危险？

她若真能平平安安地到达江南，那才真的是怪事一件。

她在这一路上遇到的事，简直令人连做梦都想不到，你若一件件去说，也许要说个两三年。

02

繁星，明月，晚风温暖而干燥。

中原标准的好天气。

车窗开着，道旁的树木飞一般往后倒退，马车奔得很急。

田思思就像是一只已被关了十几年，刚飞出笼子的金丝雀，飞得离笼子愈远愈好，愈快愈好。

风从窗子外吹进来，吹在她身上，她兴奋得全身都起了鸡皮疙瘩，从窗子里探出头，看到天上一轮冰盘般的明月，她立刻兴奋得叫了起来，就像是平生第一次看到月亮一样，不停地叫着道：“你看，你看这月亮，美不美？”

田心道：“美，美极了。”

田思思道："江南的月亮一定比这里的更美，说不定还圆得多。"

田心眨着眼，道："江南的月亮难道和这里的不是同一个？"

田思思叹了口气，摇着头道："你这人简直连一点诗意都没有。"

田心凝注着窗外的夜色，深深道："我倒不想写诗，我只想写部书。"

田思思道："写书？什么样的书？"

田心道："就像《西游记》弹词那样的闲书，连书名我都已想出来了。"

田思思笑道："想不到我们的小撅嘴还是女才子，你想的是什么书名，快告诉我。"

田心道："《大小姐南游记》。"

田思思道："《大小姐南游记》？你……你难道是想写我？"

田心道："不错，大小姐就是你，南游记就是写我们这一路上发生的事。"

她的脸已因兴奋而发红，接着道："我想，我们这一路上一定会遇见很多很多有趣的人，发生很多很多有趣的事，我若能全都写下来，让别人看看我们的遭遇，那一定更有趣。"

田思思的兴趣也被引起来了，拍手道："好主意，只要你真能写，写得好，这本书将来说不定比《西游记》还出名。"

她忽又正色道："可是你绝不能用我们的真名字，免得爹爹看了生气。"

田心眼珠子转动着道："那么我用什么名字呢……《西游记》写的是唐僧，我总不能把小姐你写成尼姑呀……"

田思思笑啐道："我若是唐僧，你就是孙悟空，我若是尼姑，你就是母猴子。"

她吃吃地笑着又道："猴子的嘴岂非也都是撅着的。"

田心的嘴果然又撅起来了，道："孙猴子倒没关系，但唐僧却得小心些。"

田思思道："小心什么？"

田心道："小心被人吃了你这身唐僧肉。"

田思思跳起来要去拧她的嘴，忽又坐下来，皱起眉，道："糟了，糟极了。”

田心也紧张起来，道：“什么事？”

田思思涨红了脸，附在她耳旁，悄悄道：“我刚才多喝了碗汤，现在胀得要命。”

田心又好笑，又不好意思笑，咬着嘴唇，道：“怎么办呢？总不能在车上……”

田思思道：“我还是忘了件大事，我们应该带个马桶出来的。”

田心实在忍不住，已笑弯了腰。

田思思恨恨道：“这有什么好笑的，你难道就从来不急？”

田心当然也有急的时候，当然也知道那种滋味多要命。

她也不忍再笑了，悄悄道：“路上反正没有人，又黑，不如叫车夫停下来，就在路旁的树林子里……”

田思思“啪”地轻轻给了她一巴掌，道：“小鬼，万一有人闯过来……”

田心道：“那没关系，我替你把风。”

田思思拼命摇头，道：“不行，一千一万个不行，说什么都不行。”

田心叹了口气，道：“不行那就没法子，只好憋着点吧。”

田思思已憋得满脸通红。

这种事你不去想还好，愈想愈急，愈想愈要命。

田思思忽然大呼，道：“赶车的，你停一停。”

田心掩口笑道：“原来我们的大小姐也有改变主意的时候。”

田思思狠狠瞪了她一眼，忽又道：“我正好也有话要吩咐赶车的。”

田心道：“什么话？”

田思思摇着头，喃喃道：“到底是小孩子，做事总没有大人仔细。”

车一停下，她就跳了下去，大声道：“赶车的，你过来，我有话说。”

赶车的慢吞吞跳下来，慢吞吞地走过来，一副呆头呆脑的样子。

田思思觉得很满意，她这次行动很秘密，当然希望赶车的愈呆愈好，呆子很少会发现别人的秘密。

但她还是不太放心，还是要问问清楚。因为她的确是个很有脑筋，而且考虑很周密的人。

所以她就问道："你认不认得我们？知不知道我们是谁？"

赶车的直着眼摇头道："不认得，不知道。"

田思思道："你知不知道我们刚刚是从什么地方走过来的？"

赶车的道："俺又不是呆子，怎么会不知道？"

田思思已有点紧张，道："你知道？"

赶车的道："当然是从门里面走出来的。"

田思思暗中松了口气，道："你知不知道那是谁家的门？"

赶车的道："不知道。"

田思思道："你知不知道我们要到什么地方去？"

赶车的道："不知道。"

田思思眼珠子一转，忽又问道："你看我们是男的？还是女的？"

赶车的笑了，露出一口黄板牙，道："两位若是女的，俺岂非也变成母的了。"

田思思也笑了，觉得更满意，道："我们想到附近走走，你在这里等着，不能走开。"

赶车的笑道："两位车钱还没有付，杀了俺，俺也不走。"

田思思点头道："对，走了就没车钱，不走就有赏。"

赶车的往腰带上抽出旱烟，索性坐在地上抽起烟来。

田思思这才觉得完全放心，一放心，立刻就又想到那件事了。

一想到那件事，就片刻也忍耐不得，拉着田心就往树林子钻。

树林里并不太暗，但的确连个鬼影子都没有。

田心悄声道："就在这里吧，没有人看见，我们不能走得太远。"

田思思道："不行，这里不行，那赶车的是个呆子，用不着担心他。"

每个人都认为愈暗的地方愈安全，这也是人们心理上的弱点。

田思思找了个最暗的地方，悄悄道："你留意看着，一有人来就叫。"

田心不说话，吃吃地笑。

田思思瞪眼道："小鬼，笑什么，没见过人小便吗？"

田心笑道："我不是笑这个，只不过在想，这里虽不会有人来，但万一有条蛇……"

田思思跳起来，脸都吓白了，跳过去想找个东西塞她的嘴。

田心告饶，田思思不依，两个人又叫又笑又吵又闹，树林外的车辆马嘶声，她们一点也没听到。

等她们吵完了，走出树林，那赶车的"呆子"早已连人带车走得连影子都瞧不见了。

田思思怔住。

田心也怔住。

两个人你看我，我看你，怔了很久，田心才长长叹了口气，道："我们把人家当作呆子，却不知人家也把我们当呆子，我们是真呆，人家却是假呆。"

田思思咬着牙，气得连话都说不出了。

田心道："现在我们该怎么办呢？"

田思思道："无论怎么办，我绝不会回家。"

她忽又问道："你有没有把我们的首饰带出来？"

田心点点头。

田思思跺脚道："我们刚才若将那个小包袱带下车来就好了。"

田心忽然从背后拿出了包袱，道："你看这是什么？"

田思思立刻高兴得跳了起来，道："我早就知道你这小撅嘴是个鬼灵精。"

田心却又叹了口气，喃喃道："到底是小孩子，做事总不如大人仔细。"

路上并不黑，有星有月。

两个人逍遥自在地走着，就好像在闲游似的，方才满肚子的怒气，现在好像早就忘了。

田思思笑道："东西失了，反倒轻松愉快。"

田心眨着眼，道："你不怕盖那些臭男人盖过的被子？"

田思思道："怕什么，最多买床新的就是，我那床被反正也是买来的。”

田心忍不住笑道：“我们这位大小姐虽然脾气有点怪，总算还想得开，只不过又有点健忘而已，自己说过的话，自己一转头就忘了。”

田思思瞪了她一眼，忽又皱眉道：“有件事我一直觉得很奇怪。”

田心道：“什么事？”

田思思道：“那赶车的还没拿车钱，怎么肯走呢？”

田心又怔住，怔了半天，才点着头道：“是呀，这点我怎么没想到呢？”

田思思忽又“啪”地轻轻给了她一巴掌，道：“小呆子，他当然知道我们车上的东西很值钱，就算买辆车也足足有余。”

田心道：“哎呀，小姐你真是个天才，居然连这么复杂的问题都想得通，我真佩服你。”

大小姐毕竟是大小姐。

大小姐的想法有时不但要人啼笑皆非，而且还得流鼻涕。

03

天亮了。

鸡在叫，她们的肚子也在叫。

田思思喃喃道：“奇怪，一个人的肚子为什么会‘咕咕’地响呢？”

田心道：“肚子饿了就会响。”

田思思道：“为什么肚子饿了就会响？”

田心没法子回答了，大小姐问的话，常常都叫人没法子回答。

田思思叹了口气，道：“想不到一个人肚子饿了会这么难受。”

田心道：“你从来没饿过？”

田思思道：“有几次我中饭不想吃，到了下午，就觉得已经快饿疯了，现在才知道，那时候根本不算是饿。”

田心笑道：“你不是总在说，一个人活在世上，什么样的滋味都要尝尝吗？”

田思思道：“但饿的滋味我已经尝够了，现在我只想吃一块四四方方、红里透亮、用文火炖得烂烂的红烧肉。”

田心道：“那么你只好回家去吃吧。”

田思思道：“外面连红烧肉都没得卖？”

田心道：“至少现在没有，这时候饭馆都还没有开门。”

她想了想，又道：“听说有种茶馆是早上就开门的，也有吃的东西卖，这种茶馆大多数开在菜市附近。”

田思思拍手笑道：“好极了，我早就想到菜市去瞧瞧了。还有茶馆，听说江湖中有很多事，都是在茶馆里发生的。”

田心道：“不错，那种地方什么样的人都有，尤其是骗子更多。”

田思思笑了，道：“只要我们稍微提防着些，有谁能骗得到我们，我们不去骗人家，已经算是不错的了。”

这城里当然有菜市，菜市旁当然有茶馆，茶馆里当然有各色各样的人，流氓和骗子当然不少。

大肉面是用海碗装着的，寸把宽的刀削面，汤里带着厚厚的一层油，一块肉足足有五六两。

在这种地方吃东西，讲究的是经济实惠，味道好不好，根本就没有人计较。

这种面平日里大小姐连筷子都不会去碰的，但今天她一口气就吃了大半碗，连那块肉都报销得干干净净。

田心瞅着她，忍住了笑道：“这碗和筷子都是臭男人吃过的，你怎么也敢用？”

田思思怔了怔，失笑道：“我忘了，原来一个人肚子饿了时，什么事都会忘的。”

她放下筷子，才发现茶馆里每个人都在瞪大了眼睛瞧着她们，就好像拿她们当作什么怪物似的。

田思思摸了摸脸，悄悄道：“我脸上是不是很脏？”

田心道：“一点也不脏呀。”

田思思道：“那么这些人为什么老是穷瞪着我？”

田心笑道："也许他们是想替女儿找女婿吧。"

她手里始终紧紧抓住那包袱，就连吃面的时候手都不肯松开。

田思思忽然道："松开手，把包袱放在桌上。"

田心道："为什么？"

田思思道："出门在外，千万要记住'财不可露眼'，你这样紧紧地抓着，别人一看就知道包袱里是很值钱的东西，少不了就要来打主意了。你若装得满不在乎的样子，别人才不会注意。"

田心抿嘴吃吃笑道："想不到小姐居然还是个老江湖。"

田思思瞪眼睛道："谁是小姐？"

田心道："是少爷。"

她刚把包袱放在桌上，就看见一个人走过来，向她们拱了拱手，道："两位早。"

这人外表并不高明，甚至有点獐头鼠目，一看就知道不是什么好东西。

田思思本不想理他的，但为了要表现"老江湖"的风度，也站起来拱了拱手，道："早。"

这人居然就坐了下来，笑道："看样子两位是第一次到这里来的吧？"

田思思淡淡道："已经来过好几次了，城里什么地方我都熟得很。"

这人道："兄台既然也是外面跑跑的，想必晓得城里的赵老大赵大哥。"

听他的口气，这位赵大哥在城里显然是响当当的人物。若不认得这种人，就不是老江湖了。

田思思道："谈不上很熟，只不过同桌吃了几次饭而已。"

这人立刻笑道："这么样说来，大家就都是一家人了，在下铁胳膊，也是赵老大的小兄弟。"

他忽然压低语声，道："既然是一家人，有句话我就不能不说。"

田思思道："只管说。"

铁胳膊道："这地方杂得很，什么样的坏人都有，两位这包袱里若有值钱的东西，还是小心些好。"

田心刚想伸手去抓包袱，田思思就瞪了她一眼，淡淡地道：“这包袱里也不过只是几件换洗的衣裳而已，用不着小心。”

铁胳膊笑了笑，慢慢地站起来，道：“在下是一番好意，两位……”

他忽然一把抢过包袱，掉头就跑。

田思思冷笑，看这人腿上的功夫，就算让他先跑五十尺，她照样一纵身就能将他抓回来。

大小姐并不是那种弱不禁风的女人，有一次在锦绣山庄的武场里，她三五招就将京城一位很有名的镖头打得躺下了。

据那位镖头说，田大小姐的武功，在江湖中已可算是一等一的身手，就连江湖最有名的女侠“玉兰花”都未必比得上。

只可惜这次大小姐还没有机会露一手，铁胳膊还没有跑出门，就被一条威风凛凛、脸上带着条刀疤的大汉挡住，伸手就给了他个大耳光，厉声道：“没出息的东西，还不把东西给人家送了回去。”

铁胳膊非但不敢还手，连哼都不敢哼，手抚着脸，垂着头，乖乖地把包袱送了回来。

那大汉也走过来，抱拳道：“俺姓赵，这是俺的小兄弟，这两天穷疯了，所以才做出这种丢人的事。两位要打要罚，但凭尊便。”

田思思觉得这人不但很够江湖义气，而且气派也不错，展颜笑道：“多谢朋友相助，东西既然没有丢，也就算了，兄台何必再提。”

那大汉这才瞪了铁胳膊一眼，道：“既然如此，还不快谢谢这位公子的高义。”

田思思忽又道：“兄台既然姓赵，莫非竟是城里的赵大哥？”

大汉道：“不敢当。”

田思思道：“久仰大名，快请坐下。”

赵老大挥挥手，道：“这桌上的账俺付了。”

田思思道：“那怎么行，这次一定由我作东。”

她抓过包袱，想掏银子付账，掏出来的却是只镶满了珍珠的珠花蝴蝶——这包袱里根本就没有银子。

赵老大的眼睛立刻发直，压低声音，道：“这种东西不能拿来付账的，兄弟你若是等着银子用，大哥我可以带你去换，价钱包保公道。”

他拍了拍胸脯，又道：“不是俺吹牛，城里的人绝没有一个敢要赵老大的朋友吃亏的。”

田思思迟疑着，正想说“好”，忽然又看到一个长衫佩剑的中年人走过来，瞪着赵老大，沉着脸道：“刀疤老六，是不是又想打着我的字号在外面招摇撞骗了？”

这赵老大立刻站起来，躬身赔笑道：“小的不敢，赵大爷你好……”

话未说完，已一溜烟逃得踪影不见。

田思思看得眼睛发直，还没有弄懂这是怎么回事，这长衫佩剑的中年人已向她们拱拱手，道：“在下姓赵，草字劳达，蒙城里的朋友抬爱，称我一声老大，其实我是万万当不起的。”

田思思这才明白了，原来这人才是真的赵老大，刚才那人是冒牌的。

赵老大又道：“刀疤老六是城里有名的骗子，时常假冒我的名在外面行骗，两位方才只怕险些就要上了他的当了。”

田思思的脸红了红，道：“但方才在下的包袱被人抢走，的确是他夺回来的。”

赵老大笑了道：“那铁胳膊本是和他串通好了的，故意演出这出戏，好教两位信任他，他才好向两位下手行骗。”

他又笑了笑，接着道：“其实无论谁都可看出，两位目中神光充足，身手必定不弱，凭铁胳膊那点本事，怎么逃得出两位手掌？”

田思思暗中叹了口气，这才叫：不经一事，不长一智。

但她心里又不禁觉得很高兴，忍不住道：“你真能看得出我会武功？”

赵老大笑道：“非但会武功，而且还必定是位高手，所以在下才存心想结交两位这样的朋友，否则也未必会管这趟闲事。”

田思思心里觉得愉快极了，想到自己一出门就能结交这样的江湖好汉，立刻拱手道：“请，请坐，请坐下来说话。”

赵老大道：“这里太乱，不是说话之地，两位若不嫌弃，就请到舍下一叙如何？”

赵老大的家并不大，只不过占了一个大杂院里的两间小房子。房里的陈设也很简单，和他的衣着显得有点不称。

田思思非但不觉得奇怪，还认为这是理所当然的。

像赵老大这样的江湖好汉，就算有了银子，也是大把拿出去结交朋友，当然绝不会留下来给自己享受。

像这样的人，当然也不会有家眷。

赵老大道："两位若是没什么重要的事，千万要在这里待两天，待我将城里的好朋友全都带来给两位引见引见。"

田思思大喜道："好极了，小弟这次出门，就为的是想交朋友。"

田心忍不住插口道："只不过这样岂非太麻烦赵大爷了么？"

田思思瞪了她一眼，道："赵大哥这样的人面前，咱们若太客气，反而显得不够朋友了。"

赵老大抚掌笑道："对了，兄台果然是个豪爽的男儿，要这样才不愧是我的好兄弟。"

"豪爽男儿""好兄弟"，这两句话真将田思思说得心花怒放。

就连赵老大这样的人都看不出她是女扮男装，还有谁看得出？

她忍不住暗暗佩服自己，好像天生就是出来闯江湖的材料，第一次扮男人就扮得如此惟妙惟肖。

赵老大又道："兄弟，你若有什么需要，只管对大哥说，对了，我还得去拿点银子来，给兄弟你带在身上，若有什么使用也方便些。"

田思思道："不必了，我这里还有些首饰……"

她的脸红了红，立刻接着道："是我妹妹的首饰，还可以换点银子。"

赵老大正色道："兄弟你这就不对了，刚说过不客气，怎么又客气起来，我这就去兑银子，带买酒，回来和兄弟你痛饮一场。"

他不等田思思说话，就走了出去，忽又回转头，从袋里摸出个钥匙，打开床边的一个柜子，道："这么重要的东西带在身上总不方便，就锁在这柜子里吧，咱们虽不怕别人打主意，能小心些总是小心些好。"

他事事都想得这么周到，把包袱锁在柜子里后，还把钥匙交给田心，又笑道："这位小管家做事很仔细，钥匙就交给他保管吧。"

田思思反倒觉得有点不好意思，田心已赶紧将钥匙收了下来，等赵老大一出门，田心忍不住悄悄道："我看这赵老大也不是什么好东西，也不知究竟在打什么主意？"

田思思笑道："你这小鬼疑心病倒真不小，人家将自己的屋子让给我们，又去拿银子给我们，这样的好人哪里去找？"

田心道："但我们的包袱……"

田思思道："包袱就锁在这柜子里，钥匙就在你身上，你还不放心吗？"

田心撅起嘴，不说话了。

田思思也不理她，负手走了出去，才发现这院子里一共住着十来户人家，竹竿上晒满了各色各样的衣服，没有一件是新的。

住在这里的人，环境显然都不太好。

现在还没到正午，有几个人正在院子那边耍石锁，翻跟斗，其中还有两个梳着辫子的姑娘。

田思思知道这些人一定是走江湖，练把式卖艺的。

还有那个瞎了眼的老头子，正在拉胡琴，一个大姑娘垂头站在旁边，偷偷地在手里玩着几颗相思豆。

老头子当然是卖艺的。

大姑娘手里在玩相思豆，莫非也已动了春心？这几颗相思豆莫非是她的情人偷偷送给她的？

田思思不禁笑了。

大姑娘眼睛一瞟，向她翻了个白眼，又垂下头，把相思豆藏入怀里。

"这大姑娘莫非看上了我？不愿我知道她有情人，所以才将相思豆藏起来？"

田思思立刻不敢往那边看了，她虽然觉得有趣，却不想惹这种麻烦。

院子里有几个流着鼻涕的小孩子，正在用泥土堆城墙。

一个大肚子的少妇正在起火，眼睛都被烟熏红了，不停地流泪。看她的肚子，至少已有八九个月的身孕，孩子随时都可能生下来。

她婆婆还在旁边唠叨，说她懒，却又摸出块手帕去替她擦脸。

田思思心里充满了温暖。

她觉得这才是真真实实的人生。她从未如此接近过人生。

她突然对那大肚子的少妇很羡慕——她虽然没有珠宝，没有首饰，没有从京城里带来的花粉，没有五钱银子一尺的缎子衣裙；但她有她自己的生活，有爱，她生命中已有了新的生命。

“一个人若总是待在后花园里，看云来云去，花开花落，她虽然有最好的享受，但和只被养在笼子里的金丝雀又有什么分别呢？”

田思思叹了口气，只恨自己为什么不早有勇气逃出笼子。

她决定要把握住这机会，好好地享受人生。

火已燃着，炉子上已烧了锅饭。

琴声已停止，那拉琴的老人正在抽着管旱烟，大姑娘正在为他轻轻捶背。

田心忽然走出去，悄悄道：“赵老大怎么到现在还没有回来？”

田思思道：“也许他手头并不方便，还得到处去张罗银子。”

田心道：“我只怕他溜了。”

田思思瞪眼道：“人家又没有骗走我们一文钱，为什么要溜？”

田心又撅起嘴，扭头走回屋子去。

锅里的饭熟了，饭香将一个黝黑的小伙子引了回来。

他满身都是汗，显然刚做过一上午的苦工。

那大肚子的少妇立刻迎上去，替他擦汗。小伙子轻轻拍了拍她肚子，在她耳旁悄悄说了句话，少妇给了他个白眼，小两口子都笑了起来。

两条狗在院子里抢屎吃。

玩得满身是泥的孩子们，都已被母亲喊了回去打屁股。

赵老大还没有回来。

田思思正也觉得有些不耐烦了。

田心忽然从屋子里冲出。

看她的样子，就好像被火烧着尾巴似的，不停地跺脚道：“糟了，糟了……”

田思思皱眉道：“什么事大惊小怪的，难道你也急了么？这里有茅房呀。”

田心道：“不是……不是……我们的包袱……”

田思思道：“包袱不是锁在柜子里么？”

田心拼命摇头，道：“没有，柜子里是空的，什么都没有。”

田思思道：“胡说，我明明亲手将包袱放进去的。”

田心道：“现在却不见了，我刚才不放心，打开柜子一看才知道……”

田思思也急了，冲进屋子，柜子果然是空的。

包袱到哪里去了？难道它自己能长出翅膀从锁着的柜子里飞出去？

田心喘着气，道：“这柜子只有三面，墙上有个洞，赵老大一定从外面的洞里将包袱偷了出去，我早就看出他不是好东西。”

田思思跺了跺脚，冲出去。

别的人都回屋吃饭，只有那几个练石锁的小伙子还在院子里，从井里打水洗脸。

田思思冲过去，道：“赵老大呢？你们知不知道他在哪里？”

小伙子面面相觑，道：“赵老大是谁？我们不认得他。”

田思思道：“就是住在那边屋里的人，是你们的邻居，你们怎么会不认得？”

第四章

优雅的王大娘

01

小伙子道："那两间屋子已空了半个月，今天早上才有人搬进来，只付了半个月的房钱，我们怎么会认得他是老几？"

田思思又怔住。田心也怔住。

忽听一人道："刚才好像有人在问赵老大哥，是哪一位？"

这人刚从外面走过来，手里提着条鞭子，好像是个车把式。

田思思立刻迎上去，道："是我在问，你认得他？"

这人点点头道："当然认得，城里的人，只要是在外面跑跑的，谁不认得赵老大？"

田思思大声道："你能不能带我们去找他？"

这人上上下下打量了他两眼，道："你们是……"

田思思道："我们都是他的好朋友。"

这人立刻笑道："既然是赵大哥的朋友，还有什么话说，快请上我的车，我拉你们去。"

马车在一栋很破旧的屋子前停下，那车把式道："赵大哥正陪一位从县城里来的兄弟喝酒，就在屋里，我还有事，不陪你们了。"

田思思"谢"字都来不及说，就冲了进去。她生怕又被赵老大溜了。

这位大小姐从来也没有如此生气过，发誓只要一见着赵老大，至少也得给他十七八个耳刮子。

屋子里果然有两个人在喝酒，一个脸色又黄又瘦，像是得了大病还没好；另一个却是条精神抖擞、满面虬髯的彪形大汉。

田思思大声道："赵老大在哪里？快叫他出来见我。"

那满面病容的人斜着眼瞟了瞟她，道："你找赵老大干什么？"

田思思道："当然有事，很要紧的事。"

这人拿起酒杯，喝了口酒，冷冷道："有什么事就跟我说吧，我就是赵老大。"

田思思愕然道："你是赵老大？我找的不是你。"

那虬髯大汉笑了，道："赵老大只有这一个，附近八百里内找不出第二位来。"

田思思的脸一下子就变白了，难道那长衫佩剑的"赵老大"，也是个冒牌的假货了？

那满面病容的人又喝了口酒，淡淡道："看样子这位朋友必定是遇见'钱一套'了，前两个月我就听说他常冒我的名在外面招摇撞骗，我早就应给他个教训，只可惜一直没找着他。"

田思思忍不住问道："钱一套是谁？"

赵老大道："你遇见的是不是一个穿着绸子长衫，腰里佩着剑，打扮得很气派，差不多有四十多岁年纪的人？"

田思思道："一点也不错。"

虬髯大汉笑道："那就是钱一套，他全部家产就只有这么样一套穿出来充壳子骗人的衣服，所以叫作钱一套。"

赵老大道："他衣裳唯只有一套，骗人的花样却不只一套，我看这位朋友想必一定也是受了他的骗了。"

田思思咬着牙，道："这姓钱的可不知两位能不能帮我找到他？"

赵老大道："这人很狡猾，而且这两天一定躲起来避风头去了，要找他，也得过两天。"

他忽然笑了笑，又道："你们带的行李是不是已全被他骗光了？"

田思思脸红了，勉强点了点头。

赵老大道："你们是第一次到这里来？"

田思思只好又点了点头。

赵老大道："那全都没关系，我可以先替你们安排个住的地方，让你们安心地等着，六七天之内，我一定负责替你们把钱一套找出来。"

田思思红着脸，道：“那……那怎么好意思？”

赵老大慨然道：“没什么不好意思的，常言道，在家靠父母，出门靠朋友，你们肯来找我，已经是给我面子了。”

这人长得虽然像是个病鬼，却的确是个很够义气的江湖好汉。

田思思又是惭愧，又是感激，索性也做出很大方的样子，道：“既然如此，小弟就恭敬不如从命了。”

虬髯大汉忽又上上下下瞧了她两眼，带着笑道：“我看不如就把她们两位请到王大娘那里去住吧，那里都是女人，也方便些。”

田思思怔了怔，道：“全是女人？那怎么行，我们……我们……”

虬髯大汉笑道：“你们难道不是女人？”

田思思脸更红，回头去看田心。

田心做了个无可奈何的表情，田思思只好叹了口气，苦笑道：“想不到你们的眼力这么好……”

虬髯大汉道：“倒不是我们的眼力好……”

他笑了笑，一句话保留了几分。

田思思却追问道：“不是你们的眼力好是什么，难道我们扮得不像？”

赵老大也忍不住笑了笑，道：“像两位这样子女扮男装，若还有人看不出你们是女人的话，那人想必一定是个瞎子。”

田思思怔了半晌，道：“这么样说来，难道那姓钱的也已看出来了？”

赵老大淡淡道：“钱一套不是瞎子。”

田思思又怔了半晌，忽然将头上戴的文士巾重重往地下一掼，冷笑道：“女人就女人，我迟早总要那姓钱的知道，女人也不是好欺负的。”

于是我们的田大小姐又恢复了女人的面目。

所以她的麻烦就愈来愈多了。

02

王大娘也是个女人。

女人有很多种，王大娘也许就是其中最特别的一种。

她特别得简直要你做梦都想不到。

王大娘的家在一条很安静的巷子里，两边高墙遮住了日色，一枝红杏斜斜地探出墙外。

已过了正午，朱红的大门还是关得很紧，门里听不到人声。

只看这大门，无论谁都可以看出王大娘的气派必定不小。

田思思似乎觉得有点喜出望外，忍不住问道："你想王大娘真的会肯让我们住在这里？"

赵老大点点头，道："你放心，王大娘不但是我的老朋友，也是我的好朋友。"

田思思道："她……她是个怎么样的人？"

赵老大道："她为人当然不错，只不过脾气有点古怪。"

田思思道："怎么样古怪？"

赵老大道："只要你肯听她的话，她什么事都可以答应你，你住在这里，一定比住在自己家里还舒服。但你若想在她面前捣乱，就一定会后悔莫及。"

他说话时神情很慎重，仿佛要吓吓田思思。

田思思反而笑了，道："这种脾气其实也不能算古怪，我也不喜欢别人在我面前捣乱的。"

赵老大笑道："这样最好，看样子你们一定会合得来的。"

他走过去敲门，道："我先进去说一声，你们在外面等等。"

居然叫田大小姐在门口等等，这简直是种侮辱。

田心以为大小姐一定会发脾气的，谁知她居然忍耐下去了，她出门只不过才一天还不到，就似乎已改变了不少。

敲了半天门，里面才有回应。

一人带着满肚子不耐烦，在门里应道："七早八早的，到这里来干什么，难道连天黑都等不及吗？"

赵老大居然赔着笑道："是我，赵老大。"

门这才开了一线。

一个蓬头散发的小姑娘，探出半个头，刚瞪起眼，还没有开口，赵老大就凑了过去，在她耳畔悄悄说了两句话。

这小姑娘眼珠子一转，上上下下地打量了田思思几眼，这才点点头，道："好，你进来吧，脚步放轻点，姑娘们都还没起来，你若吵醒了她们，小心王大娘剥你的皮。"

等他们走进去，田思思就忍不住向田心笑道："看来这里的小姑娘比你还懒，太阳已经晒到脚后跟，她们居然还没有起来。"

虬髯大汉不但眼尖，耳朵也尖，立刻笑道："由此可见王大娘对她们多体贴，你们能住到这里来，可真是福气。"

田心眨着眼，忽然抢着道："住在这里的，不知都是王大娘的什么人？"

虬髯大汉摸了摸胡子，道："大部分都是王大娘的干女儿——王大娘的干女儿无论走到哪里，都不会有人敢欺负她的。"

田思思笑道："我倒不想做她的干女儿，只不过这样的朋友我倒想交一交。"

虬髯大汉道："是是是，王大娘也最喜欢交朋友，简直就跟田白石田二爷一样，是位女孟尝。"

田思思和田心对望了一眼，两个人抿嘴一笑，都不说话了。

这时赵老大已兴高采烈地走了出来，满面喜色，道："王大娘已答应了，就请两位进去相见。"

一个长身玉立的中年美妇人站在门口，脸上虽也带着笑容，但一双凤眼看来还是很有威严，仔细盯了田思思几眼，道："就是这两位小妹妹吗？"

赵老大道："就是她们。"

中年美妇点了点头，道："看来倒还标致秀气，想必也是好人家的女儿，大娘绝不会看不中的。"

赵老大笑道："若是那些邋里邋遢的野丫头，我也不敢往这里带。"

中年美妇道："好，我带她们进去，这里没你的事了，你放心回去吧。"

赵老大笑得更愉快，打躬道："是，我当然放心，放心得很。"

田思思愕然道："你不陪我们进去？"

赵老大笑道："我已跟王大娘说过，你只要在这里放心待着，一有消息，我就会来通知你们。"

他和那虬髯大汉打了个招呼，再也不说第二句话，田思思还想再问清楚些，他们却已走远了。

那中年美妇正在向她招手，田思思想了想，终于拉着田心走进去。

门立刻关起，好像一走进这门就再难出去。

中年美妇却笑得更温柔，道："你们初到这里，也许会觉得有点不习惯，但待得久了，就会愈来愈喜欢这地方的。"

田心又抢着道："我们恐怕不会在这里待太久，最多也不过五六天而已。"

中年美妇好像根本没听见她在说什么，又道："这里一共有二十多位姑娘，大家都像是姐妹一样，我姓梅，大家都叫我梅姐，你们无论有什么大大小小的事，都可以来找我。"

田心又想抢着说话，田思思却瞪了她一眼，自己抢着笑道："这地方很好，也很安静，我们一定会喜欢这地方的，用不着梅姐你操心。"

这地方的确美丽而安静，走过前面一重院子，穿过回廊，就是很大的花园，万紫千红，鸟语花香，比起"锦绣山庄"的花园也毫不逊色。

花园里有很多栋小小的楼台，红栏绿瓦，珠帘平卷，有几个娇慵的少女正站在窗前，手挽着发髻，懒懒地朝着满园花香发呆。

这些少女都很美丽，穿的衣服都很华贵，只不过每个人看起来都很疲倦，仿佛终日睡眠不足的样子。

三两只蝴蝶在花丛中飞来飞去。一条大花猫蜷曲在屋角晒太阳。檐下的鸟笼里，有一双金丝雀正在蜜语啁啾。

她们走进这花园，人也不关心，猫也不关心，蝴蝶也不关心，金丝雀也不关心。在这花园里，仿佛谁也不关心别人。

田思思不禁想起了自己在家里的生活，忍不住又道："这地方什么都好，只不过好像太安静了些。"

梅姐笑道："你喜欢热闹？"

田思思道："太安静了，就会胡思乱想，我不喜欢胡思乱想。"

梅姐笑道："那更好，这里现在虽然安静，但一到晚上就热闹了起来，无论你喜欢安静也好，喜欢热闹也好，在这里都不会觉得日子难过的。"

田思思往楼上瞟了一眼，道："这些姑娘好像都不是喜欢热闹的人。"

梅姐道："她们都是夜猫子，现在虽然没精打采，但一到晚上，立刻就会变得生龙活虎一样，有时简直闹得叫人吃不消。"

田思思也笑了，道："我不怕闹，有时候我也会闹，闹得人头大如斗，你不信可以问问她。"

田心撅着嘴，道："问我干什么？我反正什么都不懂，什么都不知道。"

梅姐淡淡笑道："这位小妹妹好像不太喜欢这地方，但我可以保证，以后她一定会慢慢喜欢的。"

她的笑脸虽温暖如春风，但一双眼睛却冷厉如秋霜。

田心本来还想说话，无意间触及了她的目光，心里立刻升起了一股寒意，竟连话都说不出了。

她们走过小桥。

小桥旁，山石后，一座小楼里，忽然传出了一阵悲呼："我受不了，实在受不了……我不想活了，你们让我死吧。"

一个披头散发，满面泪痕的女孩子，尖叫着从小楼中冲出来，身上穿的水红袍子，已有些地方被撕破。

没有人理她，站在窗口的那些姑娘们甚至连看都没有往这边看一眼。

只有梅姐过去，轻轻揽住了她的腰，在她耳畔轻轻说了两句话。

这女孩子本来又叫又跳，但忽然间就乖得像是只小猫似的，垂着头，慢慢地走回了她的窠。

梅姐的笑脸还是那么温柔，就好像根本没有任何事发生过。

而田思思却忍不住问道："那位姑娘怎么样了？"

梅姐叹了口气，道："她还没有到这里来以前，就受过很大的刺激，所以时常都会发发疯病，我们也见惯了。”

若不是已看惯了，怎会没有人关心呢？

田思思又问道：“却不知她以前受过什么样的刺激？”

梅姐道：“我们都不太清楚，也不忍问她，免得触动她的心病；只不过听说她以前好像是被一个男孩子骗了，而且骗得很惨。”

田思思恨恨道：“男人真不是好东西。”

梅姐点点头，柔声道：“男人中好的确实很少，你只要记着这句话，以后就不会吃亏了。”

她们已转过假山，走入一片花林。

花朵虽已阑珊，但却比刚开时更芬芳鲜艳。

繁花深处，露出了一角红楼。

梅姐道：“王大姐就住在这里，现在也许刚起来，我去告诉她，你们来了。”

她分开花枝走过去，风姿是那么优雅，看来就像是花中的仙子。

田思思目送着她，轻轻叹息了一声，道：“以后我到了她这样年纪时，若能也像她这样美，我就心满意足了。”

田心用力咬着嘴唇，忽然道：“小姐，我们走好不好？”

田思思愕然道：“走？到哪里去？”

田心道：“随便到哪里去都行，只要不待在这里就好。”

田思思道：“为什么？”

田心道：“我也不知道……我只不过总觉得这地方好像有点不太对。”

田思思道：“什么地方不对？”

田心道：“每个地方都不对，每个人都好像有点不正常，过的日子也不正常，我实在猜不透这究竟是个什么样的地方？”

田思思却笑了，摇着头笑道：“你这小鬼的疑心病倒真不小，就算有人骗过我们，我们也不能把每个人都当作骗子呀。”

她遥望着那一角红楼，慢慢地接着又道：“何况，我真想看看那位王大娘，我想她一定是个很不平凡的女人。”

03

无论谁见到王大娘，都不会将她当作骗子的。

若有人说梅姐是个很优雅、很出色的女人，那么这人看到王大娘的时候，只怕反而连一句话都说不出来了。

因为世上也许根本就没有一句适当的话能形容她的风度和气质。

那绝不是“优雅”所能形容的。

若勉强要说出一种比较接近的形容，那就是——

完美。

完美得无懈可击。

田思思进来的时候，她正在享受她的早点。

女人吃东西的时候大都不愿被人看到，因为无论谁吃东西的时候，都不会太好看。

因为一个人在吃东西的时候，若有人在旁边看着，她一定会变得很不自然。

但王大娘却是例外。

她无论做什么事的时候，每一个动作都完美得无懈可击。

她吃得并不少，因为她懂得一个人若要保持青春和活力，就得往丰富的食物中摄取营养，正如一朵花若想开得好，就得有充足的阳光和水。

她吃得虽不少，却丝毫没有影响到她的身材。

她身上每一段线条都是完美的。

她的脸，她的眼睛、鼻子、嘴，甚至她的微笑，都完美得像是神话——或许也只有神话中才会有她这样的女人。

田思思从第一眼看到她，就已完全被她吸引。

她显然也很欣赏田思思，所以看到田思思的时候，她笑得更温暖亲切。

她凝注着田思思，柔声道：“你过来，坐在我旁边，让我仔细看看你。”

她的目光和微笑中都带着种令人顺从的魔力，无论是男人，还是女人，永远都无法反抗她。

田思思走过去，在她身旁一张空着的椅子上坐下。

王大娘的目光始终没有离开过她，慢慢地将面前半碗吃剩下的燕窝汤推到她面前，柔声道："这燕窝汤还是热的，你吃点。"

田大小姐从未用过别人的东西，若要她吃别人剩下来的东西，那简直更不可思议。

但现在她却将这碗吃剩下的燕窝汤捧起来，垂着头，慢慢地啜着。

田心吃惊地瞧着她，几乎已不相信自己的眼睛。

王大娘的笑容更亲切，嫣然道："你不嫌我脏？"

田思思摇摇头。

王大娘柔声道："只要你不嫌我脏，我的东西你都可以用，我的衣服你都可以穿，无论我有什么，你都可以分一半。"

田思思垂首道："谢谢。"

别的人若在她面前说这种话，她大小姐的脾气一定早已发作，但现在她心中却只有感激，感动得几乎连眼圈都红了。

王大娘忽又笑了笑，道："你看，我连你的名字都不知道，就已经把你当作好朋友了。"

田思思道："我姓田，叫思思。"

她这次出来，本来决心不对人说真名实姓的，免得被她爹爹查出她的行踪，但也不知为了什么，在王大娘面前，她竟不忍说半句假话。

王大娘嫣然道："田思思……不但人甜，名字也甜，真是个甜丝丝的小妹妹。"

田思思的脸红了。

王大娘道："小妹妹，你今年多大了呀？"

田思思道："十八。"

王大娘笑道："十八的姑娘一朵花，但世上又有什么花能比得上你呢？"

她忽然问道："你看我今年多大了？"

田思思嗫嚅着，道："我看不出。"

王大娘道："你随便猜猜看。"

田思思又瞟了她一眼。

她的脸美如春花，比春花更鲜艳。

田思思道："二十……二十二？二十三？"

王大娘银铃般娇笑，道："原来你说话也这么甜，我当然也有过二十三岁的时候，只可惜那已是二十年前的事了。"

田思思立刻吃惊地瞪大了眼睛，又道："真的？我不信。"

王大娘道："我怎么会骗你？怎么舍得骗你？"

她轻轻叹息着，接着道："今年我已经四十三了，至少已可以做你的老大姐，你愿不愿意？"

田思思点点头，她愿意。

她非但愿意做她的妹妹，甚至愿意做她的女儿。

她忽又摇摇头，道："可是我无论如何也不相信你已四十三岁，我想没有人会相信。"

王大娘悠悠道："也许别人不相信，但我自己却没法子不相信。我也许可以骗过你，骗过世上所有的人，却没法子骗得过自己。"

田思思垂下头，也不禁轻轻叹息。

她第一次发觉到年华逝去的悲哀，第一次觉得青春应当珍惜。

她觉得自己和王大娘的距离仿佛又近了一层。

王大娘道："那位小妹妹呢？是你的什么人？"

田思思道："她从小就跟我在一起长大的，就好像我的亲姐妹一样。"

王大娘笑道："但现在我却要把你从她身旁抢走了，小妹妹，你生不生气？"

田心撅着嘴，居然默然了。

田思思瞪了她一眼，又笑道："她真的还是个小孩子，真的还不懂事。"

王大娘笑道："有时不懂事反而好，现在我若还能做个不懂事的孩子，我愿意用所有的一切去交换。"

她忽又笑了笑，道："今天我们应该开心才对，不该说这些话……你说对不对？"

田思思正想回答，忽然发现王大娘问这句话的时候，眼睛并没有看着她。

就在同时，她已听到身后有个人，冷冷道："不对。"

他的回答简短而尖锐，就像是一柄匕首。

他的声音更锋利，仿佛能刺破人们的耳膜，剖开人们的心。

田思思忍不住回头。

她这才发现屋角中原来还坐着一个人。

一个不像是人的人。

他坐在那里的时候，就好像是一张桌子、一张椅子、一件家具，既不动，也不说话，无论谁都不会注意到他。

但你只要看过他一眼，就永远无法忘记。

田思思看了他一眼，就不想再去看第二眼。

她看到他的时候，就好像看到一把虽生了锈，却还是可以杀人的刀；就好像看到一块千年未融，已变成黑色的玄冰。

她不看他的时候，心里只要想到他，就好像想到一场可怕的噩梦；就好像又遇到那种只有在噩梦中才会出现的鬼魂。

无论谁都想不到这种人会坐在王大娘这种人的屋子里。

但他的的确确是坐在这里。

无论谁都想不到这人也会开口说话。

但他的的确确是开口说话了。

他说："不对！"

王大娘反而笑了，道："不对？为什么不对？"

这人冷冷道："因为你若真的开心，无论说什么话都还是一样开心的。"

王大娘笑得更甜，道："有道理，葛先生说的话好像永远都有道理。"

葛先生道："不对。"

王大娘道："不对？为什么又不对呢？"

葛先生道："我说的话是有道理，不是'好像'有道理。"

王大娘的笑声如银铃，道："小妹妹，你看这位葛先生是不是很有趣？"

田思思的嘴闭着，田心的嘴撅得更高。

她们实在无法承认这位葛先生有趣。

你也许可以用任何名词来形容这个人，但却绝不能说他“有趣”。

王大娘的意见却不同。

她笑着又道：“你们刚看到这个人的时候，也许会觉得他很可怕，但只要跟他相处得长久，就会渐渐发觉他是个很有意思的人。”

田思思心里有句话没有说出来！

她本来想问：“像这么样的人，谁能跟他相处得久呢？”

若要她和这种人在一起，就简直连一天都活不下去。

窗外的日色已偏西，但在王大娘说来，这一天才刚开始。

田思思觉得今天的运气不错。

她终于脱离了钱一套那些一心只想吃她骗她的恶徒，终于遇到了赵老大和王大娘这样的好人。

那些人就像是一群猫，贪婪的猫。

王大娘却像是只凤凰。

现在金丝雀也飞上了云端，那些恶猫就再也休想伤着她了。

田思思忽然觉得好疲倦，到这时她才想起已有很久没有睡过，她眼睛不由自主看到王大娘那张柔软而宽大的床上……

第五章

王大娘的真面目

01

天已黑了。

屋里燃着灯，灯光从粉红色的纱罩中照出来，温柔得如同月光。

燃灯的人却已不在了，屋子里静悄悄的，田思思只听到自己的心在轻轻地跳着，跳得很均匀。

她觉得全身软绵绵的，连动都懒得动，可是口太渴，她不禁又想起了家里那用冰镇得凉凉的莲子汤。

田心呢？

这小鬼又不知疯到哪里去了？

田思思轻轻叹了口气，悄悄下床，刚才脱下来的鞋子已不见了。

她找着了双镂金的木屐。

木屐很轻，走起路来，“踢哒踢哒”地响，就好像雨滴在竹叶上一样。

她很欣赏这种声音，走走，停停，停下来看看自己的脚，脚上穿着的白袜已脏了，她脱下来，一双纤秀的脚雪白。

“屐上足如霜，不着鸦头袜。”

想起这位风流诗人的名句，她自己忍不住吃吃地笑了。

若是有音乐，她真想跳一曲小杜最欣赏的“柘枝舞”。

推开窗，窗外的晚风中果然有缥缈的乐声。

花园里明灯点点，照得花更鲜艳。

“这里晚上果然很热闹，王大娘一定是个很好客的主人。”

田思思真想走出去，看看那些客人，去分享他们的欢乐。

“若是秦歌他们也自江南来了，也到这里做客人，那多好！”

想到那强健而多情的少年，想到那飞扬的红丝巾，田思思脸上忽然泛起了一阵红晕，红得就像是那丝巾。

在这温柔的夏夜中，有哪个少女不善怀春。

她没有听到王大娘的脚步声。

她听到王大娘亲密的语声时，王大娘已经到了她身旁。

王大娘的手已轻轻搭上了她的肩，带着笑道：“你竟想得出神？在想什么？”

田思思嫣然道：“我在想，田心那小鬼怎么连人影都瞧不见了。”

她从来没有说过谎。

她从来没有想到自己会说谎，而且根本连想都没有想，谎话就自然而然地从嘴里溜了出来，自然得就如同泉水流下山坡一样。

她当然还不懂得说谎本是女人天生的本领，女人从会说话的时候，就懂得用谎话来保护自己。

说谎最初的动机只不过是保护自己，一个人要说过很多次谎之后，才懂得如何用谎话去欺骗别人。

王大娘拉起她的手，走到那张小小的圆桌旁坐下，柔声道：“你睡得好吗？”

田思思笑道：“我睡得简直就像是刚出世的小孩子一样。”

王大娘也笑了，道：“睡得好，就一定会饿，你想吃什么？”

田思思摇着头，道：“我什么都不想吃，我只想……”

她眼波流动，慢慢地接着道：“今天来的客人好像不少。”

王大娘道：“也不多，还不到二十个。”

田思思道：“每天你都有这么多客人？”

王大娘又笑了，道：“若没有这么多客人，我怎么活得下去？”

田思思惊奇地张大了眼，道：“这么说来，难道来的客人都要送礼？”

王大娘眨眨眼道：“他们要送，我也不能拒绝，你说是不是？”

田思思道：“他们都是哪里来的呢？”

王大娘道：“哪里来的都有……”

她忽又眨眨眼，接着道：“今天还来了位特别有名的客人。”

田思思的眼睛亮了，道："是谁？是不是秦歌？是不是柳风骨？"

王大娘道："你认得他们？"

田思思垂下头，咬着嘴唇道："不认得，只不过很想见见他们，听说他们都是很了不起的大人物。"

王大娘吃吃地笑着，轻轻拧了拧她的脸道："无论多了不起的大人物，看到你这么美的女孩子时，都会变成呆子的。你只要记着我这句话，以后一定享福一辈子。"

田思思喜欢拧田心的小脸，却不喜欢别人拧她的脸。

从来没有人敢拧她的脸。

但现在她并没有生气，反而觉得有种很温暖舒服的感觉。

王大娘的纤手柔滑如玉。

有人在敲门。

敲门的也都是很美丽的小姑娘，送来了几样很精致的酒菜。

王大娘道："我们就在这里吃晚饭好不好？我们两个可以静静地吃，没有别人来打扰我们。"

田思思眼珠子转动，道："我们为什么不出去跟那些客人一起吃呢？"

王大娘道："你不怕那些人讨厌？"

田思思又垂下头，咬着嘴唇道："我认识的人不多，我总听人说，朋友愈多愈好。"

王大娘又笑了，道："你是不是想多认识几个人，好挑个中意的郎君？"

她娇笑着，又去拧田思思的脸。

田思思的脸好烫。

王大娘忽然将自己的脸贴上去，媚笑着道："我这里每天都有朋友来，你无论要认识多少个都可以。但今天晚上，你却是我的。"

她的脸又柔滑，又清凉。

田思思虽然觉得她的动作不大好，却又不忍推开她。

"反正大家都是女人，有什么关系呢？"

但也不知为了什么，她的心忽然跳得快了些。从来没有人贴过她的脸，从来没有人跟她如此亲密过。

田心也没有。

田思思忽然道："田心呢？怎么到现在还看不见她的人？"

王大娘道："她还在睡。"

她笑了笑，道："除了你之外，从来没有别人睡在我屋子里，更没有人敢睡在我床上。"

田思思的心里更温暖，更感激。

但也不知为了什么，她的脸也更烫了。

王大娘道："你是不是很热，我替你把这件长衫脱了吧。"

田思思道："不……不热，真的不热。"

王大娘笑道："不热也得脱，否则别人看见你穿着这身男人的衣服，还以为有个野男人在我房里哩，那怎么得了。"

她的嘴在说话，她的手已去解田思思的衣钮。

她的手就像是一条蛇，滑过了田思思的腰，滑过了胸膛……

田思思不能动了。

她觉得很痒。

她喘息着，娇笑着，伸手去推，道："你不能脱，我里面没有穿什么衣服。"

王大娘笑得很奇怪，道："那有什么关系？你难道还怕我？"

田思思道："我不是怕，只不过……"

她的手忽然也推上王大娘的胸膛。

她的笑容忽然凝结，脸色忽然改变，就好像摸着条毒蛇。

她跳起来，全身发抖，瞪着王大娘，颤声道："你……你究竟是女的？还是男的？"

王大娘悠然道："你看呢？"

田思思道："你……你……你……"

她说不出。

因为她分不出王大娘究竟是男？还是女？

无论谁看到王大娘，都绝不会将她当成男人。

连白痴都不会将她看成男人。

但是她的胸膛……

她的胸膛平坦得就像是一面镜子。

王大娘带着笑，道："你看不出？"

田思思道："我……我……我……"

王大娘笑得更奇怪，道："你看不出也没关系，反正明天早上你就会知道了。"

田思思一步步往后退，吃吃道："我不想知道，我要走了。"

她忽然扭转头，想冲出去。

但后面没有门。

她再冲回来，王大娘已堵住了她的路，道："现在你怎么能走？"

田思思急了，大声道："为什么不能走，我又没有卖给你！"

王大娘悠然道："谁说你没有卖给我？"

田思思怔了怔，道："谁说我已经卖给了你？"

王大娘道："我说的，因为我已付给赵老大七百两银子。"她又笑了笑，悠然接着说道："你当然不止值七百两银子，可惜他只敢要那么多。其实，他就算要七千两，我也是一样要买的。"

田思思的脸已气白了，道："你说赵老大把我卖给了你？"

王大娘道："把你从头到脚都卖给了我。"

田思思气得发抖，道："他算什么东西？凭什么能把我卖给你？"

王大娘笑道："他也不凭什么，只不过因为你是个被人卖了都不知道的小呆子。你一走进这城里，他们就已看上了你。"

田思思道："他们？"

王大娘道："他们就是铁胳膊、刀疤老大、钱一套、大胡子和赵老大。"

田思思道："他们都是串通好了的？"

王大娘道："一点也不错，主谋的就是你拿他当好人的赵老大，他不但要你的钱，还要你的人。"

她笑着，接着道："幸好你遇见了我，还算运气，只要你乖乖地听话，我绝不会亏待你的，甚至不要你去接客。"

田思思道："接客？接客是什么意思？"

她已气得要爆炸了，却还在勉强忍耐着，因为她还有很多事不懂。

王大娘吃吃笑道："真是个小呆子，连接客都不懂。不过我可以慢慢地教你，今天晚上就开始教。"

她慢慢地走过去。

走动的时候，“她”衣服下已有一部分凸出。

田思思苍白的脸又红了，失声道：“你……你是个男人！”

王大娘笑道：“有时是男人，有时也可以变成女人，所以你能遇着我这样的人，可真是上辈子修来的福气。”

田思思忽然想吐。

想到王大娘的手刚才摸过的地方，她只恨不得将那些地方的肉都割下。

王大娘还在媚笑着，道：“来，我们先喝杯酒，再慢慢地……”

田思思忽然大叫。

她大叫着冲过来，双手齐出。

大小姐有时温柔如金丝雀，有时也会凶得像老虎。

她的一双手平时看来柔若无骨，滑如春葱，但现在却好像变成了一双老虎的爪子，好像一下子就能扼到王大娘的咽喉。

她出手不但凶，而且快，不但快，而且其中还藏着变化。

“锦绣山庄”中的能人高手很多，每个人都说大小姐的武功很好，已可算是一流的高手。

从京城来的那位大镖师就是被她这一招打得躺下去的，躺下去之后，很久很久都没有爬起来。

这一招正是田大小姐的得意杰作。

她已恨透了王大娘这妖怪，这一招出手当然比打那位大镖头时更重，王大娘若被打躺下，也许永远也爬不起来了。

02

王大娘没有躺下去。

躺下去的是田大小姐。

她从来没有被人打倒过。

没有被人打倒过的人，很难领略被人打倒是什么滋味。

她首先觉得自己去打人的手反被人抓住，身子立刻就失去了重心，忽然有了种飘飘荡荡的感觉。

接着她就听到自己身子被摔在地上时的声音。

然后她就什么感觉都没有了，整个人都好像变成空的。全身的血液都冲上了脑袋，把脑袋塞得就仿佛是块木头。

等她有感觉的时候，她就看到王大娘正带着笑在瞧着她，笑得还是那么温柔，那么亲切，柔声问道："疼不疼？"

当然疼。

直到这时她才感觉到疼，疼得全身骨节都似将散开，疼得眼前直冒金星，疼得眼泪都几乎忍不住要流了出来。

王大娘摇着头，又笑道："像你这样的武功，也敢出手打人，倒真是妙得很。"

田思思道："我武功很糟？"

这种时候，她居然问出了这么样一句话来，更是妙不可言。

王大娘仿佛也很吃惊，道："你自己不知道自己武功有多糟？"

田思思不知道。

她本来一直认为自己已经可以算是武林中一等一的高手。

现在她才知道了，别人说她高，只不过因为她是田二爷的女儿。

这种感觉就好像忽然从高楼上摔下来，这一跤实在比刚才摔得还重。

她第一次发现自己并没有想象中那么聪明，那么本事大。

她几乎忍不住要自己给自己几个大耳光。

王大娘带着笑瞧着她，悠然道："你在想什么？"

田思思咬着牙，不说话。

王大娘道："你知不知道我随时都可以强奸你，你难道不怕？"

田思思的身子突然缩了起来，缩起来后还是忍不住发抖。

到现在为止，她还没有认真去想过这件事有多么可怕、多么严重，因为她对这种事的观念还很模糊。

她甚至还根本不知道恐惧是怎么回事。

但"强奸"这两个字却像是一把刀，一下子就将她那种模模糊糊的观念刺破了，恐惧立刻就像是只剥了壳的鸡蛋般跳出来。

强奸！

这两个字实在太可怕、太尖锐。

她从来没有听过这两个字，连想都没有想过。

她只觉身上的鸡皮疙瘩一粒粒地冒出来，每粒鸡皮疙瘩都带着一大颗冷汗，全身却烫得像是在发烧。

她忍不住尖叫，道："那七百两银子我还给你，加十倍还给你。"

王大娘道："你有吗？"

田思思道："现在虽然没有，但只要你放我走，两天内我就送来给你。"

王大娘微笑着，摇摇头。

田思思道："你不信？我可以保证，你若知道我是谁的女儿……"

王大娘打断了她的话，笑道："我不想知道，也不想要你还钱，更不想你去找人来报仇。"

田思思道："我不报仇，绝不，只要你放了我，我感激你一辈子。"

王大娘道："我也不要你感激，只要……"

她及时顿住了语声，没有再说下去。

但不说有时比说更可怕。

田思思身子已缩成了一团，道："你……你……你一定要强奸我？"

她做梦也未想到自己居然也会说出这两个字来。说出来后她的脸立刻红得像是有火在烧。

王大娘又笑了，道："我也不想强奸你！"

田思思道："那……那么你想干什么？"

王大娘道："我要你心甘情愿地依着我，而且我知道你一定会心甘情愿地依着我的。"

田思思大叫，道："我绝不会，死也不会。"

王大娘淡淡道："你以为死很容易？那你就完全错了。"

桌上有只小小的金铃。

她忽然拿起金铃，摇了摇。

清脆的铃声刚响起，就有两个人走了进来。

其实这两个人简直不能算是人，一个像狗熊，一个像猩猩。

王大娘笑着道："你看这两个人怎么样？"

田思思闭着眼睛，她连看都不敢看。

王大娘淡淡道："你若不依着我，我就叫这两个人强奸你。"

田思思又大叫。

这次她用尽全身力气，才能叫得出来。

等她叫出来后，立刻晕了过去。

03

一个人能及时晕过去，实在是件很不错的事，只可惜晕过去的人总会醒的。

田思思这次醒的时候，感觉就没有上次那么舒服愉快了。

她睡的地方已不是那又香、又暖、又软的床，而是又臭、又冷、又硬的石头。

她既没有听到自己的心跳声，也没有听到那轻柔的乐声。

她听到的是一声声比哭还凄惨的呻吟。

角落里蜷伏着一个人，阴森森的灯光照在她身上。

她穿着的一件粉红色的袍子已被完全撕破，露出一块块已被打得又青又肿的皮肉，有很多地方已开始在慢慢地出血。

田思思刚觉得这件袍子看来很眼熟，立刻就想起了那"受过很大刺激"的女孩子，那已被梅姐劝回屋里去的女孩子。

她想站起来，才发觉自己连站都站不起来了，甚至连疼痛都感觉不出，身上似已完全麻木。

她只有挣扎着，爬过去。

那女孩忽然抬起头，瞪着她，一双眼睛里布满了红丝，就像是只已被折磨得疯狂了的野兽。

田思思吃了一惊。

令她吃惊的，倒不是这双眼睛，而是这张脸。

她白天看到这女孩子的时候，这张脸看来还是那么美丽，那么清秀，但现在却已完全扭曲，完全变了形，鼻子已被打得移开两寸，眼角和嘴角还在流血，这张脸看来已像是个被摔烂了的西瓜。

田思思想哭，又想吐。

她想忍住，但胃却已收缩如弓，终于还是忍不住吐出。

吐的是酸水，苦水。

这女孩子却只有冷冷地瞧着她，一双眼睛忽然变得说不出的冷漠空洞，不再有痛苦，也没有恐惧。

等她吐完了，这女孩子忽然道："王大娘要我问你一句话。"

田思思道："她要你……问我？"

这女孩子道："她要我问你，你想不想变成我这样子？"

她声音里也完全没有情感，这种声音简直就不像是她发出来的。

任何人也想象不到她会问出这么样一句话。

但的确是她在问。

这句话由她嘴里问出来，实在比王大娘自己问更可怕。

田思思道："你……你怎会变成这样子的？"

这女孩子道："因为我不听王大娘的话，你若学我，就也会变得和我一样。"

她声音冷漠而平淡，仿佛是在叙说着别人的遭遇。

她的人似已变成了一种说话的机械。

一个人只有在痛苦已达到顶点，恐惧已达到极限，只有在完全绝望时，才会变成这样子。

田思思看到她，才明白恐惧是怎么回事。

她忽然伏在地上，失声痛哭。

她几乎也已完全绝望。

这女孩子还是冷冷地瞧着她，冷冷道："你是不是已经肯答应了？"

田思思用力扯着自己的头发，嘶声道："我不知道……我不知道……"

这女孩子淡淡道："不知道就是答应了，你本该答应的。"

她转过脸，伏在地上，再也不动，再也不说一句话。

田思思忽然扑过去，扑在她身上，道："你为什么不说话了？"

这女孩子道："我的话已说完。"

田思思道："你为什么不想法子逃走？"

这女孩子道："没有法子。"

田思思用力去扯她的头发，大声道："一定有法子的，你不能这样等死！"

这女孩子头被拉起，望着田思思，脸上忽然露出一丝奇特的微笑，道："我为什么不能等死？我能死已经比你幸运多了，你迟早总会知道，死，并不可怕，可怕的是连死都死不了。"

田思思的手慢慢松开。

她的手已冰冷。

她的手松开，这女孩子就又垂下头去，仍是伏在地上，仿佛再也不愿见到这世上任何一个人，任何一件事。

生命难道真的如此无趣?

田思思咬咬牙，站起来。

她发誓一定要活下去，无论怎么样她都要活下去!

她绝不肯死!

墙壁上燃着支松枝扎成的火把。

火把已将燃尽，火光阴森。

阴森森的火光映在黑黝黝的墙壁上，墙壁是石块砌成的。巨大的石块，每块至少有两三百斤。

门呢?

看不见门。

只有个小小的窗子。

窗子离地至少有四五丈，宽不及两尺。

这屋子好高，这窗子好小。

田思思知道自己绝对跳不上去，但她还是决心要试试。

她用尽全力，往上跳。

她跌下。

所以她爬。

每块石头间都有条缝，她用力扳着石缝，慢慢地往上爬。

她的手出血，粗糙的石块，边缘锋利如刀。

血从她的手指流出，疼痛钻入她的心。

她又跌下，跌得更重。

但她已不再流泪。

这实在是件很奇妙的事——一个人流血的时候，往往就不再流泪。

她决心再试，试到死为止。

但就在这时，她忽然发现有条绳索自窗户上垂了下来。

有人在救她！

是谁在救她？为什么救她？

她连想都没有去想，因为她已没有时间想。

她用力推那女孩子，要她看这条绳索。

这女孩子抬头看了一眼，淡淡道："我不想走，我宁可死。"

只看了一眼，只说了这么样一句话。

田思思跺了跺脚，用力抓住绳索，往上爬。

她苗条的身子恰巧能钻出窗户。

窗外没有人，绳索绑在窗户对面的一棵树上。

风吹树叶，飕飕地响，树上也没有人，灯光也很遥远。

田思思爬过去，沿着树干滑下。

四面同样黑暗，从哪条路才能逃出去呢？

她不知道，也无法选择。

面对着她的是片花林，她也不知道是什么花，只觉花的气息很芬芳。所以她就钻了进去。

她很快就听到风中传来的乐声，然后就看到了前面的灯光。

温柔的灯光从窗户里照出来，雪白的窗纸，雕花的窗棂。乐声使灯光更温柔，乐声中还穿插着一阵银铃般的笑声。

是后退？还是从这屋子后绕过去？

田思思躲在一棵树后面，正不知该选择哪条路，乐声忽然停止，两个人慢慢地从屋子里走了出来。

看到了这两个人，田思思的呼吸也停止了。

左面的一个风姿绰约，笑语如花，正是王大娘。

右面的一个人长身玉立，风神潇洒，赫然是仗义疏财、挥金结客的"中原孟尝"田白石田二爷。

王大娘说的那特别有名的客人，原来就是他。

田思思做梦也没有想到竟会在这种时候，这种地方看到她爹爹。

她欢喜得几乎忍不住叫了出来。

她没有叫。因为这时又有两个人跟在她爹爹身后走出了屋子。

这两人一老一少。

老的一个又矮又胖，圆圆脸，头发很少，胡子也很少，腰上悬着柄很长的剑，几乎要比他的人长一倍，使他的样子看来很可笑。

年轻的一个看来甚至比老的这个还矮、还胖，所以样子就更可笑。

年轻人就发胖总是比较可笑的，他不是太好吃，就是太懒；不是太懒，就是太笨；不是睡得太多，就是想得太少。

也许他这几样加起来都有一点。

田思思认得这老的一个就是她爹爹的好朋友，大名府的杨三爷。

这年轻的一个呢？

难道他就是杨三爷的宝贝儿子杨凡？

"难道爹爹竟要我嫁给他？"

田思思脸都气红了，她宁可嫁给马夫王大光，也不嫁给这条猪。

她决心不去见她爹爹。

"我这样子跑出去，岂非要笑死人么？"

她宁可在任何人面前丢人，也不能在这条猪面前丢人的。

王大娘正带着笑，道："这么晚了，田二爷何必走呢？不如就在这里歇下吧。"

田二爷摇摇头，道："不行，我有急事，要去找个人。"

王大娘道："却不知田二爷找的是谁？我也许能帮个忙……这里来来往往的人最多，眼皮子都很杂。"

田二爷笑笑，道："这人你一定找不到的，她绝不会到这种地方来。"他忽然长叹了口气，接着道，"其实我也不知道要到哪里才能找得到她，但我走遍天涯海角，也非找到她不可……"

他要找的，当然就是他最宠爱的独生女儿。

田思思喉头忽然被塞住。

到现在她才知道，世上只有她爹爹是真的关心她，真的爱她。

这一点已足够，别的事她已全不放在心上。

她正想冲出去，不顾一切冲出去，冲入她爹爹怀里。

只要她能冲入她爹爹怀里，所有的事就立刻全都可解决。

她爹爹一定会替她报复，替她出这口气的。

只可惜她没有机会冲出去。

就在这时，忽然有只手从她后面伸过来，掩住了她的嘴。

这只手好粗、好大，好大的力气。

田思思的嘴被这只手掩住，非但叫不出来，简直连气都喘不出。

这人当然有两只手。他另一只手搂住了田思思，田思思就连动都不能动。

她只能用脚往后踢，踢着这人的腿，就像踢在石头上。

她踢得愈重，脚愈疼。

这人就像抓小鸡似的，将她整个人提了起来，往后退。

田思思只有眼睁睁地瞧着，距离她爹爹愈来愈远，终于连看都看不见了——也许永远都看不见了。

她眼泪流下时，这人已转身奔出。他的步子好大，每跨一步至少有五尺，眨眼间已奔出花林。

林外也暗得很。

这人脚步不停，沿着墙角往前奔，三转两转，忽然奔到一间石头屋子里。

这石头屋子也很高、很大，里面只有一张床、一张桌子、一张椅子。

床大得吓人，桌椅也大得吓人。

椅子几乎已比普通的桌子大，桌子几乎已比普通的床大。

这人反手带起门，就将田思思放在床上。

田思思这才看到了他的脸。

她几乎立刻又要晕了过去。

第六章

粉红色的刀

01

这人简直不是人，是个猩猩——就是王大娘要找来强奸她的那个猩猩。

他的脸虽还有人形，但满脸都长着毛，毛虽不太长，但每根都有好几寸长，不笑时还好些，一笑，满脸的毛都动了起来。

那模样就算在做噩梦的时候都不会看到。

他现在正在笑，望着田思思笑。

田思思连骨髓都冷透了，用尽全力跳起来，一拳打过去，打他的鼻子。

她听说猩猩身上最软的部位就是鼻子。

她打不着。

这人只挥了挥手，就像是赶蚊子似的，田思思已被打倒。

她情愿被打死，却偏偏还是好好地活着。

她活着，就得看着这人；虽然不想看，不敢看，却不能不看。

这人还在笑，忽然道："你不必怕我，我是来救你的。"

他说的居然是人话，只不过声音并不太像人发出来的。

田思思咬着牙，道："你……你来救我？"

这人又笑了笑，从怀中摸了样东西出来。

他摸出的竟是圈绳子，竟然就是将田思思从窗户里吊出来的那根绳子。

田思思吃一惊，道："那条绳子就是你放下去的？"

这人点点头，道："除了我还有谁？"

田思思更吃惊道：“你为什么要救我？”

这人道：“因为你很可爱，我很喜欢你。”

田思思的身子，立刻又缩了起来，缩成一团。

她看到这一只毛茸茸的手又伸了过来，像是想摸她的脸。

她立刻用尽全力大叫，道：“滚！滚开些，只要你碰一碰我，我就死！”

这人的手居然缩了回去，道：“你怕我？为什么怕我？”

他那双藏在长毛中的眼睛里，居然露出一种痛苦之色。

这使他看来忽然像是个人了。

但田思思却更怕，怕得想呕吐。

这人愈对她好，愈令她作呕，她简直恨不得死了算了。

这人又道：“我长得虽丑，却并不是坏人，而且真的对你没有恶意，只不过想……”

田思思嘶声道：“想怎么样？”

这人垂下头，嗫嚅着道：“也不想怎么样，只要能看见你，我就很高兴了。”

他本来若是只可怕的野兽，片刻却变成了只可怜的畜生。

田思思瞪着他。

她已不再觉得这人可怕，只觉得呕心，呕心得要命。

她忽然眨眨眼，道：“你叫什么名字？”

她问出这句话，显然已将他当作个人了。

这人目中立刻露出狂喜之色，道：“奇奇，我叫奇奇。”

“奇奇”，这算什么名字？

任何人都不会取这么样一个名字。

田思思试探着，问道：“你究竟是不是人？”

她问出这句话，自己也觉得很紧张，不知道这人是不是会被激怒？

奇奇目中果然立刻充满愤怒之意，但过了半晌，又垂下头，黯然道：“我当然是人，和你一样的是个人，我变成今天这种样子，也是被王大娘害的。”

一个人若肯乖乖地回答这种话，就绝不会是个很危险的人。

田思思更有把握，又问道：“她怎么样害你的？”

奇奇巨大的手掌紧握，骨节“咯咯”作响，过了很久，才嗄声道：“血，毒药，血……她每天给我喝加了毒药的血，她一心要把我变成野兽，好替她去吓人！”

他抬头，望着田思思，目中又充满乞怜之意，道：“但我的确还是个人……她可以改变我的外貌，却变不了我的心。”

田思思道：“你恨不恨她？”

奇奇没有回答，也用不着回答。

他的手握得更紧，就好像手里在捏王大娘的脖子。

田思思道：“你既然恨她，为什么不想个法子杀了她？”

奇奇身子忽然萎缩，连紧握着的拳头都在发抖。

田思思冷笑道：“原来你怕她。”

奇奇咬着牙，道：“她不是人……她才真的是个野兽。”

田思思道：“你既然这么怕她，为什么敢救我？”

奇奇道：“因为……因为我喜欢你。”

田思思咬着嘴唇，道：“你若真的对我好，就该替我去杀了她。”

奇奇摇头，拼命摇头。

田思思道：“就算你不敢去杀她，至少也该放我走。”

奇奇又摇头，道：“不行，你一个人无论如何都休想逃得了。”

田思思冷笑，道：“你就算是个人，也是个没出息的人，这么样的人，谁都不会喜欢的。”

奇奇涨红了脸，忽然抬头，大声道：“但我可以帮你逃出去。”

田思思道：“真的？”

奇奇道：“我虽是个人，但不像别的人那样，会说假话。”

田思思道：“可是我也不能一个人走。”

奇奇道：“为什么？”

田思思道：“我还有个妹妹，我不能抛下她在这里。”

她忽又眨眨眼，道：“你若能将她救出来，我说不定也会对你很好的。”

奇奇目中又露出狂喜之色，道：“她是个怎么样的人？”

田思思道：“她是个很好看的女孩子，嘴很小，时常都撅得很高，她的名字叫田心。”

奇奇道："好，我去找她……我一定可以救她出来的。"

这句话还没有说完，他已走到门口，忽又回过头，望着田思思，吃吃道："你……你会不会走？"

田思思道："不会的，我等着你。"

奇奇忽然冲回来，跪在她面前，吻了吻她的脚，才带着满心狂喜冲了出去。

他一冲出去，田思思整个人就软了下来，望着自己被他吻过的那只脚，只恨不得将这只脚剁掉。

连她自己都不知道自己刚才怎么能说得出那些话来的。

她自己再想想都要吐。

突听一人冷冷笑道："想不到田大小姐千挑万选，竟选上了这么样一个人，倒真是别具慧眼，眼光倒真不错。"

田思思抬起头，才发现葛先生不知何时已坐在窗台上。

他动也不动地坐在那里，本身就像是也变成窗子的一部分。

好像窗子还没有做好的时候，他就已坐在那里。

田思思脸已涨红了，大声道："你说什么？"

葛先生淡淡道："我说他很喜欢你，你好像也对他不错，你们倒真是天生一对。"

桌上有个很大的茶壶。

田思思忽然跳起来，拿起这只茶壶，用力向他摔了过去。

葛先生好像根本没有看到，等茶壶飞到面前，才轻轻吹了口气。

这茶壶就忽然掉转头，慢慢地飞了回来，平平稳稳地落在桌子上，恰巧落在刚才同样的地方。

田思思眼睛却看直了。

"这人难道会魔法？"

若说这也算武功，她非但没有看过，连听都没有听过。

葛先生面上还是毫无表情，道："我这人一向喜欢成人之美，你们既是天生的一对，我一定会去要王大娘将你许配给他。"

他淡淡地接着道："你总该知道，王大娘一向很听我的话。"

田思思忍不住大叫，道："你不能这么样做！"

葛先生冷冷道："我偏要这么样做，你有什么法子阻止我？"

田思思刚站起来，又“扑”地跌倒，全身又开始不停地发抖。

她知道葛先生这种人只要能说得出，就一定做得到。

她忽然一头往墙上撞了过去。

墙是石头砌成的，若是撞在上面，非但会撞得头破血流，一个头只怕要变成两三个头。

她宁可撞死算了。

02

她没有撞死。等她撞上去的时候，这石块砌成的墙竟忽然变成软绵绵的。

她仰面倒下，才发现这一头竟撞在葛先生的肚子上。

葛先生贴着墙站在那里，本身就好像又变成了这墙的一部分。

这墙还没有砌好的时候，他好像就已站在那里。

他动也不动地站着，脸上还是全无表情，道：“你就算不愿意，也用不着死呀。”

田思思咬着牙，泪已又将流下。

葛先生道：“你若真的不愿嫁给他，我倒有个法子。”

田思思忍不住问道：“什么法子？”

葛先生道：“杀了他！”

田思思怔了怔，道：“杀了他？”

葛先生道：“谁也不能勉强将你嫁给个死人的，是不是？”

田思思道：“我……我能杀他？”

葛先生道：“你当然能，因为他喜欢你，所以你就能杀他。”

他说的话确实很有意思。

你只有在爱上一个女人的时候，她才能伤害你。

大多数女人都只能伤害真正爱她的男人。

田思思垂下头，望着自己的手。

她手旁忽然多了柄刀。

出了鞘的刀。

刀的颜色很奇特，竟是粉红色的，就像是少女的面颊。

葛先生道："这是把很好的刀，不但可以吹毛断发，而且见血封喉。"

他慢慢地接着道："每把好刀都有个名字，这把刀的名字叫女人。"

刀的名字叫"女人"，这的确是个很奇特的名字。

田思思忍不住问道："它为什么叫女人？"

葛先生道："因为它快得像女人的嘴，毒得像女人的心，用这把刀去杀一个喜欢你的男人，正是再好也没有的了。"

田思思伸出手去，想去拿这把刀，又缩了回来。

葛先生道："他现在已经快回来了，是嫁给他，还是杀了他，都随便你，我绝不勉强……"

说到后面一句话，他声音似已很遥远。

田思思抬起头，才发现这魔鬼般的人已不知到哪里去了。

他的确像魔鬼。

因为他只诱惑，不勉强。

对女人说来，诱惑永远比勉强更不可抗拒。

田思思再伸出手，又缩回。

直到门外响起了脚步声，她才一把握起了这柄刀，藏在背后。

奇奇已冲了进来。

他一个人回来的，看到田思思，目中立刻又涌起狂喜之色，欢呼着走过来，道："你果然没有走，果然在等我。"

田思思避开了他的目光，道："田心呢？"

奇奇道："我找不到她，因为……"

田思思没有让他说完这句话。

她手里的刀已刺入了他的胸膛，刺入了他的心。

奇奇怔住，突然狂怒，狂怒出手，扼住了田思思的咽喉，大吼道："你为什么要杀我？我做错了什么？"

田思思不能回答，她不能动。

只要奇奇的手指稍一用力，她的脖子就会像稻草般折断。

她已吓呆了。

她知道奇奇这次绝不会放过她，无论谁都不会放过她。

谁知奇奇的手却慢慢地松开了。

他目中的愤怒之色也慢慢消失，只剩下悲哀和痛苦，绝望的痛苦。

他凝视着田思思，喃喃道："你的确应该杀我的，我不怪你……我不怪你……"

"我不怪你。"他反反复复地说着这四个字，声音渐渐微弱，脸渐渐扭曲，一双眼睛也渐渐变成了死灰色。

他慢慢地倒了下去。

他倒下去的时候，眼睛还是在凝注着田思思，挣扎着，一字一字道："我没有找到你的朋友，因为她已经逃走了……但我的确去找过，我绝没有骗你。"

说完了这句话，他才死，他死得很平静，因为他并没有欺骗别人，也没有做对不起人的事，他死得问心无愧。

田思思呆呆地站在那里，忽然发现全身衣裳都已湿透。

"我不怪你……我没有骗你……"

他的确没有。

但她却骗了他，利用了他，而且杀了他！

他做错了什么呢？

"当"地，刀落下，落在地上。

泪呢？

泪为什么还未落下？是不是已无泪可流？

突听一人道："你知不知道，刚才他随时都能杀你的？"

葛先生不知何时又来了。

田思思没有去看他，茫然道："我知道。"

葛先生道："他没有杀你，因为他真的爱你，你能杀他，也因为他真的爱你。"

他的声音仿佛很遥远，慢慢地接着道："他爱你，这就是他唯一做错了的事。"

他真的错了么？

一个人若是爱上了自己不该爱的人，的确是件可怕的错误。

这错误简直不可饶恕！

但田思思的眼泪却忽然流下。

她永远也想不到自己会为这种人流泪，可是她的眼泪的确已流下。

然后她忽然又听到梅姐那种温柔而体贴的声音，柔声道："回去吧，客人都已走了，王大娘正在等着你，快回去吧。"

听到"王大娘"这名字，田思思就像是忽然被人抽了一鞭子。

她身子立刻往后缩，颤声道："我不回去。"

梅姐的笑也还是那么温柔亲切，道："不回去怎么行呢？你难道还要我抱着你回去？"

田思思道："求求你，让我走吧……"

梅姐道："你走不了的，既已来到这里，无论谁都走不了的。"

葛先生忽然道："你若真的想走，我倒也有个法子。"

田思思狂喜，问道："什么法子？"

她知道葛先生的法子一定很有效。

葛先生道："只要你答应我一件事，我就让你走。"

田思思道："答应你什么？"

葛先生道："答应嫁给我。"

梅姐吃吃地笑起来，道："葛先生这一定是在开玩笑。"

葛先生淡淡道："你真的认为我是在开玩笑？"

梅姐笑得已有些勉强，道："就算葛先生答应，我也不能答应的。"

葛先生道："那么我就只好杀了你。"

梅姐还在笑，笑得更勉强，道："可是王大娘……"

再听到"王大娘"这名字，田思思忽然咬了咬牙，大声道："我答应你！"

这四个字刚说完，梅姐已倒了下去。

她还在笑。

她笑的时候眼角和面颊上都起了皱纹。

鲜血就沿着她脸上的皱纹慢慢流下。

她那温柔亲切的笑脸，忽然变得比恶鬼还可怕。

田思思牙齿打战，慢慢地回过头。

葛先生又不见了。

她再也顾不得别的，再也没有去瞧第二眼，就夺门冲了出去。

前面是个墙角。

墙角处居然有道小门。

门居然是开着的。

田思思冲了出去。

她什么也不看，什么也不想，只是不停地向前奔跑着。

03

夜已很深。

四面一片黑暗。

她本来就什么都看不到。

但她只要一停下来，黑暗中仿佛立刻就现出了葛先生那阴森森、冷冰冰、全无表情的脸。

所以她只有不停地奔跑，既不辨路途，也辨不出方向。

她不停地奔跑，直到倒下去为止。

她终于倒了下去。

她倒下去的地方，仿佛有块石碑。

她刚倒下去，就听到一个人冷冷淡淡的声音，道："你来了吗？我正在等着你。"

这赫然正是葛先生的声音。

葛先生不知何时已坐在石碑上，本身仿佛就是这石碑的一部分。

这石碑还没有竖起的时候，他好像已坐在这里。

他动也不动地坐着，面上全无表情。

这不是幻觉，这的确就是葛先生。

田思思几乎吓疯了，失声道："你等我？为什么等我？"

葛先生道："我有句话要问你。"

田思思道："什……什么话？"

葛先生道："你打算什么时候嫁给我？"

田思思大叫，道："谁说我要嫁给你？"

葛先生道："你自己说的，你已经答应了我。"

田思思道："我没有说，我没有答应……"

她大叫着，又狂奔了出去。

恐惧又激发了她身子里最后一分潜力。

她一口气奔出去，奔出很远很远，才敢回头。

身后一片黑暗，葛先生居然没有追来。

田思思透了口气，忽然觉得再也支持不住，又倒了下去。

这次她倒下去的地方，是个斜坡。

她身不由己，从斜坡上滚下，滚入了一个不很深的洞穴。

是兔窟？是狐穴？还是蛇窝？

田思思已完全不管了，无论是狐，还是蛇，都没有葛先生那么可怕。

他这人简直比狐狸还狡猾，比毒蛇还可怕。

田思思全心全意地祈祷上苍，只要葛先生不再出现，无论叫她做什么，她都心甘情愿，绝无怨言。

她的祈祷仿佛很有效。

过了很久很久，葛先生都没有出现。

星已渐疏。

黑夜已将尽，这一天总算已将过去。

田思思长长吐出口气，忽然觉得全身都似已虚脱。

她忍不住问自己："这一天我究竟做了些什么？"

这一天，就仿佛比她以前活过的十八年加起来还长。

这一天她骗过人，也被人骗过。

她甚至杀了个人。

骗她的人，都是她信任的，她信任的人每个都在骗她。

唯一没有骗过她的，唯一对她好的人，却被她杀死了！她这才懂得一个人内心的善恶，是绝不能以外表去判断的。

“我做的究竟是什么事？”

“我究竟还能算是个怎么样的人？”

田思思只觉心在绞痛，整个人都在绞痛，就仿佛有根看不见的鞭子，正在不停地抽打着她。

“难道这就是人生？难道这才是人生？”

“难道一个人非得这么样活着不可？”

她怀疑，她不懂。

她不懂生命中本就有许许多多不公平的事，不公平的苦难。

你能接受，才能真正算是个人。

人活着，就得忍受。

忍受的另一种意思就是奋斗！

继续不断的忍受，也就是继续不断的奋斗，否则你活得就全无意思。

因为生命本就是在苦难中成长的！

星更稀，东方似已有了曙色。

田思思忽然觉得自己仿佛已成长了许多。

无论她做过什么，无论她是对？是错？她总算已体验到生命的真谛。

她就算做错了，也值得原谅，因为她做的事本不是自己愿意做的。

她这一天总算没有白活。

她的确已成长了许多，已不再是个孩子。

她已是个女人，的的确确是个女人，这世界上永远不能缺少的女人！

她活了十八年，直到今天，才真真实实感觉到自身的存在。

这世上的欢乐和痛苦，都有她自己的一份。

无论是欢乐，还是痛苦，她都要去接受，非接受不可！

第七章

大小姐与猪八戒

01

东方已现出曙色。

田思思眼睛蒙蒙眬眬的，用力想睁开，却又慢慢地阖起。

她实在太累，太疲倦。

虽然她知道自己绝不能在这里睡着，却又无法支持。

蒙蒙眬眬中，她仿佛听到有人在呼唤："大小姐，田大小姐……"

是谁在呼唤？

这声音仿佛很熟悉。

田思思睁开眼睛，呼声更近。她站起来，探出头去。

四个人正一排向这边走过来。一个是铁胳臂，一个是刀疤老六，一个是钱一套，一个是赵老大。

看到这四个人，田思思的火气就上来了。

若不是这四个王八蛋，她又怎会落到现在这种地步。

但他们为什么又来找她呢？难道还觉得没有骗够，还想再骗一次？

田思思跳出来，手叉着腰，瞪着他们。

她也许怕王大娘，怕葛先生，但是这四个骗子，田大小姐倒真还没有放在眼里。

她毕竟是田二爷的女儿，毕竟打倒过京城来的大镖头。

她武功也许没有自己想象中那么高，但毕竟还是有两下子的。

这四人看到她，居然还不逃，反而赔着笑，一排走了过来。

田思思瞪眼道："你们想来干什么？"

钱一套的笑脸看来还是最自然，赔着笑道："在下等正是来找田大小姐的。”

田思思冷笑道：“你们还敢来找我？胆子倒真不小哇。”

钱一套忽然跪下道：“小人不知道大小姐的来头，多有冒犯，还望大小姐恕罪。”

他一跪，另外三个人也立刻全都跪了下来。

赵老大将两个包袱放在地上，道：“这一包是大小姐的首饰，这一包是七百两银子，但望大小姐既往不咎，将包袱收下来，小人们就感激不尽了。”

这些人居然会良心发现，居然肯如此委曲求全。

田思思反倒觉得有点不好意思了。

不好意思中，又不免有点得意，板着脸道：“你们都已知道错了么？”

四个人同时赔笑道：“小人们知错，小人们该死……”

田思思的心早已软了，正想叫他们起来，四个大男人像这样跪她面前，毕竟也不太好看。

谁知这四人刚说到“死”字，额角上忽然多了个洞。

鲜血立刻从洞里流出来，顺着他们笑起来的皱纹徐徐流下。

四个人眼睛发直，面容僵硬，既没有呼喊，也没有挣扎。

八只眼睛直直地看着田思思，然后忽然就一起仰面倒下。

田思思又吓呆了。

她根本没有看出这四人额上的洞是怎么来的，只看到四张笑脸忽然间变成了四张鬼脸。

是谁杀了他们？用的是什么手段？

田思思忽又想起梅姐死时的情况，手脚立刻冰冰冷冷。

葛先生！

田思思大叫，回头。

后面没有人，一株白杨正在破晓的寒风中不停地颤抖。

她再回头，葛先生赫然正站在四具死尸后面，冷冷地瞧着她，身上的一件葛布衫在夜色中看来就像是孝子的麻衣。

他脸上还是冷冷淡淡的，全无表情，他身子还是笔笔直直地站着，动也不动。

他本身就像是个死人。

这四个人还没死的时候，他好像就已站在这里了。

田思思魂都吓飞了，失声道："你……你来干什么？"

葛先生淡淡道："我来问你一句话。"

田思思道："问什么？"

葛先生道："你打算什么时候嫁给我？"

同样的问话，同样的回答，几乎连声调语气都完全没有改变。

田思思自己也不知道自己怎会问出这么愚蠢的话来。

她迷迷糊糊地就问出来了。

因为她实在太怕，实在太紧张，自己也根本无法控制自己。

葛先生道："这四个人是我叫他们来的。"

田思思拼命地点头，道："我……我知道。"

葛先生道："东西他们既已还给你，你为什么不要？"

田思思还是在拼命点着头，道："我不要，我什么都不要。"

她一面点头，一面说不要，那模样实在又可怜，又可笑。

葛先生目中既没有怜悯之色，更没有笑意，淡淡道："你不要，我要。"

他拾起包袱，又慢慢地接着道："这就算你嫁妆的一部分吧。"

田思思又大叫，道："你无论要什么，我都给你……我还有很多很多比这些更值钱的首饰，我全都给你，只求你莫要迫我嫁给你。"

葛先生冷冷道："你一定要嫁给我，你答应过我的。"

田思思不由自主抬头看了他一眼。

她从没有正面看过他。

她不看也许还好些，这一看，全身都好像跌入冰窖里。

他脸上没有笑容，更没有血。

但他的脸却比那四个死人流血的笑脸还可怕。

田思思大叫道："我没有答应你……我真的没有答应你……"

她大叫转身，飞奔而去。

她本来以为自己连一步路都走不动了，但这时却仿佛忽然又从魔鬼那里借来了力气，一口气又奔出了很远很远。

身后的风声不停地在响。

她回过头，偷偷瞟了一眼。

风在吹，没有人。

葛先生这次居然还是没有追来。

他好像并不急着追，好像已算准田思思反正是跑不了的。

无论他有没有追来，无论他在哪里，他的影子已像恶鬼般地缠住了田思思。

田思思又倒下。

这次她就倒在大路旁。

乳白色的晨雾正烟一般袅袅自路上升起，四散。

烟雾缥缈中，远处隐隐传来了辘辘的车辆声，轻轻的马嘶声。

还有个人在低低地哼着小调。

田思思精神一振，挣扎着爬起，就看到一辆乌篷大车破雾而来。

赶车的是个白发苍苍的老头子。

田思思更放心了。

老头子好像总比年轻人靠得住些。

田思思招着手，道："老爷子，能不能行个方便，载我一程？我一定会重重谢你的。"

老头子打了个呼哨，勒住缰绳，上上下下打量了田思思几眼，才慢吞吞地道："却不知姑娘要到哪里去？"

到哪里去？

这句话可真把田大小姐问住了。

回家吗？

这样子怎么能回家？就算爹爹不骂，别的人岂非也要笑掉大牙。

才出来一天，就变成了这副鬼样子，非但将东西全都丢得干干净净，连人都丢了一大个。

"田心这小鬼不知道是不是真的逃了，她本事倒比我还大些。"

去找田心吗？

到哪里去找呢？她会逃到哪里去？

若不回家，也不找田心，只有去江南。

她出来本就是为了要到江南去的。

但她只走了还不到两百里路，就已经变成了这样子，现在已囊空如洗，就凭她孤孤单单的一个人，就能到得了江南？

田思思怔在路旁，眼泪几乎又要掉了下来。

老头子又上上下下打量了她一遍，忽然道：“姑娘你莫非遇着了强盗么？”

田思思点点头，她遇到的人也不知比强盗可怕多少倍。

老头子叹了口气，接着说道：“一个大姑娘家，本不该单身在外面走的，这年头人心已大变了，什么样的坏人都有……唉！”

他又叹了口气，才接着道：“上车来吧，我好歹送你回家去。”

田思思垂着头，讷讷道：“我的家远得很。”

老头子道：“远得很，有多远？”

田思思道：“在江南。”

老头子怔了怔，苦笑道：“江南，那可就没法子啰，怎么办呢？”

田思思眨眨眼，道：“却不知老爷子你本来要到哪里去？”

老头子满是皱纹的脸上，忽然露出了笑意，道：“我有个亲戚，今日办喜事，我是赶去喝喜酒的，所以根本没打算载客。”

田思思沉吟着，道：“我看这样吧，无论老爷子你要到哪里去，我都先跟着走一程再说，老爷子要去的地方到了，我就下车。”

她只想离开这见鬼的地方，离得愈远愈好。

老头子想了想，慨然道：“好，就这么办，姑娘既是落难的人，这趟车钱我非但不要，到了地头我还可以送姑娘点盘缠。”

田思思已感激得说不出话来。

这世上毕竟还是有好人的，她毕竟还是遇到了一个。

车子走了很久，摇摇荡荡的，老头子还在低低地哼着小调。

田思思蒙蒙眬眬的，已经快睡着了，她梦中仿佛又回到很小很小的时候，还躺在摇篮里，她的奶妈正在摇着摇篮，哼着催眠曲。

这梦多美，多甜。

只可惜无论多甜美的梦，也总有觉醒的时候。

田思思忽然被一阵爆竹声惊醒，才发觉车马早已停下。

老头子正在车门外瞧着她，看到她张开眼，才笑着道：“我亲戚家已到了，姑娘下车吧。”

田思思揉揉眼睛，从车门往外看过去。

外面是栋不算太小的砖头屋子，前面一大片谷场，四面都是麦田，麦子长得正好，在阳光下灿烂着一片金黄。

几只鸡在谷场上又叫又跳，显然是被刚才的爆竹声吓着了。

屋子里里外外都贴着大红的双喜字，无论老的小的，每个人身上都穿着新衣服，透着一股喜气。

田思思心里却忽然泛起一阵辛酸之意，她忽然觉得每个人都好像比她愉快得多、幸福得多。

尤其是那新娘子，今天一定更是欢喜得连心花都开了。

“我呢？我到什么时候才有这一天？”

田思思咬了咬嘴唇，跳下车，垂首道：“多谢老爷子，盘缠我是一定不敢要了，老爷子送我这一程，我……我已经感激不尽。”

说到后来，她声音已哽咽，几乎连话都说不下去。

老头子瞧着她，脸上露出同情之色，道：“姑娘你想到哪里去呢？”

田思思头垂得更低，道：“我……我有地方去，老爷子你不必替我担心。”

老头子长长叹息了一声，道：“我看这样吧，姑娘若没有什么急事，不如就在这里喝杯喜酒再走。”

他的话还没有说完，旁边就有人接着道：“是呀，姑娘既已到了这里，不喝杯喜酒，就是看不起我们乡下人了。”

又有人笑道：“何况我们正愁客人太少，连两桌都坐不满，姑娘若是肯赏光，那真是再好也没有了，快请进来吧。”

田思思这才发现屋子里已有很多人迎了出来，有两个头上戴着金簪，腕上金镯子“叮叮当当”在响着的妇人，已过来拉住了田思思的手。

还有几个梳着辫子的孩子，在后面推着，乡下的热心肠和好客，已在这几个人脸上完全表现了出来。

田思思心里忽然涌起一阵温暖之意，嘴里虽还在说着：“那怎么好意思呢？”人已跟着他们走进了屋子。

外面又是“乒乒乓乓”的一阵爆竹声响起。

一对龙凤花烛燃得正好，火焰活活泼泼的，就像是孩子们的笑脸。

两张四四方方的八仙桌子，已摆满了一大碗一大碗的鸡鸭鱼肉，丰盛的食物，正象征着人们的欢乐与富足。

生命中毕竟也有许许多多愉快的事，一个人纵然遇着些不幸，遇着些苦难，也值得去忍受的。

只要他能忍受，就一定会得到报偿。

田思思忽然也觉得开心了起来，那些不幸的遭遇，仿佛已离她很远。

她被推上了左边一张桌子主客的座位，那老头子就坐在她身旁。

这张桌子只坐了五个人，她这才发现来喝酒的客人果然不多，除了她之外，彼此好像都是很熟的亲戚朋友。

每个人都在用好奇的眼光打量着她，她又不免觉得有些不安，忍不住悄悄地向老头子道：“我连一点礼都没有送，怎么好意思呢？”

老头子笑笑，道：“用不着，你用不着送礼。”

田思思道：“为什么我用不着送礼？”

老头子又笑笑，道：“这喜事本是临时决定的，大家都没有准备礼物。”

田思思道：“临时决定的？我听说乡下人成亲大多要准备很久，为什么……”

老头子打断她的话，道：“普通人家成亲当然要准备很久，但这门亲事却不同。”

田思思道：“有什么不同？”

老头子沉吟着道：“因为新郎官和新娘子都有点特别。”

田思思愈听愈觉得有趣，忍不住又问道：“有什么特别？他们究竟是老爷子你的什么人？”

老头子笑道：“现在新郎官就快出来了，你马上就可以看到他。”

田思思道：“新郎官很快就会出来，那么新娘子呢？”

老头子笑得好像有点神秘，道：“新娘子已经在这屋里了。”

田思思道：“在这屋里？在哪里？”

她眼珠子四下转动，只见屋里除了她和这老头子外，只不过还有六七个人。

刚才拉她进来的那两个妇人，就坐在她对面，望着她嘻嘻地笑，笑得连脸上的粉都快掉下来了，这两人脸上擦的粉足有四五两。

愈丑的人，粉擦得愈多，看来这句话倒真是没有说错。

田思思暗暗地笑，她愈看愈觉得这两人丑，丑得要命，比较年轻的一个比老的更丑。

田思思悄悄道："难道对面的那位就是新娘子？"

老头子摇摇头，也悄悄笑道："哪有这么丑的新娘子？"

田思思暗中替新郎官松了口气，无论谁娶着这么样一位新娘子，准是上辈子缺了大德。

在她印象中，新娘子总是漂亮的，至少总该比别人漂亮些。

但这屋子最漂亮的一个就是这妇人了，另外一个长得虽顺眼些，但看年纪至少已经是好几个孩子的妈了。

田思思心里嘀咕，嘴里又忍不住道："新娘子总不会是她吧？"

老头子笑道："她已经可以做新娘子的祖奶奶了，怎么会是她。"

田思思道："若不是她们，是谁呢？"

她虽然不敢瞪着眼睛下去找，但眼角早已偷偷地四面打量过一遍，这屋里除了这两个妇人外，好像全都是男的。

她更奇怪，又道："新娘子究竟在哪里，我怎么瞧不见？"

老头子笑道："到时候她一定会让你看见的，现在连新郎官都不急，你急什么？"

田思思脸红了红，憋了半天，还是憋不住，又道："新娘子漂亮不漂亮？"

老头子笑得更神秘，道："当然漂亮，而且是这屋子里最漂亮的一个。"

他眼睛又在上下地打量着田思思。

田思思脸更红了，刚垂下头，就看到一双新粉底官靴的脚从里面走出来，靴子上面，是一件大红色的状元袍。

新郎官终于出来了。

这新郎官又是个怎么样的人呢？是丑？还是俊？是年轻人？还是老头子？

田思思想抬头去看看，又觉得有点不好意思。

她到底还是个没出嫁的大姑娘，而且和这家人又不熟。

谁知新郎官的脚却向她走了过来，而且就停在她面前。

田思思刚觉得奇怪，忽然听到屋子里的人都在拍手。

有的还笑着道："这两位倒真是郎才女貌，天成佳偶。"

又有人笑道："新娘子长得又漂亮，又有福气，将来一定是多福多寿多孩子。"

田思思又用眼再去瞟，地上只有新郎官的一双脚，却看不到新娘子的。

她忍不住悄悄拉了拉那老头子的衣角，悄悄道："新娘子呢？"

老头子笑了笑，道："新娘子就是你。"

"新娘子就是我？"

田思思笑了，她觉得这老头子真会开玩笑，但刚笑出来，忽然又觉得有点不对，这玩笑开得好像未免太过火了些。

屋子里的人还在拍着手，笑笑道："新娘子还不赶快站起来拜天地，新郎官已经急得要入洞房了。"

新郎官的一双脚，就像是钉在地上似的，动也不动。

田思思终于忍不住抬头瞧了一眼。

只瞧了一眼，她整个人就忽然僵硬，僵硬得像是块木头。

她的魂已又被吓飞了！

新郎官穿着大红的状元袍，全新的粉底靴，头上戴的是载着花翎的乌纱帽，装束打扮，都和别的新郎官没什么两样。

可是他的一张脸——天下绝对找不到第二张和他一样的脸来。

这简直不像是人的脸。

阴森森、冷冰冰的一张脸，全没有半点表情，死鱼般的一双眼睛里，也全没有半点表情。

他就这样动也不动地站着，眨也不眨地瞧着田思思。

田思思还没有出生的时候，他好像就已经站在这里了！

葛先生！

这新郎官赫然竟是葛先生！

田思思只觉自己的身子正慢慢地从凳子上往下滑，连坐都已坐不住，牙齿也在“咯咯”地打着战。

她觉得自己就活像是条送上门去被人宰的猪。

人家什么都准备好了，连洞房带龙凤花烛，连客人带新郎官全都准备好了，就等着她自己送上钩。

她想哭，哭不出；想叫，也叫不出。

葛先生静静地瞧着她，缓缓道：“我已问过你二次，打算什么时候成亲，你既然不能决定，就只好由我来决定了。”

田思思道：“我……我不……”

声音在她喉咙里打滚，却偏偏说不出来。

葛先生道：“我们这次成亲不但名正言顺，而且是明媒正娶。”

那老头子笑道：“不错，我就是大媒。”

那两个妇人吃吃笑道：“我们是喜娘。”

葛先生道：“在座的都是证人，这样的亲事无论谁都没有话说。”

田思思整个人都像是已瘫了下来，连逃都没有力气逃。

就算能逃，又有什么用呢？

她反正是逃不出葛先生手掌心的。

“但我难道就这样被他送入洞房么？”

“咚”的一声，她的人已从凳子上跌下，跌在地上。

突听一人道：“这亲事别人虽没话说，我却有话说。”

说话的是个矮矮胖胖的年轻人，圆圆的脸，一双眼睛却又细又长，额角又高又宽，两条眉毛间更几乎要比别人宽一倍。

他的嘴很大，头更大，看起来简直有点奇形怪状。

但是他的神情却很从容镇定，甚至可以说有点潇洒的样子，正一个人坐在右边桌上，左手拿着酒杯，右手拿着酒壶。

酒杯很大。

但他却一口一杯，喝得比倒得更快，也不知已喝了多少杯了。

奇怪的是，别人刚才谁也没有看到屋子里有这么样一个人。

谁也没有看到这人是什么时候走进屋子，什么时候坐下来的。

突然看到屋子里多了这么样一个人，大家都吃了一惊。

只有葛先生，面上还是全无表情，淡淡道：“这亲事你有话说？”

这少年叹了口气，道："我本来不想说的，只可惜非说不可。"

葛先生道："说什么？"

这少年道："这亲事的确样样俱全，只有一样不对。"

葛先生道："哪样不对？"

这少年道："新娘子若是她的话，新郎官就不该是你。"

葛先生道："不该是我，应该是谁？"

这少年用酒壶的嘴指了指自己的鼻子，道："是我。"

02

"新郎官应该是他？他是谁？"

田思思本来已经瘫在地上，听到这句话，才抬起头来。

这矮矮胖胖的少年也正在瞧着她。

田思思本来不认得这个人的，却又偏偏觉得有点面熟。

这少年已慢慢地接着道："我姓杨，叫杨凡，木易杨，平凡的凡。"

他看来的确是个平平凡凡的人，只不过比别的年轻人长得胖些。

除了胖之外，他好像没有什么比别人强的地方。

但"杨凡"这名字却又让田思思吓了一跳。

她忽然想起这人了。

昨天晚上她躲在花林里，看到跟在她爹爹后面的那个小胖子就是他。

他就是大名府杨三爷的儿子，就是田思思常听人说的那个怪物。

据说他十天里难得有一天清醒的时候，清醒时他住在和尚庙里，醉的时候就住在妓院里。

他什么地方都待得住，就是在家里待不住，据说从他会走路的时候开始，杨三爷就很难见到他的人。

据说他什么样奇奇怪怪的事都做过，就是没做过一件正经事。

田思思始终想不到她爹爹为什么要把她许配给这么样一个怪物。

她更想不到这怪物居然会忽然在这里出现。

葛先生显然也将这人当作个怪物，仔细盯了他很久，忽然笑了。

这是田思思第一次看到他笑。

她从来想象不出他笑的时候是什么样子的，她甚至以为他根本就不会笑。

但现在她却的确看到他在笑。

那张阴森森、冷冰冰的脸上突然有了笑容，看来真是说不出的诡异可怕。

田思思看到他的笑容，竟忍不住打了个寒噤，就好像看到一个死人的脸上突然有了笑容一样。

只听他带着笑道："原来你也是想来做新郎官的？"

杨凡淡淡道："我不是想来做新郎官，只不过是非来不可。"

葛先生道："非来不可？难道有人在后面用刀逼着你？"

杨凡叹了口气，道："一个人总不能眼看着自己的老婆做别人的新娘子吧？"

葛先生道："她是你的老婆？"

杨凡道："虽然现在还不是，却也差不多了。"

葛先生冷冷道："我只知道她亲口答应过，要嫁给我。"

杨凡道："就算她真的答应了你，也没有用。"

葛先生道："没有用？"

杨凡道："一点用也没有，因为她爹爹早已将她许配给了我，不但有父母之命，而且有媒妁之言，才真的是名正言顺，无论谁都没有话说。"

葛先生沉默了很久，才缓缓道："若要你不娶她，看来只有一个法子了。"

杨凡道："一个法子也没有。"

葛先生道："有的，死人不能娶老婆。"

杨凡笑了。

这也是田思思第一次看到他笑。

他的脸看来本有点特别，有点奇形怪状，尤其是那双又细又长的眼睛里，好像有种说不出的慑人光芒，因而使得这矮矮胖胖、平平凡凡的人，看起来有点不平凡的派头，也使人不敢对他很轻视。

就因为这缘故，所以屋子里才没有人动手把他赶出去。

但他一笑起来，就变了，变得很和气，很有人缘，连他那张圆圆胖胖的脸看起来都像是变得好看得很多。

就算本来对他很讨厌的人，看到他的笑，也会觉得这人并没有那么讨厌了，甚至忍不住想去跟他亲近亲近。

田思思忽然想要他快跑，跑得愈快愈好，跑得愈远愈好。

她忽然不愿看到这人死在葛先生手上。

因为她知道葛先生的武功很可怕，这小胖子笑起来这么可爱，她不愿看到鲜血从他的笑纹中流下来，将他的笑脸染成鬼脸。

最可怕的是，她已亲眼看到五个人死在葛先生手上，五个人都是突然间就死了，额角上突然就多了个洞，但葛先生究竟是用什么法子将这五个人杀了的，她却连一点影子也看不出来。

这小胖子的额角特别高，葛先生下手自然更方便，田思思几乎已可想象到血从他额上流下来的情况。

幸好葛先生还没有出手，还是动也不动地直挺挺站着。

杨凡又倒了杯酒，刚喝下去，突然将酒杯往自己额上一放。

接着，就听到酒杯“叮”的一响。

葛先生脸色立刻变了。

杨凡徐徐地将酒杯放下来，很仔细地看了几眼，慢慢地摇了摇头，长长地叹了口气，喃喃道：“好歹毒的暗器，好厉害。”

田思思实已看糊涂了。

难道葛先生连手都不动，就能无影无踪地将暗器发出来？

难道这小胖子一抬手就能将他的暗器用一只小酒杯接住？

葛先生的暗器一刹那就能致人死命，一下子就能将人的脑袋打出洞来，这次为什么连一只小酒杯都打不破？

田思思想不通，也不相信这小胖子会有这么大的本事。

但葛先生的脸色为什么变得如此难看呢？

只听杨凡叹息着又道：“用这种暗器伤人，至少要损阳寿十年的，若换了我，就绝不会用它。”

葛先生沉默了很久，忽然道：“你以前见过这种暗器没有？”

杨凡摇摇头，道：“这是我平生第一次。”

葛先生道：“你也是第一个能接得住我这种暗器的人。”

杨凡道："有了第一个，就会有第二个，有了第二个，就会有第三个，所以这种暗器也没有什么了不起，我看你不用也罢。"

葛先生又沉默了很久，忽又问道："宋十娘是你的什么人？"

宋十娘是天下第一暗器名家，不但接暗器、打暗器都是天下第一，制造暗器也是天下第一。

在江湖人心目中，宋十娘自然是个一等一的大人物，这名字连田思思都时常听人说起。

若非因为她是个女人，田思思免不了也要将她列在自己的名单上，要想法子去看看她是不是自己的对象了。

杨凡却摇了摇头，道："这名字也是我平生第一次听到。"

葛先生道："你从未听过这名字，也从未见过这种暗器？"

杨凡道："答对了。"

葛先生道："但你却将这种暗器接住了。"

杨凡笑了笑，道："若没有接住，我头上岂非早已多了个大洞。"

葛先生瞪着他，突然长长地叹了口气，道："你能不能告诉我，你怎么能接住它的？"

杨凡道："不能。"

葛先生道："你能不能把这暗器还给我？"

杨凡道："不能。"

葛先生忽又长长地叹了口气，道："你能不能让我走？"

杨凡道："不能。"

他忽然笑了笑，接着道："但你若要爬出去，我倒不反对。"

葛先生没有再说第二句话。

他爬了出去。

田思思看呆了。

无论谁看到葛先生，都会觉得他比石头还硬，比冰还冷，他这人简直就不像是个活人。

他的脸就像是永远也不会有任何表情。

但他一见到这小胖子，各种表情都有了，不但笑了，而且还几乎哭了出来，不但脸色惨变，而且居然还爬了出去。

这小胖子可真有两下子。

但田思思左看右看，也看不出他凭哪点有这么大的本事。

他看来好像并不比白痴聪明多少。

田思思看不出，别人也看不出。

每个人的眼睛都瞪得跟鸡蛋一样，嘴张大得好像可以同时塞进两个鸡蛋。

杨凡又倒了杯酒，忽然笑道："你们坐下来呀，能坐下的时候何必站着呢？何况酒菜都是现成的，不吃白不吃，何必客气？"

本来他无论说什么，别人也许都会拿他当放屁，但现在无论他说什么，立刻都变成了命令。

他说完了这句话，屋子里立刻就再没有一个站着的人。

田思思本来是坐着的，忽然站了起来，大步走了出去。

杨凡连看都没有看她一眼，悠然道："葛先生一定还没有走远，现在去找他还来得及。"

田思思的脚立刻就好像被钉子钉在地上了，转过头，狠狠地瞪着这小胖子。

杨凡还是连看都不看她一眼，举杯笑道："我最不喜欢一个人喝酒，你们为什么不陪我喝几杯？"

他只抬了抬头，一杯酒就立刻点滴无存。

田思思忽然转过身，走到他面前，大声道："酒鬼，你为什么不用壶喝呢？"

杨凡淡淡地道："我的嘴太大，这酒壶的嘴却太小。"

他有意无意间瞟了田思思的小嘴一眼，忽又笑了，接着道："一大一小，要配也配不上的。"

田思思的脸飞红，恨恨道："你少得意，就算你帮了我的忙，也没什么了不起。"

杨凡道："你承认我帮了你的忙？"

田思思道："哼。"

杨凡道："那么你为什么不谢谢我呢？"

田思思道："那是你自己愿意的，我为什么要谢谢你？"

杨凡笑道："不错不错，很对很对，我本来就是吃饱饭没事做了。"

田思思咬着嘴唇，忽又大声道："无论怎么样，你也休想要我嫁给你！"

杨凡道："你真的不嫁？"

田思思道："不嫁。"

杨凡道："决心不嫁？"

田思思道："不嫁。"

杨凡道："你会不会改变主意？"

田思思的声音更大，道："说不嫁就不嫁，死也不嫁。"

杨凡忽然站起来，恭恭敬敬地向她作了个揖，道："多谢多谢，感激不尽。"

田思思怔了怔，道："你谢我干什么？"

杨凡道："我不但要谢你，而且还要谢天谢地。"

田思思道："你有什么毛病？"

杨凡道："我别的毛病倒也没有，只不过有点疑心病。"

田思思道："疑心什么？"

杨凡道："我总疑心你要嫁给我，所以一直怕得要命。"

田思思大叫了起来，道："我要嫁给你？你晕了头了。"

杨凡笑道："但现在我的头既不晕，也不怕了，只要你不嫁给我，别的事都可以商量。"

田思思冷冷道："我跟你没什么好商量的。"

杨凡道："田老伯若是一定要迫着将你嫁给我呢？"

田思思想了想，道："我就不回去。"

杨凡道："你迟早总要回去的。"

田思思又想了想，道："我等嫁人之后再回去。"

杨凡抚掌笑道："好主意，简直妙极了。"

他忽又皱了皱眉，道："但你准备嫁给什么人呢？"

田思思道："那你管不着。"

杨凡叹了口气，道："我不是要管，只不过担心你嫁不出去。"

田思思又叫了起来，道："我会嫁不出去？你以为我没有人要了？你以为我是丑八怪？"

杨凡苦笑道："你当然不丑，但你这种大小姐脾气，谁受得了呢？"

田思思恨恨道："那也用不着你担心，自然会有人受得了的。"

杨凡道："受得了你的人，你未必受得了他，譬如说，那位葛先生……"

听到葛先生这名字，田思思的脸就发白。

杨凡悠然接着道："其实他也未必是真想娶你，也许是另有用心。"

田思思忍不住问道："另有用心？他有什么用心？"

杨凡摇了摇头，道："我也不知道他有什么用心，只怕他目的达到后就把你甩了，那时你再回头来嫁我，我岂非更惨。"

田思思脸又气得通红，怒道："你放心，我就算当尼姑去，也不会嫁给你。"

杨凡还在摇头，道："我不放心，天下事难说得很，什么事都可能发生的。"

田思思气极了，冷笑道："你以为你是什么人？美男子么？你凭哪点以为我会嫁给你？"

杨凡淡淡道："我是美男子也好，是猪八戒也好，那全都没关系，我只不过想等你真的嫁人之后，才能放心。"

田思思道："好，我一定尽快嫁人，嫁了人后一定尽快通知你。"

她简直已经快气疯了。

不放心的人本来应该是她，谁知这猪八戒反而先拿起架子来了。

她再看这人一眼都觉得生气，说完了这句话，扭头就走。

谁知杨凡又道："等一等。"

田思思道："等什么？难道你还不放心？"

杨凡道："我的确还有点不放心，万一你还未出嫁前，就已死了呢？"

田思思怒道："我死活跟你有什么关系？"

杨凡正色道："当然有关系，现在你名分上已是我们杨家的人；你若有了麻烦，我就得替你去解决，你若有个三长两短，我还得替你去报仇，那麻烦岂非多了？我这人一向最怕麻烦，你叫我怎么能放心？"

田思思连肺都快要气炸了，冷笑道："我死不了的。"

杨凡道："那倒不一定，像你这种大小姐脾气，就算被人卖了都不知道，何况……”

他叹了口气，接着道：“你还不知道什么时候才能嫁得了人，田老伯却随时随刻都可能将你抓回去，那么样一来，你岂非又要嫁定我了？”

田思思大叫道：“你要怎么样才能放心，你说吧。”

杨凡道：“我倒的确有个法子。”

田思思道：“什么法子？”

杨凡道：“你想嫁给谁，我就把你送到那人家里去，等你嫁了他之后，就和我没关系了，那样我才能放心。”

田思思冷笑，道：“想不到你这人做事倒蛮周到的。”

杨凡道：“过奖过奖，其实我这人本来一向很马虎，但遇着这种事就不能不分外小心了，娶错了老婆可不是好玩的。”

田思思不停地冷笑，她实在已气得连话都说不出来了。

杨凡道：“所以你无论想嫁给谁，都只管说出来，我一定能把你送到。”

田思思咬着嘴唇，道：“我想嫁给秦歌。”

杨凡又皱了皱眉，道：“情哥？谁是你的情哥哥，我怎么知道。”

田思思真恨不得给他几个耳刮子，大声道：“我说的是秦歌，秦朝的秦，唱歌的歌，难道你连这人的名字都没听说过？”

杨凡摇摇头，道：“没听过。”

田思思冷笑道：“土包子，除了吃饭外，你还懂得什么？”

杨凡道：“我还会喝酒。”

他真的喝了杯酒，才接着道：“好，秦歌就秦歌，我一定替你找到他，但他是不是肯娶你，我就不敢担保了。”

田思思道：“那是我的事，我当然有我的法子。”

杨凡道：“我虽然可以陪你去找他，但我们还得约法三章。”

田思思道：“约法三章？”

杨凡道：“第一，我们先得约好，我绝不娶你，你也绝不嫁我。”

田思思道：“好极了。”

杨凡道：“第二，我们虽然走一条路，但你走你的，我走我的，无论你做什么事我都绝不会勉强你，你也不能勉强我。”

田思思冷笑道：“好极了。”

杨凡道："第三，你只要看到中意的人，随时都可以嫁，我看到中意的人，也随时可以娶，我们谁也不干涉谁的私生活。"

田思思道："好极了。"

她已气得发昏，除了"好极了"这三个字外，她简直不知道该说什么。

这些条件本该由她提出来的，谁知这猪八戒又抢先了一招。

屋子里的人不知何时已全都溜得干干净净。

杨凡一口气喝了三杯酒，才笑着道："无论如何，我总沾了你的光，才能喝到这喜酒，我也该谢谢你才是。"

田思思忍不住问道："你怎么找到这里来的？我爹爹呢？"

杨凡笑了笑，道："有些事我不想告诉你，你也不能勉强我。"

田思思咬着牙，恨恨道："说不定你也和这家人一样，早就跟葛先生串通好了的。"

杨凡点点头道："说不定，这世上根本就没有绝对一定的事。"

田思思四下瞧了一眼，又忍不住问道："他们的人呢？"

杨凡道："走了。"

田思思道："你为什么放他们走？"

杨凡道："连葛先生我都放走了，为什么不放他们走？"

田思思道："你为什么要将葛先生放走？"

杨凡道："他只不过要娶你而已，这件事做得虽然愚蠢，却不能算什么坏事，何况，他总算还请我喝了酒呢。"

田思思道："可是他还杀了人。"

杨凡淡淡道："你难道没杀过人？有很多人本就该死的。"

田思思脸又红了，大声道："好，反正我迟早总有法子找他算账的。"

她憋了半天气，忽又道："他那暗器你能不能给我瞧瞧？"

杨凡道："不能。"

田思思道："为什么不能？"

杨凡道："不能就是不能，我们已约好，谁也不勉强谁的。"

田思思跺了跺脚，道："不勉强就不勉强，走吧。"

杨凡道："你急什么？"

田思思道："我急什么，当然是急着嫁人。"

杨凡又倒了杯酒，悠然道："你急，我不急，你要走，就先走；我们反正各走各的，我反正不会让你被人卖了就是。"

田思思忽然抓起酒壶，摔得粉碎，头也不回地走了出去。

杨凡叹了口气，喃喃道："幸好那边还有壶酒没被她看见……"

田思思忽又冲了回去，"当"的一声，那边一壶酒也被她摔得粉碎。

她的气这才算出了一点，转过头，却看到杨凡已捧起酒坛子，正在那里开怀畅饮，一面还笑着道："酒壶你尽管摔，酒坛子却是我的，这坛口配我的嘴，大小倒正合适。"

03

田思思一路走，一路气，一路骂。

"死胖子，酒鬼，猪八戒……"

骂着骂着，她忽然笑了。

田心打算要写的那本《大小姐南游记》里，本已有了一个唐僧，一个孙悟空，现在再加上个猪八戒，角色就几乎全了。

这本书若真的写出来，一定更精彩，田心若是知道，一定也会笑得连嘴都撅不起来。

"但这小撅嘴究竟逃到哪里去了呢？"

笑着笑着，田大小姐又不禁叹了口气，只不过这叹息声听来倒并不十分伤感——无论如何，知道有个人在后面保护着你，总是蛮不错的。

猪八戒看来虽愚蠢，那几钉耙打下来有时也蛮唬人的。

若没有猪八戒，唐僧也未必就能上得了西天。

猪八戒真的愚蠢么？

在猪眼中，世上最愚蠢的动物也许就是人。

第八章

上西天的路途

01

正午。

日正当中。

你若坐在树荫下，坐在海滩旁，坐在水阁中，凉风习习，吹在你身上，你手里端着杯用冰镇得凉透了的酸梅汤。

这种时候你心里当然充满了欢愉，觉得世界是如此美好，阳光是如此灿烂、如此辉煌。

但你若一个人走在烈日下，走在被烈日晒得火烫的石子路上，那滋味可就不太好受了。

田思思气消下去的时候，才感觉到自己有多累、多热、多渴、多脏。

她觉得自己简直就好像在噩梦里，简直连气都喘不过来。

道路笔直地伸展向前方，仿佛永无尽头，一粒粒石子在烈日下闪闪地发着光，烫得就好像是一个个煮熟了的鸡蛋。

前面的树荫下有个卖凉酒热菜的摊子，几个人坐在树下，左手端着酒碗，右手挥着马连坡的大草帽，一面还在喃喃地埋怨着酒太淡。

但在田思思眼中，这几个人简直已经快活得像神仙一样了。

“人在福中不知福。”

到现在田思思才懂得这句话的意思。

若在两天前，这种酒菜在她眼中看来只配喂狗，但现在，若有人送碗这种酒给她喝，她说不定会感激得连眼泪都流下来。

她真想过去喝两碗，她的嘴唇已快干得裂开了。

但酒是要用钱买的。

田大小姐虽没出过门，这道理总算还明白。

现在她身上连一个铜板都没有。

田大小姐无论要什么东西，只要张张嘴就会有人送来了。

她这一辈子从来也不知道“钱”是样多么可贵的东西。

“那猪八戒身上一定有钱，不知道肯不肯借一点给我？”

想到向人借钱，她的脸已经红了，若要她真的向人去借，只怕杀了她，她也没法子开口的。

树荫下的人却直着眼睛在瞧她。她低下头，咬咬牙，大步走了过去。

“那猪八戒怎么还没有赶上来，莫非又已喝得烂醉如泥？”

她只恨自己刚才为什么不在那里吃点喝点再走，“不吃白不吃”，她第一次觉得杨凡的话多多少少还有点道理。

身后有车辚马嘶，她回头，就看见一辆乌篷车远远地走了过来，一个人懒洋洋地靠在前面的车座上，懒洋洋地提着缰绳，一双又细又长的眼睛似睁非睁，似闭非闭，嘴角还带着懒洋洋的一抹微笑。

这酒鬼居然还没有喝醉，居然赶来了，看他这种舒服的样子，和田思思一比，简直是一个在天上，一个在地下。

田思思恨得牙痒痒的。

“这辆马车刚才明明就停在门口，我为什么就不会坐上去，我明明是先出门的，为什么反让这猪八戒捡了便宜？”

现在她只能希望这猪八戒会招呼她一声，请她坐上车。

杨凡偏偏不理她，就好像根本没看到她这个人似的，马车走走停停，却又偏偏不离开她前后左右。

不看到他这副死样子还好，看到了更叫人生气。

田思思忍不住大声道：“喂。”

杨凡的眼睛张了张，又闭上。

田思思只好走过去，道：“喂，你这人难道是聋子？”

杨凡眼睛这才张得大了些，懒洋洋道：“你在跟谁说话？”

田思思道：“当然是跟你说话，难道我还会跟这匹马说话么？”

杨凡淡淡道：“我既不姓喂，又不叫喂，我怎么知道你在跟我说话？”

田思思咬了咬牙，道：“喂，姓杨的。”

杨凡眼睛又闭上。

田思思火大了，道：“我叫姓杨的，你难道不姓杨？”

杨凡道：“姓杨的人很多，我怎么知道你在叫哪一个？”

田思思怒道：“难道这里还有第二个姓杨的，难道这匹马也姓杨？”

杨凡道：“也许姓杨，也许姓田，你为什么不问它自己去。”

他打了呵欠，淡淡接着道：“你若要跟我说话，就得叫我杨大哥。”

田思思火更大了，瞪眼道：“凭什么我要叫你杨大哥？”

杨凡道：“第一，因为我姓杨；第二，因为我年纪比你大；第三，因为我是个男人。你总不能叫我杨大姐吧？”

他懒洋洋地笑了笑，接着道：“你若叫我杨大叔，我也有点不敢当。”

田思思恨恨道：“死猪，猪八戒。”

杨凡悠然道：“只有猪才会找猪说话，我看你并不太像猪嘛。”

田思思咬了咬牙，扭头就走，发誓不理他了，突听呼哨一声，杨凡突然拉了拉缰绳，马车就往她身旁冲了出去。

前面的路好像永远也走不完的，太阳还是那么大。若真的这样走下去，就算能挺得住，也得送掉半条命。

田思思一着急，大声道：“杨大头，等一等。”

她故意将“大”字声音说得很高，“头”字声音说得含糊不清，听起来就好像在叫杨大哥。

杨凡果然勒住了缰绳，回头笑道：“田小妹，有什么事呀？”

田思思“扑哧”笑了，她好不容易才总算占了个便宜，当然笑得特别甜，特别开心。

天下有哪个女孩子不喜欢占人的便宜？

田思思眨着眼笑道：“你这辆车子既然没人坐，不知道可不可以顺便载我一程？”

杨凡笑了笑，道：“当然可以。”

田思思道："你既然已答应了我，就不能再赶我下来呀。"

杨凡道："当然。"

他的嘴还没有闭上，田思思已跳上马车，突又从车窗里探出头来，吃吃笑道："你刚才也许没有听清楚，我不是叫你杨大哥，是叫你杨大头——你的头简直比别人三个头加起来还大两倍。"

她存心想气气大头鬼。谁知杨凡一点也不生气，反而笑道："头大表示聪明，我早就知道我很聪明，用不着你来提醒。"

田思思撅起嘴，"砰"地关上车门。

杨凡哈哈大笑，扬鞭打马，车马前行，又笑道："大头大头，下雨不愁，人家有伞，我有大头……大头的好处多着哩，你以后慢慢就会知道。"

有的人好像天生就运气，所以永远都活得很开心。

杨凡就是这种人，无论谁想要这种人生气，都很不容易。

02

正午一过，路上来来往往的人就多了起来，有的坐车，有的骑马，有的年老，有的年轻……

田思思忽然看到一个年轻的骑士身上，飘扬着一条鲜红的丝巾。

红丝巾系在他的手臂上。

这人当然不是秦歌，但想必一定是江南来的。

"不知道他认不认得秦歌？知不知道秦歌的消息？"

田思思头伏在车窗上，痴痴地瞧着，痴痴地想着。

她希望自己能一心一意地去想秦歌，把别的事全都忘记。

可是她不能，她饿得要命，饿得连睡都睡不着。

一个人肚子里若是空空的，心里又怎么会有柔情蜜意？

田思思忍不住又探出头去，大声道："你知不知道前面是什么地方？"

杨凡道："不知道，反正离江南还远得很。"

田思思道："我想找个地方停下来，我……我有点饿了。"

杨凡道："你想吃东西？"

田思思咽了口口水，道："吃不吃都无所谓……吃点也好。"

杨凡道："既然无所谓，又何必吃呢？"

他叹口气，喃喃道："到底是女人本事大，整天不吃饭都无所谓，若换了我，早就饿疯了。"

田思思突然叫了起来，道："我也饿疯了。"

杨凡道："那么就吃吧，只不过吃东西要钱的，你有钱没有？"

田思思道："我……我……"

杨凡悠然道："没有钱去吃东西，叫吃白食，吃白食的人要挨板子的；寸把厚的板子打在屁股上，那滋味比饿还不好受。"

田思思红着脸，咬着嘴唇，过了很久才鼓足勇气，道："你……你有钱没有？"

杨凡道："有一点，只不过我有钱是我的，你又不是我老婆，总不能要我养你吧！"

田思思咬着牙道："谁要你养我？"

杨凡道："你既不要我养你，又没有钱，难道想一路饿到江南么？"

田思思怔了半晌，讷讷道："我……我可以想法子去赚钱。"

杨凡道："那就好极了，你想怎么样去赚钱呢？"

田思思又怔住。

她这辈子从来也没有赚过一文钱，真不知怎么才能赚钱。

过了半晌，她才试探着问道："你的钱是从哪里来的？"

杨凡道："当然是赚来的。"

田思思道："怎么赚来的？"

杨凡道："赚钱的法子有很多种，卖艺、教拳、保镖、护院、打猎、采药、当伙计、做生意，什么事我都干过。"

他笑了笑，接道："一个人若想不挨饿，就得有自力更生的本事，只要是正正当当地赚钱，无论干什么都不丢人的，却不知你会干什么？"

田思思说不出话来了。

她什么都不会，她会的事没有一样是能赚钱的。

杨凡悠然道："有些人只会花钱，不会赚钱，这种人就算饿死，也没有人会可怜的。”

田思思怒道：“谁要你可怜？”

杨凡道：“好，有骨气，但有骨气的人挨起饿来也一样难受，你能饿到几时呢？”

田思思咬着牙，几乎快哭出来了。

杨凡道：“我倒替你想出了个赚钱的法子。”

田思思忍不住问道：“什么法子？”

杨凡道：“你来替我赶车，一个时辰我给你一钱银子。”

田思思道：“一钱银子？”

杨凡道：“一钱银子你还嫌少么，你若替别人赶车，最多只有五分。”

田思思道：“好，一钱就一钱，可是……可是……”

杨凡道：“可是怎么样？”

田思思红着脸，道：“我从来没有赶过车。”

杨凡笑道：“那没关系，只要是人，就能赶车，一个人若连马都指挥不了，这人岂非是个驴子。”

田思思终于赚到了她平生第一次凭自己本事赚来的钱。

这一钱银子可真不是好赚的。

赶了一个时辰的车后，她腰也酸了，背也疼了，两条手臂几乎已麻木，拉缰的手也已磨得几乎出血。

从杨凡手里接过这一钱银子的时候，她眼泪几乎又将流出来。

那倒并不是难受的泪，而是欢喜的泪。

她第一次享受到从劳力获得代价的欢愉！

杨凡瞧着她，眼睛里也发着光，微笑道：“现在你已有了钱，可以去吃东西了。”

田思思挺起腰，大声道：“我自己会去吃，用不着你教我。”

她手里紧紧握着这一钱银子，只觉这小小的一块碎银子比她拥有的珠宝首饰都珍贵。

她知道世上再也没有任何人能从她手上将这一钱银子骗走。

绝没有。

03

这市镇并不大。

田思思找了家最近的饭铺走进去，挺起了胸膛走进去。

虽然手里只有一钱银子，但她却觉得自己像是个百万富翁，觉得自己从没有如此富有过。

店里的伙计虽然在用狐疑的眼色打量着，还是替她倒了碗茶来，道："姑娘要吃点什么？"

田思思先一口气将这碗茶喝下去，才吐出口气，道："你们这里有没有香菇？"

无论在什么地方，香菇都是有钱人才吃得起的。

伙计上上下下打量着她："香菇当然有，而且是从老远的地方来的，只不过贵得很。"

田思思将手里的银子往桌上一放，道："没关系，你先用香菇和火腿给我炖只鸡来。"

她决心要好好吃一顿。

店伙用眼角瞟着那一小块银子，冷冷道："香菇火腿炖鸡要五钱银子，姑娘真的要？"

田思思怔住了。

怔了半天，慢慢地伸出手，悄悄将桌上的银子盖住。

她脑子里根本就没有价值的概念，根本就不知道一钱银子是多少钱。

现在她知道了。

店伙道："我们这里有一钱银子一客的客饭，一菜一汤，白饭尽管吃饱。"

一钱银子原来只能吃一客"客饭"。

做一个时辰苦工的代价原来就只这么多。

田思思忍住泪，道："好，客饭就客饭。"

只听一人道："给我炖一碗香菇火腿肥鸡，再配三四个炒菜，外加两斤花雕。"

杨凡不知何时也已进来了，而且就坐在她旁边一张桌上。

田思思咬着嘴唇，不望他，不听他说的话，也不去看他。

饭来了，她就低着头吃。

但旁边火腿炖鸡的香味却总是要往她鼻子里钻。

一个人总不能闭着呼吸吧。

田思思恨恨道："已经胖得像猪了，还要穷吃，难道想赶着过年时被人宰么？"

杨凡还是不生气，悠然笑道："我的本事比你大，比你会赚钱，所以我吃得比你好，这本是天公地道的事，谁也不能生气。"

这市镇虽不大，这饭铺却不小，而且还有雅座。

雅座里忽然走出个满脸脂粉的女人，一扭一扭地走到柜台，把手一伸，道："牛大爷要我到柜台来取十两银子。"

掌柜的笑道："我知道，牛大爷已吩咐过了，今天来的姑娘，只要坐一坐，就有十两银子赏钱。"

他取出锭十两重的银子递过去，笑道："姑娘们赚钱可真方便。"

这女人接过银子，一扭一扭地走出去，忽又回过头来嫣然一笑，道："你若觉得我们赚钱方便，为什么不要你老婆和女儿也来赚呢？"

掌柜的脸色变了，就好像嘴里忽然被人塞了个臭皮蛋。

田思思正在听着，杨凡忽然道："你是不是也觉得她赚钱比你方便？"

赶一个时辰车，只有一钱银子，坐一坐就有十两银子。

看来这的确有点不公平。

杨凡又道："她们赚钱看来的确很方便，因为她们出卖的是青春和廉耻，无论谁只要肯出卖这些，赚钱都很方便的，只不过……"

他叹了口气，接着道："这种钱赚得虽方便却痛苦，只有用自己劳力和本事赚来的钱，花起来才问心无愧。"

田思思忍不住点了点头，忽然觉得他说的话很有道理。

她第一次觉得这猪八戒并不像她想得那么愚蠢。

"也许头大的人确实想得比别人多些。"

她忽然觉得他就算吃得比别人多些，也可以值得原谅了。

第九章

排场十足的张好儿

在饭铺的伙计心目中，来吃饭的客人大致可以分成两种。

像田思思这样，只吃客饭，当然是最低的一种。这种人非但不必特别招呼，连笑脸都不必给她。

像杨凡这样一个人来，又点菜，又喝酒的，等级当然高多了。

因为酒喝多了，出手一定大方些，小账就一定不会太少。

何况一个人点了四五样菜，一定吃不完，吃剩下的菜，伙计就可以留着吃宵夜，若是还剩点酒下来，那更再好也没有了。

在店伙眼中，这两种人本来就好像是两种完全不同的动物，但今天来的这两个人却好像有点奇怪。

这两人本来明明是认得的，却偏偏分开两张桌子坐。

他们明明在跟对方说话，但眼睛谁也不去看谁，两个人说话的时候都像是在自言自语。

“说不定他们是一对刚吵了嘴的小夫妻。”

店伙决定对这女客巴结些，他眼光若是不错，今天晚上说不定会大有收获，因为和丈夫吵了架的女人往往都有机可乘，何况这女人看来并不聪明。

做一个小镇上饭铺里的伙计，乐趣虽然不多，但有时却往往会有很意外的收获。

他刚想走过去，突听辔铃声响，两匹青骡在门外停下，两个人偏身下鞍，昂着头走进来，却是两个小孩子。

这两匹骡看来简直比马还神气，全身上下油光水滑，看不到一丝杂色，再配上新的鞍、发亮的镫、鲜红的缰绳。

这两个孩子看来也比大人还神气，两人都只有十三四岁，梳着冲天小辫，穿着绣花小服，一双大眼睛滴溜溜直转，不笑的时候脸上也带着两个酒窝。

左面的一个手里提着马鞭，指着店伙的鼻子，瞪着眼，道："你们这里可就是镇上最大的饭铺了么？"

店伙赔着笑，还没有开口，掌柜的已抢着道："镇上最大的饭铺就是小店了，两位无论想吃什么，小店多多少少都有准备。"

这孩子皱了皱眉，回头向另一个孩子道："我早就知道这是个穷地方，连家像样的饭铺都不会有。"

另一个孩子眼睛已在田思思脸上打了好几转，随口道："既然没有更好的，就只有将就着点吧。"

提马鞭的孩子抢着道："这么脏的地方，姑娘怎么吃得下东西去？"

另一个孩子道："你吩咐他们，特别做得干净些，也就是了。"

掌柜的又抢着道："是是是，我一定会要厨房里特别留意，碗筷全用新的。"

提马鞭的孩子道："你们这里最好的酒席多少钱一桌？"

掌柜的道："最好的燕翅席要五两银子……"

他话还未说完，这孩子又皱起了眉，道："五两银子一桌的席怎么能吃？你当我们是什么人？没上过饭馆的乡下人吗？"

掌柜的赔笑道："只要客官吩咐，十两银子，二十两银子的席我们这里也都做过。"

这孩子勉强点了点头，道："好吧，二十两一桌的，你替我们准备两桌。"

他随手摸出锭银子，"当"地抛在柜台上，道："这是订钱，我们一会儿就来。"

他也盯了田思思两眼，才拉着另一个孩子走出去，两人咬着耳朵说了几句话，忽然一起笑了。又笑着回头盯了盯田思思，才一跃上鞍。

两匹骡子一撒腿就走出了老远。

只听一人喝彩道："好俊的骡子，我入关以来，倒真还没见过。"

这人满脸大胡子，敞着衣襟，手里还端着杯酒，刚从雅座里走出来，一脸土霸王的模样。

另一人立刻赔笑道："若连牛大爷都说好，这骡子想必是不错的了。"

这人脸色发青，眼睛发红，看年纪还不到四十，就已弯腰驼背，若不是先天失调，就一定是酒色过度。

旁边还有两个人，一人高高瘦瘦的身材，腰畔佩着乌鞘剑，长得倒还不错，只不过两眼上翻，嘴角带着冷笑，就好像真的认为天下没有比他再英俊的人了。

最后走出来的一人年纪最大，满嘴黄板牙已掉了一大半，脸上的皱纹连熨斗都烫不平，但身上却穿着件水绿色的长衫，手里还握着柄赤金折扇，刚走出门，就"噗"的一口浓痰吐在地上，色迷迷的眼睛已向田思思瞟了过去。

田思思直想吐。

这几个人没有一个不令她想吐的，和这几人比起来，那大头鬼看来还真比较顺眼得多了。

牛大爷刚喝完了手里端着的一杯酒，又道："看这两个孩子，他们的姑娘想必有点来头。"

那病鬼又立刻赔笑道："无论她有多大的来头，既然来到这里，就该先来拜访拜访牛大爷才是。"

牛大爷摇摇头，正色道："子秀，你怎么能说这种狂话，也不怕美公和季公子见笑么？要知道江湖中能人很多，像我这号的人物根本算不了什么。"

这色迷迷的老头子，原来叫"美公"，摇着折扇笑道："这是牛兄太谦了，关外牛魔王的名头若还算不了什么，我欧阳美的名头岂非更一文不值了么？"

牛大爷虽然还想作出不以为然的样子，却已忍不住笑了出来，道："兄弟在关外虽薄有名头，但入关之后，就变成个乡下人了，所以才只敢待在这种小地方，不敢往大地方走，怎比得上美公？"

欧阳美笑道："牛兄莫忘了，我们正是从大地方赶来拜访牛兄的，只要人杰，地也就灵了。"

于是牛大爷哈哈大笑，田思思却更要吐，但想想"牛魔王"这名字，却又不禁暗暗好笑。

大小姐这一次南游，见着的妖魔鬼怪还真不少，田心那一部《南游记》若真能写出来，想必精彩得很。

牛大爷笑完了，又道："美公见多识广，不知是否已看出了这两个孩子的来历？"

欧阳美摇着折扇，沉吟着道："看他们的气派，不是高官显宦的子弟，就是武林世家的后代，就算说他们是王族的贵胄，我也不会奇怪的。"

牛大爷点点头，道："到底是美公有见地，以我愚见，这两个孩子的姑娘说不定就是京里哪一位王族的家眷，趁着好天回乡探亲去的。"

那位季公子一直手握着剑柄，两眼上翻，此刻忽然冷笑道："两位这次只怕都看错了。"

欧阳美皱了皱眉，勉强笑道："听季公子的口气，莫非知道她的来历？"

季公子道："嗯。"

牛大爷道："她是什么人？"

季公子冷冷道："她也不算是什么人，只不过是个婊子。"

牛大爷怔了怔，道："婊子？"

季公子道："婊子是干什么的，牛兄莫非还不知道么？"

牛大爷笑道："但婊子怎会有这么大的气派？季公子只怕也看错了。"

季公子道："我绝不会错，她不但是个婊子，而且还是个很特别的婊子。"

牛大爷的兴趣更浓，道："哪点特别？"

季公子道："别的婊子是被人挑的，她这婊子却要挑人；不但人不对她绝不肯上床，钱不对也不行，地方不对也不行。"

牛大爷笑道："她那块地方难道长着花么？"

季公子道："她那块地方非但没有花，连根草都没有。"

牛大爷哈哈大笑，笑得连杯里剩下的一点酒都泼了出来。

欧阳美一面笑，一面用眼角瞟着田思思。

田思思却莫名其妙，这些话她根本都不懂，她决定以后要问问那大头鬼，"婊子"究竟是干什么的。

牛大爷又笑道："她既然是个白虎星，想必也不是什么好货色，凭什么架子要比别人大？"

季公子道："这只因男人都是贱骨头，她架子愈大，男人愈想跟她上床。"

牛大爷点着头笑道："她这倒是摸透男人的心了，连我的心都好像已有点打动，等等说不定也得去试试看。"

欧阳美忽然抚掌道："我想起来了。"

牛大爷道："美公想起了什么？"

欧阳美道："季公子说的，莫非是张好儿？"

季公子道："正是她！"

牛大爷笑道："张好儿？她哪点好？好在哪里？"

欧阳美道："听说这张好儿不但是江湖第一名妓，而且还是个侠妓，非但床上的功夫高人一等，手底下的功夫也不弱。"

牛大爷斜着眼，笑道："如此说来，美公想必也动心了，却不知这张好儿今天晚上挑中的是谁？"

两人相视大笑，笑得却已有点勉强。

一沾上"钱"和"女人"，很多好朋友都会变成冤家。

何况他们根本就不是什么好朋友。

牛大爷的眼角又斜到季公子的脸上，道："季公子既然连她那地方有草没草都知道，莫非已跟她有一手？"

季公子嘿嘿地笑。

无论谁看到他这种笑，都会忍不住想往他脸上打一拳。

他冷笑着道："奇怪的是，张好儿怎会光顾到这种地方来，难道她知道这里有牛兄这么样个好户头？"

牛大爷的笑也好像变成了冷笑，道："我已准备出她五百两，想必总该够了吧？"

季公子还是嘿嘿地笑，索性连话都不说了。

那"子秀"已有很久没开口，此刻忍不住赔笑道："她那地方就算是金子打的，五百两银子也足够买下来了，我这就替牛大爷准备洞房去。"

只要有马屁可拍，这种人是绝不会错过机会的。

牛大爷却又摇着头，淡淡道：“慢着，就算她肯卖，我还未必肯买哩，五百两银子毕竟不是偷来的。”

有种人的马屁好像专门会拍到马腿上。

欧阳美大笑道：“你只管去准备，只要有新娘子，还怕找不到新郎？”

田思思实在忍不住，等这三人一走回雅房，就悄悄问道：“婊子是干什么的？难道就是新娘子？”

杨凡忍住笑，道：“有时候是的。”

田思思道：“是谁的新娘子？”

杨凡道：“很多人的。”

田思思道：“一个人怎么能做很多人的新娘子？”

杨凡上下看了她两眼，道：“你真的不懂？”

田思思撅起嘴，道：“我要是懂，为什么问你？”

杨凡叹了口气，道：“她当然可以做很多人的新娘子，因为她一天换一个新郎。”

开饭铺的人，大多都遵守一个原则：有钱的就是大爷。

无论你是婊子也好，是孙子也好，只要你能吃得起二十两银子一桌的酒席，他们就会像伺候祖宗似的伺候你。

店里上上下下的人已全都忙了起来，摆碗筷的摆碗筷，擦凳子的擦凳子。

碗筷果然都是全新的，比田思思用的那副碗筷至少强五倍，连桌布都换上了做喜事用的红巾。

田思思的脸比桌布还红，她总算明白婊子是干什么的了。

那些人刚才说的话，到现在她才听懂。

她只希望自己还是没有听懂，只恨杨凡为什么要解释得如此清楚。

“这猪八戒想必也不是个好东西，说不定也做过别人的一夜新郎。”

这猪八戒是不是好人，其实跟她一点关系都没有，但也不知为了什么，一想到这里，她忽然就生起气来，嘴撅得简直可以挂个酒瓶子。

“这张好儿究竟是个怎么样的人，究竟好在什么地方？”

她又不免觉得好奇。

千呼万唤始出来，姗姗来迟了的张好儿总算还是来了。

一辆四匹马拉着的车，已在门外停下。

刚走进雅座的几个人，立刻又冲了出来。

掌柜的和伙计早都已弯着腰，恭恭敬敬地等在门口，腰虽然弯得很低，眼角却又忍不住偷偷往上瞟。

最规矩的男人遇到最不规矩的女人时，也会忍不住要去偷偷瞧两眼的。

过了很久，车门才打开，又过了很久，车门里才露出一双脚来。

一双纤纤瘦瘦的脚，穿着双软缎子的绣花鞋，居然没带袜子。

只看到这双脚，男人的三魂六魄已经飞走一大半。

脚刚沾着地，又缩回。

立刻有人在车门前铺起了一条鲜红的地毡，跟着马车来的，除了那两个孩子外，好像还有七八个人。

但这些人是男是女，长得是什么样子，谁也没有看见。

每个人的眼睛都已盯在这双脚上。

脚总算下了地。

这双脚旁边，还有两双脚。

两个花不溜丢的小姑娘，扶着张好儿走下了马车，慢慢地走了进来。

她一手捧着心，一手轻扶着小姑娘的肩，两条柳眉轻轻地皱着，樱桃小嘴里带着一声声娇喘。

“张好儿果然好得很。”

她究竟好在哪里呢？谁也不太清楚，只知道她这样的一定是好的，没有理由不好，非好不可。

她的确很漂亮，风姿也的确很优美。

但田思思左看右看，愈看愈觉得她不像是个真人。

她的脸虽漂亮，却像是画上去的，她风姿虽优美，却像是在演戏。

她扮的也许是西施，但田思思却觉得她像是个东施。

布袋戏里的东施。

她这人简直就像是个假人。

奇怪的是，屋子里的男人眼睛却都已看得发直，就连猪八戒那双又细又长的眼睛，都好像也变得有点色迷迷的。

田思思真想把这双眼睛挖出来。

张好儿走起路来也很特别，就好像生怕踩死蚂蚁似的，足足走了两三盏茶工夫，才从门口走到掌柜的为她摆好的座位前。

等她坐下时，每个人都忍不住长长吐出口气，提着的心才放了下来。

因为她扭得那么厉害，叫人忍不住为她提心吊胆，生怕她还没有走到时腰已扭断，骨头就已扭散。

张好儿的眼睛却好像是长在头顶上的，根本没有向这些人瞧过一眼。

她刚坐下，四热荤就端上了桌子。

这桌酒席原来只有她一个人吃。

可是她只不过用筷子将菜拨了拨，就又将筷子放下，就好像发现菜里面有只绿头苍蝇似的。

每样菜都原封不动地端下去，好像每样菜里面都有只苍蝇。

到最后她只吃了一小碗稀饭，几根酱菜。

酱菜还是她自己带来的。

“既然不吃，为什么要叫这么大一桌菜呢？”

“我们姑娘叫菜只不过是叫来看看的。”

这就是派头。

男人们简直快疯了。

女人喜欢有派头的男人，男人又何尝不喜欢有派头的女人？

“能跟派头这么大的女人好一好，这辈子也算没有白活了。”

牛大爷只觉心里痒痒的，忍不住跨大步走了过去，用最有豪气的姿势抱了抱拳，笑着道：“可是张姑娘？”

张好儿连眼皮都没有抬，淡淡道：“我是姓张。”

牛大爷道：“我姓牛。”

张好儿道：“原来是牛大爷，请坐。”

她说话也像是假的——就像是在唱歌。

牛大爷的三魂六魄已全都飞得干干净净，正想坐下去。

张好儿忽又道："牛大爷，你认得我吗？"

牛大爷怔了怔，笑道："今日才有缘相见，总算还不迟。"

张好儿道："这么样说来，你并不认得我。"

牛大爷只好点点头。

张好儿道："我好像也不认得你。"

牛大爷只好又点点头。

张好儿道："你既不认得我，我也不认得你，你怎么能坐下来呢？"

牛大爷的脸已发红，勉强笑道："是你自己叫我坐下来的。"

张好儿淡淡道："那只不过是句客套话而已，何况……"

她忽然笑了笑，道："我若叫牛大爷跪下来，牛大爷也会跪下来吗？"

牛大爷的脸已红得像茄子，脾气却偏偏发不出来。

派头这么大的女人居然对你笑了笑，你怎么还能发脾气？

看那牛大爷像是条牛般怔在那里，欧阳美的眼睛已亮了，把手里的折扇摇了摇，人也跟着摇了摇，摇摇晃晃地走过来，全身的骨头好像已变得没有四两重。

牛大爷瞪着他，要看看他说什么。

他什么话也没有说，只掏出一大锭黄澄澄的金子，摆在桌上。

欧阳美活了五六十年，总算不是白活的。

他已懂得在这种女人面前，根本就不必说话。

他已懂得用金子来说话。

金子有时也能说话的，而且比世上所有的花言巧语都更能打动女人的心，尤其在这种女人面前，也只有金子说的话她才听得进。

他用手指在金子上轻轻弹了弹，张好儿的眼波果然瞟了过来。

欧阳美笑了，对自己的选择很得意。

他选的果然是最正确的一种法子。

谁知张好儿只瞧了一眼，就又昂起了头。

欧阳美道："这锭金子说的话，张姑娘难道没有听见么？"

张好儿道："它在说什么？"

欧阳美摇着折扇，笑道："它在说，只要张姑娘点点头，它就是张姑娘的了。"

张好儿眨眨眼，道："它真的在说话？我怎么没听见呢？"

欧阳美怔了怔，又笑道："也许它说话的声音还嫌太轻了些。"

世上若还有比一锭金子说的话声音更大的，那就是两锭金子。

欧阳美又掏出锭金子放在桌上，用手指弹了弹，笑道："现在张姑娘总该听见了吧？"

张好儿道："没有。"

欧阳美的眉也皱了起来，咬咬牙，又掏出了两锭金子。

金子既然已掏了出来，就不如索性表现得大方些了。

欧阳美的确笑得大方得很，悠然道："现在张姑娘想必已听见了吧？"

张好儿道："没有。"

她回答得简单而干脆。

欧阳美的表情就好像被针刺了一下，失声道："还没有听见，四锭金子说的话连聋子都该听见了。"

张好儿忽然摆了摆手，站在她身后的小姑娘也拿了四锭金子出来，摆在桌上。

这四锭金子比欧阳美的四锭还大得多。

张好儿道："你是不是聋子？"

欧阳美摇摇头。

他还弄不懂张好儿这是什么意思。

张好儿淡淡道："你既然不是聋子，为什么这四锭金子说的话你也没有听见呢？"

欧阳美道："它在说什么？"

张好儿道："它在说，只要你快滚，滚远些，它就是你的了。"

欧阳美的表情看来已不像是被一根针刺着了。

他表情看来就像是有五百根针一齐刺在他脸上，还有三百根针刺在他屁股上。

牛大爷忽然大笑，笑得弯下了腰。

就连田思思也不禁暗暗好笑，她觉得这张好儿非但有两下子，而且的确是个很有趣的人。

女人若看到女人折磨男人时，总会觉得很有趣的，但若看到别的女人被男人折磨时，她自己也会气得要命。

男人就不同了。

男人看到男人被女人折磨，非但不会同情他，替他生气，心里反而会有种秘密的满足，甚至会觉得很开心。

牛大爷现在就开心极了。

比起欧阳美来，张好儿总算是对他很客气，说不定早已对他有意思，只怪他自己用错了法子而已。

幸好现在补救还不算太迟。

“只要有钱，还怕压不死这种女人？”

牛大爷的大爷派头又摆出来了，挺起胸膛，干咳了两声，道：“像张姑娘这样的人，自然不会将区区几锭金子看在眼里。”

他拍了拍胸膛，接着又道：“无论张姑娘要多少，只要开口就是，只要张姑娘肯点头，无论要多少都没关系。”

这番话说出来，他自己也觉得实在豪气干云。

张好儿的眼波果然向他瞟了过来，上上下下地瞧着他。

牛大爷的骨头都被她看酥了，只恨自己刚才为什么不早摆出大爷的派头来，让这女人知道牛大爷不但舍得花钱，而且花得起。

张好儿忽然道：“你要我点头，究竟是想干什么呢？”

这女人倒还真会装蒜。

牛大爷笑了，也斜着眼，笑道：“我想干什么，你难道还不明白？”

张好儿道：“你想要我陪你睡觉是不是？”

牛大爷大笑道：“张姑娘说话倒真爽快。”

张好儿忽然向外面招招手，道：“把金花儿牵过来。”

金花儿是条母狗，又肥又壮的母狗。

张好儿柔声道：“无论牛大爷要多少，只管开口就是，只要牛大爷肯陪我这金花儿睡一觉，无论要多少都没关系。”

欧阳美忽然大笑，笑得比牛大爷刚才还开心。

牛大爷脸上青一阵，红一阵，连青筋都一根根凸起。

季公子一直背着双手，在旁边冷冷地瞧着，这时才施施然走过来，淡淡道："其实两位也不必生气，张姑娘既然看到我在这里，自然是要等我的。"

他摆出最潇洒的架子，向张好儿招了招手，道："你还等什么，要来就来吧。"

第十章

寂寞的大小姐

张好儿忽然不说话了。

每个人都以为她要说出很难听的话来时，她却忽然不说话了。

因为她知道无论说多难听的话，也没有不说话凶。

这简直可以气得人半死，气得人发疯。

季公子不但脸已发红，连脖子都好像比平时粗了两倍，刚才摆了半天的“公子”派头，现在已完全无影无踪。

最气人的是，张好儿虽然不说话，他却已知道张好儿要说什么。

更气人的是，他已知道别人都知道。

张好儿看看金花儿，又看看他，脸上带着满意的表情，就好像拿他俩当作天生的一对儿。

季公子终于忍不住跳了起来，怒道：“你还有什么话说？你说！”

张好儿偏不说。

金花儿却“汪”的一声，向他蹿了过去，还在他面前不停地摇尾巴。

季公子大怒道：“畜生，滚开些。”

金花儿“汪汪汪”地叫。

季公子一脚踹了过去，喝道：“滚！”

金花儿：“汪！”

牛大爷忍不住大笑，道：“这人总算找到说话的对象了。”

又有个人悠然道：“看他们聊得倒蛮投机的。”

季公子的眼睛都气红了，连说话的这人是谁都没看到，“锵”的一声，剑已出手，一剑刺了出去。

忽然间一双筷子飞来，打在他手背上。

他的剑落下去时，金花儿已一口咬住他的手，重重咬了一口。

季公子的人已好像刚从水里捞起来一样，全身都已被冷汗湿透。

他已看出这双筷子是从哪里飞来的。

金花儿衔起筷子，摇着尾巴送了回去，它好像也知道这双筷子是谁的。

每个人都知道，但却都几乎不能相信。

季公子的剑并不慢，谁也想不到张好儿的出手居然比这有名的剑客还快。

张好儿只皱了皱眉，她身后已有个小姑娘伸手将筷子接了过去，道："这双筷子已不能用了。"

张好儿终于说话了。

她轻轻拍着金花儿的头，柔声道："小乖乖，别生气，我不是嫌你的嘴脏，是嫌那个人的手脏。"

这也许就是张好儿比别的女人值钱的地方。

她不但懂得在什么时候说什么样的话，也懂得对什么人说什么样的话。

最重要的是，她还懂得在什么时候不说话。

田思思已觉得这人实在有趣极了。

她一直不停地在笑，回到房里，还是忍不住要笑。

房间是杨凡替她租的，虽然不太好，也不太大，总算是间屋子。

田思思本来一直担心，晚上不知睡到什么地方去，她已发现自己不但吃饭成问题，连睡觉都成问题。

谁知杨凡好像忽然又发了慈悲，居然替她在客栈里租了间房，而且还很关照她，要她早点睡觉。

"这猪八戒毕竟还不算是太坏的人。"

田思思咬着嘴唇，一个人偷偷地直笑，仿佛又想到了一件很有趣的事，笑得弯下了腰。

"把田心嫁给他倒不错，一个小撅嘴，一个大脑袋，倒也是天生的一对。"

至于她自己，当然不能嫁给这种人。

像田大小姐这样的人，当然要秦歌那样的大人物才配得上。

想到秦歌，想到那飞扬的红丝巾，她的脸又不觉有点发红、发热。

屋子里静悄悄的，连一丝风都没有。

这见了鬼的六月天，简直可以闷得死人。

田思思真恨不得将身上的衣服全都脱光，又实在没这么大的胆子。

想睡觉，又睡不着。

她躺下去，又爬起来。

“地上一定很凉，赤着脚走走也不错。”

她脱下鞋子，又脱下袜子，看看自己的脚，又忘了要站起来走走。

她好像已看得有点痴了。

女人看着自己的脚时，常常都会胡思乱想的，尤其是那些脚很好看的女人。

脚好像总跟某种神秘的事有某种神秘的联系。

田思思的脚很好看，至少她自己一向很欣赏。

但别人是不是也会很欣赏呢？

她不知道，很少人能看到她的脚，她当然不会让别人有这种机会，但有时心里却又偷偷地想让人家看一看。

忽然有只蚊子从床下飞出来，叮她的脚。

至少这只蚊子也很欣赏她的脚。

所以她没有打死这只蚊子，只挥了挥手将蚊子赶走算了。

蚊子已在她脚底心叮了一口，她忽然觉得很痒，想去抓，脚心是抓不得的，愈抓愈痒，不抓也不行。

死蚊子，为什么别的地方不咬，偏偏咬在这地方。

她想去打死这死蚊子的时候，蚊子早已不知飞到哪里去了。

她咬着嘴唇，穿起袜子。

还是痒，好像一直痒到心里去了。

她又咬着嘴唇，脱下袜子，闭起眼睛，用力一抓，才长长吐出口气，忽然发现身上的衣服不知什么时候已湿透。

这时候能跳到冷水里去有多好？

田思思用一只手捏着被蚊子咬过的脚，用另一只脚跳到窗口，用另一只手轻轻地推开窗子。

窗外有树，有墙，有人影，有飞来飞去的苍蝇，追来追去的猫和狗……几乎什么东西都有，就只没有水。

她唯一能找得到的冷水，在桌上的杯子里。

她一口喝了下去。

外面传来更鼓，二更。

她吓了一跳，几乎将杯子都吞了下去。

二更，只不过才二更，她还以为天已经快亮了；谁知这又长、又闷、又热的夏夜只不过刚开始。

屋子里忽然变得更热了，这漫漫的长夜怎么挨得过去？

有个人聊聊，也许就好得多了。

她忽然希望杨凡过来陪她聊聊，可是那大头鬼一吃饱就溜回房去，关起了门，现在说不定已睡得跟死猪一样。

吃饱了就睡，不像猪像什么？

“我就偏偏不让他睡，偏偏要吵醒他。”

田大小姐想要做的事，若有人能叫她不做，那简直是奇迹。

奇迹很少出现的。

悄悄推开门，外面居然没有人。

这种鬼天气，连院子里都没有风，有人居然能关起门来睡觉，真是本事。

杨凡的房就在对面，门还是关得很紧，窗子里却有灯光透出。

“居然连灯都来不及吹熄，就睡觉了，也不怕半夜失火，把你烤成烧猪么？”

田思思又好气，又好笑，悄悄穿过院子。

地上好凉。

她忽然发现自己非但忘记穿鞋，连袜子都还提在手里。

看看自己的脚，怔了半天，她嘴角忽然露出一丝微笑。

笑得就像是个刚吃了三斤糖的小狐狸，甜甜的，却有点不怀好意。

田思思将袜子揉成一团，塞在衣服里，就这样赤着脚走过去。

为什么赤着脚就不能见人？谁生下来是穿着鞋子的？

田大小姐想要做的事，当然都有很好的解释。

门关得很严密，连一条缝都没有。

她想敲门，又缩回手。

“我若敲门，他一定不会理我的，猪八戒只要一睡着，连天塌下来也都不会理。”

田思思眼珠子转了转。

“我为什么不能这样闯进去吓他一跳？”

想到杨凡也有被人吓一跳的时候，她什么都不想了。

她立刻就撞门冲了进去——客栈不是钱库，门自然不会做得很结实。

她只希望杨凡的心结实点，莫要被活活吓死。

杨凡没有被吓死，他简直连一点吃惊的样子都没有，还是动也不动地坐在那里，就像是张木头做的椅子。

他的确是张椅子，因为还有个人坐在他身上。

一个很好看的人。

一个女人。

张好儿也没有被吓一跳。

她笑得还是很甜，样子还是很斯文，别的女人就算坐在客厅里的椅子上，样子也不会有她这么斯文。

她非但坐在杨凡身上，还勾住了杨凡的脖子。

唯一被吓了一跳的人，就是田思思自己。

她张大了嘴，瞪大了眼睛，那表情就好像刚吞下一整个鸡蛋。

张好儿春水般的眼波在她身上一溜，嫣笑道：“你们认得的？”

杨凡笑了笑，点了点头。

张好儿道：“她是谁呀？”

杨凡道：“来，我替你们介绍介绍，这位是张姑娘，这位是跟我刚刚订了亲，还没有娶过门的老婆。”

他将一个坐在他腿上的妓女介绍给他未来的妻子，居然还是大马金刀、四平八稳地坐着，完全没有一点惭愧抱歉的样子，也完全没有一点要将张好儿推开的意思。

田思思若真有嫁给他的打算，不被他活活气死才怪，就算没有嫁给他的打算，也几乎被他气得半死。

这大头鬼实在太不给她面子了。

更气人的是，张好儿居然也连一点站起来的意思都没有。

她只是朝田思思眨了眨眼，道："你真是未来的杨夫人？"

最气人的是，田思思想不承认都不行，气得连话都说不出。

不说话就是默认。

张好儿笑了，哈哈地笑着道："我本来还以为是女采花盗哩，三更半夜地闯进来，想不到原来真是未来的杨夫人，失礼失礼，请坐请坐。"

她拍了拍杨凡的腿，又笑道："要不要我把这位子让给你？"

田思思忽然一点也不觉得这人有趣了，只恨不得给她几个大耳刮子。

但看到杨凡的那种得意的样子，她忽又发觉自己绝不能生气。

"我愈生气，他们愈得意。"

田大小姐毕竟是聪明人，一想到这里，脸上立刻露出了笑容。

笑容虽不太自然，但总算是笑容。

张好儿的眼波好像又变成了把蘸了糖水的刷子，在她身上刷来刷去。

田思思索性装得更大方些，居然真找了张椅子坐了下来，微笑着道："你们用不着管我，也用不着拘束，我反正坐坐就要走的。"

张好儿笑道："你真大方，天下的女人若都像你这么大方，男人一定会变得长命些。"

她居然得寸进尺，又勾住了杨凡的脖子，媚笑着说道："你将来能娶到这么样一位贤惠的夫人，可真是运气。"

田思思也学着她的样子，歪着头媚笑道："其实你也用不着太夸奖我，我若真有嫁给他的意思，现在早已把你的头发都扯光了。"

张好儿眨眨眼，道："你不打算嫁给他？"

田思思笑道："就算天下的男人都死光了，我也不会嫁给他。"

她忽又叹了口气，喃喃道："我只奇怪一件事，怎么会有女人看上这么样一个猪八戒的。"

她好像在自言自语，声音说得很小，却又刚好能让别人听得见。

张好儿笑道："这就叫，萝卜青菜，各有所爱。"

她也叹了口气，喃喃道："有些小丫头连男人都没有见过几个，根本还分不出哪个人好，哪个人坏，就想批评男人了，这才是怪事。"

她也像是在自言自语，声音却也刚好说得能让别人听见。

田思思眨眨眼，笑道："你见过很多男人么？"

张好儿道："也不算太多，但千儿八百个总是有的。"

田思思故意作出很吃惊的样子，道："那可真不少，看起来已经够资格称得上是男人的专家了。"

她嫣然笑着道："据我所知，天下只有做一种事的女人，才能见到这么多男人，却不知张姑娘是干哪一行的呢？"

这句话说出，她自己也很得意！

"这下子看你怎么回答我，看你还能不能神气得起来？"

无论如何，张好儿干的这一行，总不是什么光荣的职业。

张好儿却还是笑得很甜，媚笑道："说来也见笑得很，我只不过是个小小的慈善家。"

慈善家这名词在当时还不普遍，不像现在很多人都自称慈善家。

田思思怔了怔，道："慈善家是干什么的？"

张好儿道："慈善家也有很多种，我是专门救济男人的那种。"

田思思又笑了，道："那倒很有意思，却不知你救济男人些什么呢？"

张好儿道："若不是我们，有很多男人这一辈子都休想碰到真正的女人，所以我就尽量安慰他们，尽量让他们开心。"

她媚笑着道："你知道，一个男人若没有真正的女人安慰，是很可怜的，真正的女人偏偏又没有几个。"

这人倒是真懂得往自己脸上贴金。

田思思眼珠子一转，笑道："若不是你，只怕有很多男人的钱也没地方花出去。"

张好儿道："是呀，我可不喜欢男人变成守财奴，所以尽量让他们学得慷慨些。"

她看看田思思，又笑道："你喜欢男人都是守财奴吗？"

两人说话都带着刺，好像恨不得一下子就将对方活活刺死。

但两人脸上却还是笑眯眯的。

杨凡看看张好儿，又看看田思思，脸上带着满意的表情，好像觉得欣赏极了。

“这猪八戒就好像刚吃了人参果的样子。”

田思思真想不出什么话来气气他。

张好儿忽又叹了口气，喃喃道：“时候不早了，是该回去睡觉的时候了。”

她嘴里虽这么说，自己却一点也没有回去睡觉的意思。

田思思当然明白她是想要谁回去睡觉。

“你要我走，我偏偏不走，看你们能把我怎样？”

其实她究竟是为了什么不走，她自己也未必知道。

她心里虽然有点酸溜溜的，但你就算杀了她，她也不会承认。

张好儿说了一句话，得不到反应，只好再说第二句。

她故意看看窗子，道：“现在不知道是什么时候，大概不早了吧。”

田思思眨眨眼，道：“张姑娘要回去了吗？”

张好儿笑道：“反正也没什么事，多聊聊也没关系，你呢？”

田思思嫣然道：“我也没事，也不急。”

两个人好像都打定了主意：“你不走，我也不走。”

但话说到这里，好像已没有什么话好说了，只有干耗着。

杨凡忽然轻轻推开张好儿，笑道：“你们在这里聊聊，我出去逛逛，两个女人中多了个大男人，反而变得没有什么好聊的了。”

他居然真的站起来，施施然走出去。

“你们不走，我走。”

对付女人，的确再也没有更好的法子。

“想不到这猪八戒还是个大滑头。”

田思思恨得牙痒痒的，想走，又不好意思现在就跟着走。

不走，又实在跟张好儿没话说。

第十一章

安 排

01

天气好像更闷了，闷得令人连气都透不过来。

张好儿忽然道："田姑娘这次出来，打算到些什么地方去呀？"

田思思道："江南。"

张好儿道："江南可实在是个好地方，却不知田姑娘是想去随便逛逛呢？还是去找人？"

田思思道："去找人。"

现在杨凡已走了，她已没有心情摆出笑脸来应付张好儿。

张好儿却还是在笑，嫣然道："江南我也有很多熟人，差不多有点名气的人，我都认得。"

这句话倒真打动田思思了。

田思思道："你真的认得很多人？你认不认得秦歌？"

张好儿笑道："出来走走的人，不认得秦歌的只怕很少。"

田思思眼睛立刻亮了，道："听说他这人也是整天到处乱跑的，很不容易找得到。"

张好儿道："你到江南去，就是为了找他？"

田思思道："嗯。"

张好儿笑道："那么你幸亏遇到了我，否则就要白跑一趟了。"

田思思道："为什么？"

张好儿道："他不在江南，已经到了中原。"

田思思道："你……你知道他在哪里？"

张好儿点点头，道："我前天还见过他。"

看她说得轻描淡写的样子，好像常常跟秦歌见面似的。

田思思又是羡慕，又是妒忌，咬着嘴唇，道："他就在附近？"

张好儿道："不远。"

田思思沉吟了半晌，终于忍不住嗫嚅道："你能告诉我他在哪里吗？"

张好儿道："不能。"

田思思怔住了，怔了半晌，站起来就往外走。

张好儿忽又笑了笑，悠然道："但我却可以带你去找他。"

田思思立刻停下脚，开心得几乎要叫了起来，道："真的？你不骗我？"

张好儿笑道："我为什么要骗你？"

田思思忽然又觉得她是个好人了。

田大小姐心里想到什么，要她不说出来实在很困难，她转身走到张好儿面前，拉起张好儿的手，嫣然道："你真是个好人。"

张好儿笑道："我也一直觉得你顺眼得很。"

田思思道："你……你什么时候能带我去找他？"

张好儿道："随时都可以，只怕——有人不肯让你去。"

田思思道："谁不肯让我去？"

张好儿指了指门外，悄悄道："猪八戒。"

田思思也笑了，又撅起嘴，道："他凭什么不肯让我去？他根本没资格管我的事。"

张好儿道："你真的不怕？"

田思思冷笑道："怕什么，谁怕那大头鬼？"

张好儿道："你现在若敢去，我就带你去，明天你也许就见到秦歌了。"

田思思大喜道："那么我们现在就走，谁不敢走谁是小狗。"

张好儿眨眨眼，笑道："那么我们现在就从窗子里溜走，让那大头鬼回来时找不到我们干着急，你说好不好？"

田思思笑道："好极了。"

能让杨凡生气着急的事，她都觉得好极了。

02

于是田大小姐又开始了她新的历程。

路上不但比屋里凉快，也比院子里凉得多。

风从街头吹过来，吹到街尾。

田思思深深吸了口气，忽然觉得脚心冰冷，才发觉自己还是赤着脚。

那猪八戒居然从头到尾都没有看到过她的脚。

田思思暗中咬了咬牙，道："我……我回去一趟好不好？"

张好儿道："还回去干什么？"

她笑了笑，又道："你用不着担心他真的会着急，跟着我的那些人都知道我会去哪里，明天也一定会告诉他的。"

田思思撅起嘴，冷笑道："他急死我也不管，我只不过是想回去穿鞋子。"

张好儿道："我那里有鞋子，各式各样的鞋子都有。"

田思思道："可是……我难道就这样走去么？"

张好儿道："我知道有个地方，再晚些都还能雇得到车。"

田思思叹了口气，道："你真能干，好像什么事都知道。"

张好儿也叹了口气，道："田姑娘，那也是没法子的事，一个女人在外面混，若不想法子照顾自己，是会被男人欺负的。"

田思思恨恨道："男人都不是好东西。"

张好儿笑道："好的实在不多。"

田思思忽又问道："但你怎么知道我姓田的？难道是那大头鬼告诉你的？"

张好儿道："嗯。"

田思思道："他还跟你说了些什么？"

张好儿笑笑道："男人在背后说的话，你最好还是不听。"

田思思道："我听听有什么关系？反正他无论说什么，我都当他放屁。"

张好儿沉吟着，道："其实他没说你什么，只不过说你小姐脾气太大了些，若不好好管教你，以后更不得了。"

田思思叫了起来，道："见他的大头鬼，他管教我？他凭什么？"

张好儿道："他还说你迟早总会嫁给他的，所以他才不能不管教你。"

田思思恨恨道："你别听他放屁，你想想，我会不会嫁给那种人？"

张好儿道："当然不会，他哪点能耐配得上你？"

田思思瞟了她一眼，忽又笑道："但你却好像对他不错。"

张好儿笑了笑，道："我对很多男人都不错。"

田思思道："但对他好像有点特别，是不是？"

张好儿道："那只因我跟他已经是老朋友了。"

田思思道："你已认得他很久？"

张好儿道："嗯。"

过了半晌，她又笑了笑，道："你千万不要以为他是个老实人，他看来虽老实，其实花样比谁都多，他说的话简直连一个字都不能相信。"

田思思淡淡道："我早就说过，他无论说什么，我都当他放屁。"

她嘴里这么说，心里却好像有点不舒服，她自己骂他是一回事，别人骂他又是另外一回事了。

"无论如何，这大头鬼总算帮过我忙的。"

田大小姐可不是忘恩负义的人，她已下了决心，以后只要有机会，她一定要好好地报答他一次。

她心里好像已出现了一幅图画——

那猪八戒正被人打得满地乱爬，田大小姐忽然骑着匹白马出现了，手里挥着鞭子，将那些妖魔鬼怪全都用鞭子抽走。

下面的一幅图画就是——

猪八戒跪在田大小姐的白马前，求田大小姐嫁给他，田大小姐只冷笑了一声，反手抽了他一鞭子，打马而去；有个脖子上系着红丝巾的英俊少年，正痴痴地在满天夕阳下等着她。

想到这里，田大小姐脸上不禁露出了可爱的微笑。

"也许我不该抽得太重，只轻轻在他那大头上敲一下，也就是了。"

这时街上真的响起了马蹄声。

张好儿笑道："看来我们的运气真不错，用不着去找，马车已经自己送上门来了。"

有些人运气好像天生很好。

来的这辆马车不但是空的，而且是辆很漂亮、很舒服的新车子。

赶车的也是个很和气的年轻人，而且头上还系着条红丝巾。

鲜红的红丝巾在晚风中飞扬。

田思思已看得有些痴了。

看到这飞扬的红丝巾，就仿佛已看到了秦歌。

赶车的却已被她看得有点不好意思，搭讪着笑道："姑娘还不上车？"

田思思的脸红了红，忍不住道："看你也系着条红丝巾，是不是也很佩服秦歌？"

赶车的笑道："当然佩服，江湖中的人谁不佩服秦大侠。"

田思思道："你见过他？"

赶车的叹了口气，道："像我们这种低三下四的人，哪有这么好的运气？"

田思思道："你很想见他？"

赶车的道："只要能见到秦大侠一面，要我三天不吃饭都愿意。"

田思思笑了，听到别人赞美秦歌，简直比听别人赞美她自己还高兴。

她抿嘴一笑，道："我明天就要和他见面了，他是我的……我的好朋友。"

她并没有觉得自己在说谎，因为在她心目中，秦歌非但已是她的好朋友，而且简直已经是她的情人，是她未来的丈夫。

赶车的目中立刻充满了羡慕之意，叹息着道："姑娘可真是好福气……"

田思思的身子轻飘飘的，就像是已要飞了起来。

她也觉得自己实在是好福气，选来选去，总算没有选错。

秦歌真是个了不起的大人物。

03

车马停下。

车马停下时，东方已现出曙色。

田思思正在做梦，一个又温馨、又甜蜜的梦。

梦中当然不能缺少秦歌。

她实在不愿从梦中醒来，但张好儿却在摇着她的肩。

田思思揉揉眼睛，从车窗里望出去。

一道朱红色的大门在曙色中发着光，两个巨大的石狮子蹲踞在门前。

田思思眨了眨眼，道："到了吗？这是什么地方？"

张好儿道："这就是寒舍。"

田思思笑了。"寒舍"这种名词从张好儿这种人嘴里说出来，她觉得很滑稽、很有趣。

也许现在无论什么事她都会觉得很有趣。

张好儿道："你笑什么？"

田思思笑道："我在笑你太客气，假如这种地方也算是'寒舍'，要什么样的屋子才不是寒舍呢？"

张好儿也笑了，笑得很开心，听到别人称赞自己的家，总是件很开心的事。

田思思却已有点脸红，她忽然发觉自己已学会了虚伪客气。

其实无论什么人看到这地方都会忍不住赞美几句的。

朱门上的铜环亮如黄金，高墙内有宽阔的庭院，雕花的廊柱，窗子上糊着空白的粉纹纸，却被覆院的浓荫映成淡淡的碧绿色。

院子里花香浮动，鸟语啁啾，堂前正有双燕子在衔泥做窝。

田思思道："这屋子是你自己的？"

张好儿道："嗯。"

田思思道："是你自己买下来的？"

张好儿道："前两年刚买的，以前的主人是位孝廉，听说很有学问，却是个书呆子，所以我价钱买得很便宜。"

田思思叹了口气，又笑道："看来做'慈善家'这一行真不错，至少总比读书中举好得多。"

张好儿的脸好像有点发红，扭过头去轻轻干咳。

田思思也知道自己说错话了，讪讪地笑着，道："秦歌今天会到这里来？"

张好儿道："我先带你到后面去歇着，他就算不来，我也能把他找来。"

后园比前院更美。

小楼上红栏绿瓦，从外面看过去宛如图画，从里面看出来也是幅图画。

田思思叹了口气，道："这地方好美。"

张好儿道："天气太热的时候，我总懒得出去，就在这里歇着。"

田思思道："你倒真会享福。"

其实她住的地方也绝不比这里差，却偏偏有福不会享，偏要到外面受罪。

张好儿笑道："你若喜欢这地方，我就让给你，你以后跟秦歌成亲的时候，就可以将这里当洞房。"

田思思眼圈好像突然发红，忍不住拉起她的手，道："你为什么对我这么好？"

张好儿柔声道："我早就说过，一看你就觉得顺眼，这就叫缘分。"

她拍了拍田思思的手，又笑道："现在你应该先好好洗个澡，再好好睡一觉，秦歌来的时候，我自然会叫醒你，你可得打扮得漂亮些呀。"

田思思不由自主地低下头，看看自己又脏又破的衣服，看看那双赤脚，忍不住轻轻叹了口气。

张好儿笑道："你的身材跟我差不多，我这就去找几件漂亮的衣服，叫小兰送过来。"

田思思道："小兰？"

张好儿道："小兰是我新买的丫头，倒很聪明伶俐，你若喜欢，我也可以送给你。”

田思思看着她，心里真是说不出的感激。

无论干哪一行的都有好人，她总算遇着了一个真正的好人。

墙上挂着幅图画。

白云缥缈间，露出一角朱门，仿佛是仙家楼阁。

山下流水低回，绿草如茵，一双少年男女互相依偎着，坐在流水畔，绿草上，仿佛已忘却今夕何夕，今世何世。

画上题着一行诗：“只羡鸳鸯不羡仙。”

好美的图画，好美的意境。

“假如将来有一天，我跟秦歌也能像这样子，我也绝不会想做神仙。”

田思思正痴痴地看着，痴痴地想着，外面忽然有人在轻轻敲门。

门是虚掩着的。

田思思道：“是小兰吗？进来。”

一个穿着红衣服的俏丫头，捧着一大叠鲜艳的衣服走了进来，低着头道：“小兰听姑娘的吩咐。”

她大大的眼睛，小小的嘴，不生气时嘴也好像是撅着的。

田思思几乎忍不住大声叫了出来。

田心！

这俏丫头赫然竟是田心。

田思思冲过去抱住她，将她捧着的一叠衣服都撞翻在地上。

“死丫头，死小鬼，你怎么也跑到这里来了？什么时候来的？”

这丫头瞪大了眼睛，好像显得很吃惊，吃吃道：“我已来了两年。”

田思思笑骂道：“小鬼，还想骗我？难道以为我已认不出你了么？”

这丫头眨眨眼道：“姑娘以前见过我？”

田思思道：“你难道没见过我？”

这丫头道：“没有。”

田思思怔了怔，道：“你已不认得我？”

这丫头道："不认得。"

田思思也开始有点吃惊，揉揉眼睛，道："你……你难道不是田心？"

这丫头道："我叫小兰，大小的小，兰花的兰。"

看她一本正经的样子，并不像说谎，也不像是开玩笑。

田思思道："你……你莫非被鬼迷住了？"

小兰看着她，就好像看着个神经病似的，再也不想跟她说话了，垂着头道："姑娘若是没什么别的吩咐，我这就下去替姑娘准备水洗澡。"

她不等话说完，就一溜烟地跑了下去。

田思思怔住了。

"她难道真的不是田心？"

"若不是田心，又怎会长得跟田心一模一样，甚至连那小撅嘴，都活脱脱是一个模子里刻出来的。"

"天下真有长得这么像的人？"

田思思不信，却又不能不信。

两个很健壮的老妈子，抬着一个很好看的澡盆走进来。

盆里的水清澈而芬芳，而且还是热的。

小兰手里捧着盒豆蔻澡豆，还有条雪白的丝巾，跟在后面，道："要不要我侍候姑娘洗澡？"

田思思瞪着她，摇摇头，忽又大声道："你真的不是田心？"

小兰吓了一跳，用力摇摇头，就好像见了鬼似的，又溜了。

田思思叹了口气，苦笑着喃喃道："我才是真的见了鬼了……天下真有这么巧的事……"

她心里虽然充满了怀疑，但那盆热水的诱惑却更大。

没有任何一个三天没洗澡的女人，还能抗拒这种诱惑的。

"无论怎么样，先洗个澡再说吧。"

田思思叹了口气，慢慢地解开了衣钮。

对面有个很大的圆铜镜，映出了她苗条动人的身材。

她的身材也许没有张好儿那么丰满成熟，但她的皮肤却更光滑，肌肉却更坚实，而且带着种处女独有的温柔弹性。

她的腿笔直，足踝纤巧，线条优美。

她的身子还没有被男人拥抱过。

她在等，等一个值得她爱的男人，无论要等多久她都愿意等。

秦歌也许就是这男人。

她脸上泛起一阵红晕，好像已变得比盆里的水还热些。

贴身的衣服已被汗湿透，她柔美的曲线已完全在镜中现出。

她慢慢地解开衣襟，整个人忽然僵住！

屋里有张床，大而舒服。

床上高悬着锦帐。

锦帐上挂着粉红色的流苏。

田思思忽然从镜子里看到，锦帐上有两个小洞。

小洞里还发着光。

眼睛里的光。

有个人正躲在帐子后面偷看着她。

田思思又惊又怒，气得全身都麻木了。

她用力咬着嘴唇，拼命压制着自己，慢慢地解开第一粒衣钮，又慢慢地开始解第二粒……

突然间，她转身蹿过去，用力将帐子一拉。

帐子被拉倒，赫然有个人躲在帐后。

一个动也不动的人。

偷看大姑娘洗澡的人，若是突然被人发现，总难免要大吃一惊。

但这人非但动也不动，脸上也完全没有丝毫吃惊之色。

这难道不是人，只不过是个用石头雕成的人像？

04

田思思知道他是个人。

非但知道他是个人，而且还认得他。

“葛先生！”

那恶鬼般的葛先生，阴魂不散，居然又在这里出现了！

田思思吓得连嗓子都已发哑，连叫都叫不出来，连动都不能动。

葛先生也没有动。

他非但脚没有动，手没有动，连眼珠子都没有动。

一双恶鬼般的眼睛，直勾勾地瞪着田思思，眼睛里也全无表情。

但没有表情比任何表情都可怕。

田思思好容易才能抬起脚，转身就往外跑。

跑到门口，葛先生还是没有动。

他为什么不追？

难道他已知道田思思跑不了？

田思思躲到门后，悄悄地往里面看了看，忽然发现葛先生一双死灰色的眼睛，还是直勾勾地瞪在她原来站着的地方。

“这人莫非突然中了邪？”

田思思虽然不敢相信她有这么好的运气，心里虽然还是怕，但这恶魔若是中了邪，岂非正是她报复的机会？

这诱惑更大，更不可抗拒。

田思思咬着嘴唇，一步一步，慢慢地往里走。

葛先生还是不动，眼睛还是直勾勾地瞪着原来的地方。

田思思慢慢地弯下腰，从澡盆上的小凳子上拿起那盒澡豆。

盒子很硬，好像是银子做的。

无论谁头上被这么硬的盒子敲一下，都难免会疼得跳起来。

田思思用尽全身力气，将盒子摔了出去。

“咚”地，盒子打在葛先生头上。

葛先生还是没有动，连眼珠子都没有动，好像一点感觉都没有。

但他的头却已被打破了。

一个人的头被打破，若还是一点感觉都没有，那么他就算不是死人，也差不多了。

田思思索性将那小凳子也摔了过去。

这次葛先生被打得更惨，头上的小洞已变成大洞，血已往外流。

但他还是动也不动。

田思思松了口气，突然蹿过去，“啪”地给了他个大耳光。

他还是不动。

田思思笑了，狠狠地笑道："姓葛的，想不到你也有今天。"

田大小姐不是个很凶狠的人，心既不黑，手也不辣。

但她对这葛先生却实在恨极了，从心里一直恨到骨头里。

她一把揪住葛先生的头发，将他整个人提了起来，反手又是一耳光，"噼噼啪啪"，先来了十七八个大耳光，气还是没有出。

洗澡水还是热的，热得在冒气。

一个人的头若被按在这么热的洗澡水里，那滋味一定不好受。

田思思就将葛先生的头按了进去。

水里并没有冒泡。

难道他已连气都没有了，已是个死人。

田思思手已有点发软，将他的头提起来。

他眼睛还是直勾勾地瞪着，还是连一点表情也没有。

田思思有点慌了，大笑道："喂，你听得见我说话么？你死了没有？"

突听一人咯咯笑道："他没有死，却已听不见你说话了。"

笑声如银铃。

其实很少有人能真的笑得这么好听，大多数人的笑声最多也只不过像铜铃，有时甚至像是个破了的铜铃。

田思思用不着回头，就知道张好儿来了。

笑声也是干"慈善家"这一行最重要的条件之一。

张好儿自然是这一行中的大人物，所以她不但笑得好听，也很好看。

田思思恨恨道："你认得这人？"

张好儿摇摇头，笑道："这种人还不够资格来认得我。"

田思思冷笑道："那么他又怎么会做了这里的入幕之宾？"

张好儿眨眨眼，道："你真不知道他怎么来的？"

田思思道："我当然不知道。"

张好儿道："我也不知道。"

她忽又笑了笑，道："但我却知道他怎么会变成这样子的。"

田思思道："快说。"

张好儿道："你难道看不出他被人点住了穴道？"

田思思这才发现葛先生果然是被人点了穴道的样子，而且被点的穴道绝不止一个地方。

葛先生武功并不弱，她一向都很清楚，若说有人能在他不知不觉中点住他七八处穴道，这种事简直令人难以相信。

田思思忍不住道："是你点了他的穴？"

张好儿笑道："怎么会是我？我哪有这么大的本事。"

田思思道："不是你是谁？"

张好儿悠然道："你猜猜看，若是猜不出，我再告诉你。"

田思思道："我猜不出。"

她嘴里"猜不出"的时候，心里已猜出了，忽然跳了起来，道："难道是秦歌？"

张好儿道："猜对了。"

田思思张大了嘴，瞪大了眼睛，好像随时都要晕了过去。

过了很久，她才能长长吐了口气，道："他……他已经来了？"

张好儿道："已来了半天。"

她又解释着道："他来的时候，看到有人鬼鬼祟祟窜到这小楼上来，就在暗中跟着，这人在帐子上挖洞的时候，他就点了他的穴道。"

帐子后果然有个小窗子，他们想必就是从窗子里掠进来的。

张好儿笑道："奇怪的是，帐子后面出了那么多事，你居然一点都不知道——你那时难道在做梦？"

田思思的确在做梦，一个不能对别人说出来的梦。

她红着脸，低下头，道："他的人呢？"

张好儿道："他点住这人的穴道后，才去找我……"

田思思忽然打断了张好儿的话，咬着嘴唇道："那时他为什么不告诉我一声，也免得我被这人……被这人……"

"偷看"这两个字，她实在说不出来。

张好儿笑道："他虽然不是君子，但看到女孩子在脱衣服时，还是不好意思出来见面的。"

田思思的脸在发烫，低着头道："他……他刚才也看见了？"

张好儿道："帐子上还有两个洞，就算是君子，也会忍不住要偷看两眼的。”

田思思不但脸在发热，心好像也在发热，嗫嚅道：“他说了我什么？”

张好儿笑道：“他说你不但人长得漂亮，腿也长得漂亮。”

田思思道：“真的？”

张好儿叹了口气，道：“为什么不是真的？我若是男人，我也会这么说的。”

田思思头垂得更低，虽然不好意思笑，却又忍不住在偷偷地笑。

对一个少女说来，天下绝没有比被自己意中人称赞更美妙的事了。

张好儿道：“我只问你，你现在想不想见他？”

田思思道：“他在哪里？”

张好儿道：“就在楼下，我已经带他来了。”

这句话还没有说完，田思思已要转身往外面走。

张好儿一把拉住了她，朝她身上努了努嘴，笑道：“你这样子就想去见人？”

田思思红着脸笑了。

张好儿道：“你就算已急得不想洗澡，但洗洗脚总来得及吧。”

水还是热的。

葛先生已被塞到床底下。

张好儿道：“暂时就请他在这里趴一下，等等再想法子修理他。”

田思思用最快的速度洗好脚，但穿衣服的时候就慢了。

衣服有好几件，每件都很漂亮。

田思思挑来选去，忍不住要向张好儿求教了。

男人喜欢的是什么，张好儿自然知道得比大多数人都清楚。

田思思道：“你看我该穿哪件呢？”

张好儿上上下下瞧了她几眼，笑道：“依我看，你不穿衣服的时候最好看。”

她的确很了解男人，你说对不对？

05

田思思下楼的时候，心一直在不停地跳。

秦歌长得究竟是什么样子？有没有她想象中那么英俊潇洒？

田思思只知道他身上一定有很多刀疤。

但男人身上有刀疤，非但不难看，反而会显得更有英雄气概。

无论如何，她总算能跟她心目中的大人物见面了。

田思思闭着眼睛，迈下最后一步梯子，再睁开眼。

她就看到了秦歌！

秦歌几乎和她想象中完全一模一样——简直就是少女们梦中幻想的那种男人。

他身材比普通人略为高一点，却不算太高。

他的肩很宽，腰很细，看来健壮而精悍，尤其是在穿着一身黑衣服的时候。

他的眼睛大而亮，充满了热情。

一条鲜红的丝巾，松松地系在脖子上。

田思思忽然发现，红丝巾系在脖子上，的确比系在任何地方都好看。

秦歌看到她的时候，目中带着种温柔的笑意，无论谁看到他的这双眼睛，都不会再注意他脸上的刀疤了。

他看到田思思的时候，就站了起来，不但目中带着笑意，脸上也露出了温和潇洒的微笑。

他显然很喜欢看到田思思，而且毫不掩饰地表示了出来。

田思思的心跳得更厉害。

她本来应该大大方方走过去的，但却忽然在楼梯口怔住。

她忽然发觉自己忘了一件事。

从一开始听到秦歌这名字的时候，她就有了许许多多种幻想。

她当然想到过自己见到秦歌时是什么情况，也幻想过自己倒在他怀里时，是多么温馨，多么甜蜜。

她甚至幻想过他们以后在一起生活的日子，她会陪他喝酒、下棋、骑马，陪他闯荡江湖，她要好好照顾他，每天早上，她都会为他在脖子上系上一条干净的红丝巾，然后替他煮一顿可口的早餐。

她什么都想过，也不知想了多少遍。

但她却忘了一件事。

她忘了去想一见到他时，应该说些什么话。

在幻想中，她一见到秦歌，就已倒在他怀里。

现在她当然不能这么样做，当然知道自己应该先陪他聊聊天，却又偏偏想不出应该说些什么。

秦歌好像也不知该说些什么，只是温柔地笑着，道："请坐。"

田思思低着头，走过去坐下来，坐下来时还是想不出该说什么。

这本是她花了无数代价才换来的机会，她多少应该表现得大方些，聪明些，但到了这种节骨眼上，她却偏偏忽然变得像是舌头短了三寸的呆鸟。

她简直恨不得把自己的舌头割下来，拿去给别人修理修理。

张好儿偏偏也不说话，只是扶着楼梯远远地站在那里，看着他们微笑。

幸好这时那俏丫头小兰已捧了两盏茶进来，送到他们身旁的茶几上。

她也垂着头，走到田思思面前时，仿佛轻轻说了两个字。

但田思思晕晕乎乎的，根本没听见她在说什么。

小兰只好走了。

她走的时候，嘴撅得好高，像是又着急，又生气。

张好儿终于慢慢走了过来，道："这里难道是个葫芦店么？"

秦歌怔了怔，道："葫芦店？"

张好儿吃吃笑道："若不是葫芦店，怎会有这么大的两个闭嘴葫芦。"

秦歌笑了，抬头看了看窗外，道："今天天气好像不错。"

张好儿道："哈哈哈。"

秦歌道："哈哈哈是什么意思？"

张好儿道："一点意思也没有，就好像你说的那句话一样，说了等于没说。"

秦歌又笑了笑，道："你要我说什么？"

张好儿眨眨眼，道："你至少应该问问她，贵姓呀？大名呀？府上哪里呀？这些话难道也要我来教你？"

秦歌轻轻咳嗽了两声，道："姑娘贵姓？"

田思思道："我姓田，叫田思思。"

张好儿皱着眉，道："这是有人在说话，还是蚊子叫？"

田思思也笑了，屋子里的气氛这才轻松了一点。

秦歌刚想说什么，那俏丫头小兰忽又垂头走了进来，走到田思思面前，捧起几上的茶，也不知怎的，手忽然一抖，一碗茶全都泼翻在田思思身上。

小兰赶紧去擦，手忙脚乱地在田思思身上乱擦。

田思思觉得她的手好像趁机往自己怀里摸了摸，她看来并不像这么样笨手笨脚的人，田思思刚觉得有点奇怪，张好儿已沉下脸，道："你跑来跑去的干什么？"

小兰的脸色有点发白，垂首道："我……我怕田姑娘的茶凉了，想替她换一盅。"

张好儿沉着脸道："谁叫你多事的，出去，不叫你就别进来。"

小兰道："是。"

她又低着头走了出去，临走的时候，好像还往田思思身上瞟了一眼，眼色仿佛有点奇怪。

难道她有什么秘密要告诉田思思？

田思思完全没有想到这一点，她看着身上的湿衣服，已急得要命，哪里还有工夫去想别的。

何况，这丫头假如真的有话要说，刚才送衣服去的时候，就已经应该说出了，完全没有理由要等到这种时候再说。

田思思咬着嘴唇，忽然道："我……我想去换件衣服。"

秦歌立刻道："姑娘请。"

他站了起来，微笑着道："在下也该告辞了，姑娘一路烦劳，还是休息一会儿的好。"

他居然就这么样一走了之。

等他一出门，张好儿就急得直跺脚，道："我好容易才安排了这机会让你们见面，你怎么竟让煮熟的鸭子飞了？”

田思思涨红了脸，道：“我……我也不知道为了什么，一看见他，我就说不出话来。”

张好儿道：“这样子你还想锁住他？人家看见你这种呆头呆脑的样子，早就想打退堂鼓了，否则又怎会走？”

田思思道：“下次……下次我就会好些的。”

张好儿冷笑道：“下次？下次的机会只怕已不多了。”

田思思拉起她的手，央求着，道：“君子有成人之美，你就好人做到底吧。”

张好儿用眼角瞄着她，“扑哧”一笑，道：“我问你，你对他印象怎么样？你可得老实说。”

田思思脸又红了，道：“我对他印象当然……当然很好。”

张好儿道：“怎么样好法？”

田思思道：“他虽然那么有名，但却一点也不骄傲，一点也不粗鲁，而且对我很有礼貌。”

她眼波蒙眬，就像做梦似的。

张好儿盯着她，道：“还有呢？”

田思思轻轻叹了口气，道：“别的我也说不出了，总之他是个很好的人，我并没有看错他。”

张好儿道：“你愿意嫁给他？”

田思思咬着嘴角，不说话。

张好儿道：“这可不是我的事，你若不肯说老实话，我可不管了。”

田思思急了，红着脸道：“不说话的意思你难道还不懂？”

张好儿又“扑哧”一声笑了，摇着头道：“你们这些小姑娘呀，真是一天比一天会作怪了。”

她又正色接着道：“既然你想嫁给他，就应该好好地把握住机会。”

田思思终于点了点头。

张好儿道：“现在机会已不多了，我最多也不过只能留住他一两天。”

田思思道："一两天？只有一两天的工夫怎么够？"

张好儿道："两天已经有二十四个时辰，二十四个时辰已经可以做很多事了，假如换了我，两个时辰就已足够。"

田思思道："可是……可是我真不知道应该做些什么。"

张好儿轻轻拧了拧她的脸，笑道："傻丫头，有些事用不着别人教你也该知道的，难道你还真要我送你们进洞房么？"

她银铃般娇笑着走了出去，笑声愈来愈远。

门还开着。

风吹在湿衣服上，凉飕飕的。

田思思痴痴地想着，随手拉了拉衣襟，忽然有个纸卷从怀里掉下来，可是她根本没有注意。

"有些事用不着别人教的。"

田思思只觉自己的脸又在发烫，咬着嘴唇，慢慢地走上楼。

06

楼下很静，一个人也没有。

那俏丫头小兰又低着头走进来，想是准备来收拾屋子。

她看到地上的纸卷，脸色忽然变了，立刻赶过去捡起来。

纸卷还是卷得好好的，显然根本没有拆开来过。

她撅着嘴，轻轻跺着脚，好像准备冲上楼去。

就在这时，楼上忽然发出了一声惊呼。

床底下的葛先生忽然不见了。

田思思本来几乎已完全忘了他这个人，一看到秦歌，她简直连自己是谁都忘了。

等到她坐到床上，才想起床底下还有个鬼。

鬼就是鬼，你永远不知道他什么时候来，更不知他什么时候走，他若缠住了你，你就永远不得安宁。

田思思的惊呼声就好像真的遇着鬼一样。

葛先生这人也的确比鬼还可怕。

直到张好儿赶来的时候，她还在发抖，忽然紧紧抱住张好儿，失声痛哭了起来，嗄声道：“那人已走了。”

张好儿轻轻拍着她，柔声道：“走了就走了，你不用怕，有我在这里，你什么都用不着害怕。”

田思思道：“可是我知道他一定还会再来的，他既然知道我在这里，就绝不会轻易放过我。”

张好儿道：“他究竟是什么人？为什么要这样子缠着你？”

田思思流着泪道：“我也不知道他为什么一定要缠住我。我既不欠他的，也没有得罪他，我……我根本和他一点关系都没有。”

张好儿道：“但是你却很怕他！”

田思思颤声道：“我的确怕他，他根本不是人……”

只听一人道：“无论他是人是鬼，你都用不着怕他，他若敢再来，我就要他回不去。”

秦歌也赶来了。

他的声音温柔而镇定，不但充满了自信，也可以给别人信心。

张好儿却冷笑道：“他这次本来就应该回不去的，若是我点了他的穴道，连动都动不了。”

秦歌淡淡地笑了笑，道：“这的确要怪我出手太轻，因为那时我还不知道他是什么人。”

张好儿道：“偷偷溜到别人闺房里，在别人帐子上挖洞的，难道还有什么好人？”

秦歌道：“可是我……”

张好儿根本不让他说话，又道：“不管你怎么说，这件事你反正有责任，我这小妹妹以后假如出了什么事，我就唯你是问。”

秦歌叹了口气，苦笑着喃喃道：“看来我以后还是少管闲事的好。”

张好儿道：“但你现在已经管了，所以就要管到底。”

秦歌道：“你要我怎么管？”

张好儿道：“你自己应该知道。”

秦歌沉吟着，道：“你是不是要我在这里保护田姑娘？”

张好儿这才展颜一笑，嫣然道："你总算变得聪明些了。"

田思思躲在张好儿怀里，也忍不住要笑。

她本来还觉得张好儿有点不讲理，现在才明白了她的意思。

她这么样做了，就是为了要安排机会，让他们多接近接近。

张好儿又道："我不但要你保护她，还要你日日夜夜地保护她，一直到你抓到那人为止。"

秦歌道："那人若永远不再露面呢？"

张好儿眨眨眼，道："那么你就得保护她一辈子。"

这句话实在说得太露骨，就算真是个呆子，也不会听不出她的意思。

不但田思思脸红了，秦歌的脸好像也有点发红。

但是他并没有拒绝，连一点拒绝的表示都没有。

田思思又欢喜，又难为情，索性躲在张好儿怀里不出来。

张好儿却偏偏要把她拉出来，轻拭着她的泪痕，笑道："现在你总该放心了吧，有他这种人保护你，你还怕什么？你还不肯笑一笑？"

田思思想笑，又不好意思，虽不好意思，却还是忍不住笑了出来。

张好儿拍手道："笑了笑了，果然笑了！"

田思思悄悄拧了她一把，悄悄道："讨厌！"

张好儿忽然转过身，道："你们在这里聊聊，我失陪了。"

她嘴里说着话，人已往外走。

田思思赶紧拉住了她，着急道："你真的要走？"

张好儿道："既然有人讨厌我，我还在这里干什么？"

田思思急得红了脸，道："你……你不能走。"

张好儿笑道："为什么不能走？他可以保护你一辈子，我可不能，我……我还要去找个人来保护我哩。"

她忽然摔脱田思思的手，一溜烟跑下了楼。

田思思傻了。

她忽然变得站也不是，坐也不是，一双手也不知该往什么地方放才好，一双脚更不晓得往哪里藏才对，思潮起伏，有如乱麻，她只觉自己的一颗心在"扑通、扑通"地跳。

秦歌好像正微笑着在看她。

她却不敢看过去，但闭着眼睛也不行，睁开眼睛又不知该往哪里看才好，只有垂着头，看看自己一双春葱般的手。

秦歌好像也在看着她的手。

她又想将手藏起来，但东藏也不对，西藏也不对，简直恨不得把这双手割下来，找块布包住。

只可惜现在真的要割也来不及了。

秦歌的手已伸过来，将她的手轻轻握住。

田思思的心跳得更厉害，好像已经快跳出了腔子，全身的血都已冲上了头，只觉得秦歌好像在她耳边说着话，声音又温柔，又好听。

但说的究竟是什么，她却根本没有听清楚，连一个字都没有听清楚。

秦歌好像根本不是在说话，是在唱歌。

歌声又那么遥远，就仿佛她孩子时在梦中听到的一样。

她痴痴迷迷地听着，似已醉了。

也不知过了多久，她才发觉秦歌的手已轻轻揽住了她的腰。

她的身子似已在秦歌怀里，已可感觉到他那灼热的呼吸。

他的呼吸也变得急促了起来，嘴里还在含含糊糊地说着话。

田思思更听不清他在说什么，只觉得他的手越抱越紧……

他好像忽然变成有三只手了。

田思思的身子开始发抖，想推开他，却偏偏连一点力气也没有，只觉整个人仿佛在腾云驾雾似的。

然后她才发现身子已被秦歌抱了起来，而且正往床那边走。

她就算什么事都不太懂，现在也知道情况有点不妙了。

但这岂非正是她一直在梦中盼望着的么？

“不，不是这样子的，这样子不对。”

究竟是什么地方不对，她也并不太清楚。

她只觉现在一定要推开他，一定要拒绝。

但拒绝好像已来不及了。

在她感觉中，时间好像已停顿，秦歌应该还站在原来的地方。

但也不知怎么回事，她忽然发觉自己的人已在床上。

床很软。

温暖而柔软，人躺在床上，就仿佛躺在云堆里。

她非但已没有力气拒绝，更没有时间拒绝。

男女间的事有时候实在很微妙，你若没有在适当的时候拒绝，以后就会忽然发现根本没有拒绝的机会了。

因为你已将对方的勇气和信心都培养了出来。

现在就算拒绝，也已没有用。

秦歌的声音更甜，更温柔。

男人只有在这种时候，声音才会如此甜蜜温柔。

这种时候，就是他已知道对方已渐渐无法拒绝的时候。

这也正是男人最开心，女人最紧张的时候。

田思思紧张得全身都似已僵硬。

就在这时，外面忽然有人在敲门。

只听小兰的声音在门外道："田姑娘、秦少爷，你们要不要吃点心，我刚炖好了燕窝粥。"

秦歌从床上跳起来，冲过去，拉开门大声道："谁要吃这见鬼的点心，走！快走！走远点！"

他声音凶巴巴的，一点也不温柔了。

小兰撅着嘴，悻悻地下了楼。

秦歌正想关上门，谁知他自己也被人用力推了出去。

田思思不知何时也已下了床，用尽全身力气，将他推出了门。

"砰"地，门关上。

田思思身子倒在门上，喘着气，全身衣裳都已湿透。

秦歌当然很吃惊，用力敲门："你这是干什么？为什么把我推出来？快开门。"

田思思咬着牙，不理他。

秦歌敲了半天门，自己也觉得没趣了，喃喃道："奇怪，这人难道有什么毛病？"

田思思也开始有点怀疑了："我究竟是不是真的有毛病？"

这本是她梦中盼望着的事，梦中思念的人，但等到这件事真的实现，这个人真的已在她身旁时，她反而将这人推了出去。

听到秦歌下楼的声音，她虽然松了口气，但心里空空的，又仿佛失去了什么。

“他这一走，以后恐怕就不会再来了。”

田思思的脸色虽已变得苍白，眼圈儿却红了起来，简直恨不得立刻就大哭一场。

但就在这时，楼梯上又有脚步声响起。

“莫非他又回来了？”

田思思的心又开始“扑通、扑通”地在跳，虽然用力紧紧抵住了门，却又巴望着他能一脚将门踢开。

她想的究竟是什么，连她自己也不知道。

“快开门，是我。”这是张好儿的声音。

田思思虽又松了口气，却又好像觉得有点失望。

门开了。

张好儿气冲冲地走了进来，一屁股坐在椅子上，铁青着脸，忽然大声地问道：“你究竟是怎么回事？是不是有毛病？”

田思思摇摇头，又点点头，坐下去，又站起来。

看到她这种失魂落魄的样子，张好儿的火气才平了些，叹着气道：“我好不容易才替你安排了这么样个好机会，你怎么反而将别人赶走了？”

田思思脸又红了，低着头道：“我……我怕。”

张好儿道：“怕？有什么好怕？他又不会吃了你。”

说到这里，她自己也忍不住“扑哧”一笑，柔声道：“你现在又不是小孩子了，还怕什么？这种事本就是每个人都要经过的，除非你一辈子不想嫁人。”

田思思咬着嘴唇，道：“可是……可是他那种急吼吼的样子，教人怎么能不怕呢！”

张好儿笑道：“噢……原来你并不是真的怕，只不过觉得他太急了些。”

她走过来轻抚着田思思的头发，柔声道：“这也难怪你，你究竟还是个大姑娘，但等你到了我这样的年纪，你就会知道，男人愈急，就愈表示他喜欢你。”

田思思道：“他若真的喜欢我，就应该对我尊重些。”

张好儿又“扑哧”一声笑了，道：“傻丫头，这种事怎么能说他不尊重你呢？你们若是在大庭广众之下，他这么样做就不对了，但只有你们两个人在房里的时候，你就该顺着他一点。”

她眨着眼笑了笑，悄悄地道：“以后你就会知道，你只要在这件事上顺着他一点，别的事他就会完全听你的；女人想要男人听话，说来说去也只有这一招。”

田思思脸涨得通红，这种话她以前非但没听过，简直连想都不敢想。

张好儿道：“现在我只问你一句话，你究竟是不是真的对他有意思？”

田思思嗫嚅着道：“他呢？”

张好儿道：“你用不着管他，我只问你，愿意不愿意？”

田思思鼓足勇气，红着脸道：“我若愿意，又怎么样呢？”

张好儿道：“只要你点点头，我就做主，让你们今天晚上就成亲。”

田思思吓了一跳，道：“这么快？”

张好儿道：“他后天就要回江南了，你若想跟他回去，就得赶快嫁给他，两人有了名分，一路上行走也方便些。”

田思思道：“可是……可是我还得慢慢地想一想。”

张好儿道：“还想什么，他是英雄，你也是个侠女，做起事来就应该痛痛快快的；再想下去，煮熟的鸭子只怕就要飞了。”

她正色接着道：“这是你千载难逢的好机会，你若不好好把握住，以后再想找这么样一个人，满街打锣都休想找得到。”

田思思道：“可是……可是你也不能这么样逼我呀。”

张好儿叹了口气，道：“现在你说我逼你，以后等到别人叫你‘秦夫人’的时候，你就会感激我了，要知道‘秦夫人’这头衔可不是随随便便就能得到的，天下也不知道有多少个女孩子早就等着想要抢到手呢。”

田思思闭上了眼睛。

她仿佛已看到自己和秦歌并肩齐驰，回到了江南，仿佛已看到一大群、一大群的人迎在他们的马前欢呼。

“秦夫人果然长得真美，和秦大侠果然是天生的良缘佳偶，也只有这么样的美人，才配得上秦大侠这样的英雄。”

其中自然还有个脑袋特别大的人，正躲在人群里偷偷地看着她，目光中又是羡慕，又是妒忌。

那时她就会带着微笑对他道："你不是说我一定嫁不出去吗？现在你总该知道自己错了吧。"

她甚至好像已看到这大头鬼后悔得快要哭出来的表情。

只听张好儿悠然道："我看你还是赶快决定吧，否则'秦夫人'这头衔只怕就要被别人抢走了。"

田思思忽然大声道："只有我才配做秦夫人，谁也休想抢走。"

07

嫁衣是红的.

田思思的脸更红。

她从镜子里看到自己的脸，自己都忍不住要对自己赞美几句。

张好儿就在她身旁，看着喜娘替她梳妆。

开过脸之后的田大小姐，看来的确更娇艳了。

张好儿叹了口气，喃喃道："真是个天生的美人胚子，秦歌真不知哪辈子修来的福气。"

她微笑着，又道："但他却也总算能配得过你了，田大爷若知道自己有这么样一个好女婿，也一定会很满意的。"

田思思心里甜甜的。

这本是她梦寐以求的事，现在总算心愿已偿，你叫她怎么能不开心呢?

"只可惜田心不在这里，否则她一定也欢喜得连嘴都撅不起来了。"

想到田心，就不禁想到小兰。

田思思忍不住问道："你那丫头小兰呢？"

张好儿道："这半天都没有看到她，又不知疯到哪里去了。"

田思思道："以前我也有个丫头，叫田心，长得跟她像极了。"

张好儿道："哦？真有那么像？"

田思思笑道："说来你也不信，这两个人简直就像一个模子里刻出来的。”

张好儿笑道：“既然如此，我索性就把她送给你作嫁妆吧。”

田思思叹了口气，道：“只可惜我那丫头田心不在这里。”

张好儿道：“她到哪里去了？”

田思思黯然道：“谁知道，自从那天在王大娘家里失散了之后，我就没有再见过她的人，只望她莫要有什么意外才好。”

张好儿眨眨眼，笑道：“田心既然不在，我去找小兰来陪你也一样。”

她忽然转身走下了楼。

一走出门她的脸色就沉了下来，匆匆向对面的花丛里走了出去。

花丛间竟有条人影，好像一直都躲在那里，连动都没有动。

张好儿走了过去，忽然道：“小兰呢？”

这人道：“我已叫人去看着她了。”

张好儿沉声道：“你最好自己去对付她，千万不能让她跟田思思见面，更不能让她们说话。”

这人笑了笑，道：“你若不喜欢她说话，我就叫她以后永远都不再说话。”

喜娘的年纪虽不大，但却显然很有经验。

她们很快就替田思思化好了妆，换上了新娘的嫁衣。

脂粉虽可令女人们变得年轻美丽，但无论多珍贵的脂粉，也比不上她自己脸上那种又羞涩、又甜蜜的微笑。

所以世上绝没有难看的新娘子，何况田思思本来就很漂亮。

前厅隐隐有欢乐的笑声传来，其中当然还夹杂着划拳行令声，劝酒碰杯声，这些声音的本身就仿佛带着种喜气。

这喜事办得虽匆忙，但赶来喝喜酒的贺客显然是还有不少。

张好儿看来的确是个交游广阔的人。

屋子里什么都有，就是没有茶水。

因为新娘子在拜堂前是不能喝水的，一个满头凤冠霞帔的新娘子，若是急着要上厕所，那才真的是笑话。

张好儿当然不愿意这喜事变成个笑话。

所以她不但将每件事都安排得很好，而且也想得很周到。

所以每件事都进行得很顺利，绝没有丝毫差错。

但也不知为了什么，田思思心里却总觉得有点不太对。

是什么地方不对呢？她不知道。

她一心想嫁给秦歌，现在总算已如愿了。

秦歌不但又英俊，又潇洒，而且比她想象中还要温柔体贴些。

“一个女孩子能嫁给这种男人，还有什么不满足的？”

等他们回到江南后，一定更不知有多少赏心乐事在等着他们。

他们还年轻，正不妨及时行乐，好好地享受人生。

一切事都太美满，太理想了，还有什么地方不对的吗？

“也许每个少女在变成妇人之前，心里都会觉得有点不安吧。”

田思思轻轻叹了口气，那些令人不快的事，她决心不再去想。

“爹爹若知道我嫁给了秦歌，也一定会很开心，一定不会怪我的。”

“秦歌至少总比那大头鬼强得多了。”

想到那大头鬼，田思思心里好像又有种很奇怪的滋味。

“无论如何，我至少总应该请他来喝杯喜酒的，他若知道我今天成亲，脸上的表情一定好看得很。”

但田思思也知道以后只怕永远也看不到他了。

她忽然对那大头鬼有点怀念起来……

一个女孩子在成亲前心里想的是什么？

对男人说来，这只怕永远都是个秘密，永远都不会有人完全猜出来的。

08

爆竹声虽不悦耳，但却总是象征着一种不同凡响的喜气。

爆竹声响起过后，新人们就开始要拜堂了。

“一拜天地……”

喜倌的声音总是那么嘹亮。

喜娘们扶着田思思，用手肘轻轻示意，要她拜下去。

田思思知道这一拜下去，她就不再是“田大小姐”了。

这一拜下去，田大小姐就变成了秦夫人。

喜娘们好像已等得有点着急，忍不住在她身旁轻轻道：“快拜呀。”

田思思只听得到她们的声音，却看不见她们的人。

她头上蒙着块红巾，什么都看不见。

“结婚本是件光明正大的事，新娘子为什么不能光明正大地见人呢？”

田思思心里突然升起了一种莫名其妙的恐惧！

她忽然想起了那天在那乡下人家里发生的事，忽然想到了穿着火红状元袍，戴着花翎乌纱帽，打扮成新郎官模样的葛先生。

“新娘子就是你！”

那天她还能看到新郎官的一双脚，今天却连什么都看不见。

“新娘子就是你！”

但新郎官是谁呢？会不会又变成了葛先生？

田思思只觉鼻子痒痒，已开始在流着冷汗。

“新娘子为什么还不拜下去？”

贺客间已有人窃窃私议，已有人在暗暗着急。

喜娘们更急，已忍不住要将田思思往下推。

田思思的身子却硬得像木头，忽然大声道：“等一等。”

新娘子居然开口说话了。

贺客们又惊又笑，喜娘们更已吓得面无人色。

她们做了二三十年的喜娘，倒还没听过新娘子还要等一等的。

幸好张好儿已赶了过来，悄悄道：“已经到了这时候，还等什么呀？”

田思思咬着嘴唇，道：“我要看看他。”

张好儿道：“看谁？”

田思思道：“他。”

张好儿终于明白她说的“他”是谁了，又急又气，又忍不住道：“你现在急什么，等进了洞房，随便你要看多久都行。”

第十二章

不是好事

01

田思思道："我现在就要看看他。"

张好儿已急得快跳脚了，道："为什么现在一定要看呢？"

田思思道："我……我若不看清楚嫁的人是谁，怎么能放心嫁给他？"

她说的话好像也并不是完全没有道理。

张好儿又好气，又好笑，道："你难道还怕嫁错了人？"

田思思道："嗯。"

张好儿终于忍不住跺了跺脚，叹道："新娘子既然要看新郎官，别人又有什么法子能不让她看呢？"

新娘子要看新郎官，本来也好像是天经地义的事。

大家全都笑了。

听到这种事还有人能不笑，那才真是怪事。

田思思眼前忽然一亮，蒙在她头上的红巾终于被掀起来。

新郎官当然就站在她对面，一双发亮的眼睛中虽带着惊诧之意，但英俊的脸上还是带着很温柔体贴的笑意。

没有错。

新郎官还是秦歌。

田思思悄悄吐出口气，脸又涨得通红，她也觉得自己的疑心病未免太大了些。

张好儿斜眼瞪着她，似笑非笑地，悠悠道："你看够了么？"

田思思红着脸垂下头。

张好儿道：“现在总可以拜了吧。”

田思思的脸更红，头垂得更低。

一块红巾又从上面盖下来，盖住了她的头。

外面又响起一连串爆竹声。

喜倌清了清嗓子，又大声吆喝了起来。

“一拜天地——”

田思思终于要拜了下去。

这次她若真的拜了下去，就大错而特错了。

只可惜她偏偏不知道错在哪里。

谁知道错在哪里？

02

男大当婚，女大当嫁。

男婚女嫁不但是喜事，也是好事。

为什么这次喜事就不是好事呢？

厅前排着大红的喜帐，一对大红的龙凤花烛燃得正亮。

火焰映着张好儿的脸。

她脸上红红的，也漂亮得像是个新娘子。

看到新人总算要拜堂了，她才松了口气。

就在这时，角落上的小门里忽然很快地闯了个人出来，燕子般掠到新娘和新郎官的中间，手里居然还托着茶盘，带着甜笑道：“小姐，请用茶。”

这种时候居然还有人送茶来给新娘子喝，简直叫人有点啼笑皆非。

可是这声音熟极了，田思思又忍不住将蒙在脸上的红巾掀了一角，就看到一个小姑娘在对着她笑，大大的眼睛，小小的嘴。

连田思思也分不清这小姑娘是田心？还是小兰？

张好儿的脸色已变得很难看，一双又妩媚、又迷人的眼睛，现在却像刀一般在瞪着这小姑娘，像是恨不得一脚把她踢出去，活活踢死。

但在这种大喜的日子，当着这么多贺喜的宾客，当然不能踢人。

所以张好儿只能咬着牙，恨恨道："谁叫你到这里来的，还不滚出去！"

这小姑娘却笑嘻嘻地摇了摇头，道："我不能出去。"

张好儿怒道："为什么？"

小姑娘道："因为有位秦公子叫我一定要留在这里。"

张好儿道："秦公子？哪个秦公子？"

小姑娘道："我也不认得他，只知道他姓秦，叫秦歌。"

张好儿脸色又变了，厉声道："你疯了，秦歌明明就在这里。"

小姑娘道："我没有疯，的确还有位秦公子，不是这一位。"

新郎官的脸色也变了，抢着道："那人在哪里？"

这小姑娘还没有说话，就听到有个人笑道："就在这里。"

笑声中，龙凤花烛的烛光忽然被拉得长长的，好像要熄灭的样子。

烛光再亮起的时候，花烛前就突然多了个人。

一个头很大的人，有双又细又长的眼睛。

杨凡。

田思思几乎要叫了出来。

她实在想不到这大头鬼怎会找到这里来，更想不到他还会来捣乱。

张好儿看到他却似乎有点顾忌，样子也不像刚才那么凶了，居然还勉强笑了笑，说道："原来是你？你为什么要来破坏别人的好事？"

杨凡淡淡笑道："因为这不是好事。"

新郎官秦歌的脸已涨得通红，抢着道："谁说这不是好事？"

杨凡道："我说的。"

秦歌道："你是什么东西？"

杨凡道："我跟你一样不是东西。"

田思思本来想说什么的，现在却不说了，因为她想不到这大头鬼居然敢在秦歌面前无礼。

奇怪的是，她非但没有生气，反而觉得很有趣。

秦歌却气极了，怒道："你知道我是谁？"

杨凡道："不知道。"

秦歌大声道："我就是秦歌。"

杨凡道："那就奇怪了。"

秦歌道："有什么奇怪的？"

杨凡道："因为我也是秦歌。"

张好儿勉强笑道："你开什么玩笑，还是快坐过去喝喜酒吧，我陪你。"

杨凡扬起脸道："谁说我在开玩笑，他既然可以叫秦歌，我为什么不能叫秦歌？"

他忽然问那小姑娘道："你叫什么名字？"

小姑娘笑道："秦歌。"

杨凡道："对了，这人若可以叫秦歌，人人都可以叫秦歌了。"

秦歌的脸通红，张好儿的脸苍白，两人偷偷交换了个眼色。

突然间，一股轻烟从秦歌的衣袖里喷出，冲着杨凡脸上喷了出去。

小姑娘已捏起鼻子，退出了七八尺。

杨凡却没有动，好像连一点感觉都没有，只是轻轻吹了口气。

那股烟就突然改变了方向，反而向秦歌吹了过去。

秦歌突然开始打喷嚏，接连打了五六个喷嚏，眼泪鼻涕一齐流了下来。

然后他的人就软软地倒在地上，像是变成了一摊烂泥。

杨凡向小姑娘笑了笑，道："你知不知道这是什么东西？"

小姑娘道："迷香。"

杨凡道："你知不知道哪种人才用迷香？"

小姑娘恨恨道："只有那种下五门的小贼才用迷香。"

杨凡笑道："想不到你居然很懂事。"

小姑娘道："但秦歌并不能算下五门的小贼呀。"

杨凡道："他的确不是。"

小姑娘眨眨眼，道："那么这人想必就一定不是秦歌了？"

杨凡道："谁说他是秦歌，谁就是土狗。"

小姑娘道："他若不是秦歌是谁呢？"

杨凡道："是个下五门的小贼。"

小姑娘道："下五门的小贼很多。"

杨凡道："他就是其中最下流的一个，连他用的迷药也是第九等的迷香，除了他自己之外，谁都迷不倒。"

小姑娘道："无论多下流的人，至少总也有个名字的。"

杨凡道："下流的人名字也下流。"

小姑娘道："他叫什么？"

杨凡道："他的名字就刺在胸口上，你想不想看看？"

小姑娘道："会不会看脏我的眼睛？"

杨凡笑道："只要你少看几眼就不会了。"

他突然撕开了那件很漂亮的新郎衣服，露出了这人的胸膛。

这人胸膛上刺着一只花花的蝴蝶。

小姑娘道："莫非这人就叫作花蝴蝶？"

杨凡点点头道："不错，古往今来，叫花蝴蝶的人就没有一个好东西。"

小姑娘嫣然道："想不到你懂得的事居然比我还多些。"

杨凡道："因为我的头比你大，装的东西自然也多些。"

张好儿一直在旁边听着，脸色愈听愈白。

田思思也一直在旁边听着，一张脸却愈听愈红，突然冲过来，在这花蝴蝶腰眼上重重踢了一脚。

她恨极了，恨得要发疯。

"想不到田大小姐，居然险些就做了下五门的小贼的老婆。"

田思思咬着牙，瞪着张好儿，道："你……你跟我有什么仇？为什么要这样害我？"

她气得连眼泪都快掉下来了。

张好儿苦笑道："真对不起你，但我也是上了这人的当。"

她居然也走过去踢了一脚，恨恨道："你这畜生，你害得我好苦。"

她好像比田思思还生气，比田思思踢得还重。

田思思道："你……你真的不知道。"

张好儿叹了口气，道："我为什么要害你？我跟你又没有仇。"

杨凡忽然也长长叹了口气，道："我真佩服你。"

张好儿怔了怔，道："佩服我什么？"

杨凡道：“你真会做戏。”

小姑娘眨着眼，道：“她是不是还以为自己能骗得过你？”

杨凡又笑了笑，淡淡道：“她应该知道自己骗不了我的。”

小姑娘道：“天下难道就没有一个人能骗得了你么？”

杨凡道：“也许只有一个人能骗得了我。”

小姑娘道：“谁？”

杨凡道：“我自己。”

厅上当然还有别的人，一个个都似已怔住。

他们本是来喝喜酒的，看样子现在喜酒已喝不成了，但却看到一出好戏。

田思思忽然一个耳光往张好儿脸上打了过去。

张好儿居然没有动，苍白的脸立刻就被打红了。

小姑娘拍手笑道：“打得好，再打重些。”

杨凡笑道：“这种人脸皮比城墙还厚，你打得再重，她也不会疼的。”

小姑娘道：“那么，我们该拿她怎么样呢？”

杨凡道：“不怎么样。”

小姑娘皱眉道：“不怎么样，难道就这样放过了她？”

杨凡道：“嗯。”

小姑娘道：“那岂非太便宜了她？”

杨凡淡淡笑道：“像她这种人，天生本就是要骗人的，不骗人才是怪事，所以……”

小姑娘道：“所以怎么样？”

杨凡道：“所以你遇到这种人，就要加意提防，最好走远些，否则你就算上了当也是活该。”

田思思跳起来，道：“你是不是说我活该？”

杨凡道：“是。”

田思思瞪着他，简直要气死。

杨凡道：“她有没有强迫你？有没有勉强你？还是你自己愿意跟着她来的？”

田思思气得说不出话，也的确无话可说。

张好儿的确一点也没有勉强她。

杨凡淡淡道："一个人自己做事若太不小心，最好就不要怪别人，埋怨别人。"

他声音平淡而稳定，慢慢地接着道："无论谁都总该学会先责备自己，然后才能责备别人，否则就表示他只不过还是个没有长大的小孩子。"

田思思突然扭头冲了出去。

杨凡看了那小姑娘一眼，小姑娘笑了笑，也跟了出去。

张好儿却在看着杨凡，终于轻轻叹息了一声，道："原来这件事你早就知道了。"

杨凡道："只知道一点点，还不太清楚。"

张好儿道："但却已够了。"

杨凡道："足够了。"

张好儿叹道："你准备怎么样对付我呢？"

杨凡道："你说我应该怎么样？"

张好儿垂下头，道："我并不是主谋。"

杨凡道："我知道你不是。"

张好儿道："葛先生呢？"

杨凡道："你最好先管你自己的事，然后再管别人的。"

张好儿咬着嘴唇，道："我若答应你，以后绝不再骗人，你信不信？"

杨凡道："我信。"

张好儿忍不住展颜一笑，嫣然道："你真是个好人，也真是怪人。"

其实杨凡并不奇怪，一点也不奇怪。

他只不过是个很平凡的人。

唯一跟别人不大一样的是，他不但相信别人，也相信自己。

他做事总喜欢用他自己的法子，但那也是很普通的法子。

公平，但却并不严峻。

他无论对任何人都绝不会太过分，但也绝不会放得太松。

他喜欢儒家的中庸和恕道，喜欢用平凡宽厚的态度来面对人生。

03

夜凉如水。

田思思冲到院子里，冲到一棵树下，眼泪突然掉了下来。

这眼泪的的确确是被气出来的。

“猪八戒，大头鬼……我真是活活遇见了个大头鬼。”

但若没有遇见这大头鬼，她现在岂非已做了下五门小贼的老婆？

“一个人最好先学会责备自己，然后再去责备别人。”

等田思思比较冷静了些，又不能不承认他说的话也有些道理。

突然一只右手伸过来，手里端着碗茶。

“小姐，喝口茶消消气吧！”

那小姑娘又来了，笑得还是那么甜，那么俏皮。

田思思忍不住问道：“你究竟是小兰，还是田心？”

小姑娘眨眨眼，笑道：“好像我就真烧成了灰，小姐都能认出我来的嘛！”

田思思眼睛亮了，道：“你是田心。”

田心笑得更甜，道：“谁说我不是田心，谁就是土……土……”

田思思已拧住了她的脸，笑骂道：“小鬼，刚认得那大头鬼，就连他说话的腔调都学会了，以后那怎么得了？”

田心笑道：“有什么不得了，最多也只不过跟着小姐去替他叠被铺床罢了。”

“若与你家小姐同鸳帐，怎舍得要你叠被铺床？”

年轻的女孩子们，又有谁没有偷偷地在被里看过“红娘”呢？

田思思却沉下了脸，恨恨道：“你放心，天下的男人都死光了，我也不会嫁给他！”

她不让田心再说下去，又问道：“你早就知道那秦歌是冒牌的了？”

田心点点头。

田思思咬着牙，道：“死丫头，你既然知道，为什么不早告诉我？”

第十三章

男人喜欢到的地方

01

田心叹了口气，道：“我没有机会说。”

田思思道：“你第一次送衣服给我的时候，为什么不说？”

田心道：“那时我知道葛先生就在屋里，所以小姐问我是不是田心，我也不敢承认。”

提起“葛先生”这名字，田思思就好像忍不住要打寒噤。

田心道：“后来我故意将茶泼在小姐身上，为的就是要趁机将一张纸条塞到小姐的怀里去，谁知你却将它丢到地上了。”

田思思叹道：“那时我又怎么想得到。”

她苦笑着，又道：“直到现在为止，我还是想不到他们为什么要这样子对我。”

田心抿嘴笑道：“其实人家也没有害你，只不过要娶你做老婆而已。”

田思思皱眉道：“为什么他们要花这么多心机，究竟谁是主谋的人？”

田心道：“葛先生。”

田思思忍不住激灵灵打了个寒噤，道：“他早就跟张好儿串通了？”

田心道：“到现在你还不明白？”

田思思道：“他根本就没有被冒牌的秦歌点住穴道。”

田心道：“那当然是他们故意在你面前做的戏，好教你更相信那秦歌是真的。”

她叹了口气，又接着道：“其实就算有十个花蝴蝶，葛先生也只要用两根手指就能把他们全都捏死。”

田思思也叹道：“那人的确很可怕。”

田心道：“据我所知，他武功比我以前见过的任何人都可怕得多。”

她忽又笑了笑，道：“但他只要一见杨公子，就好像老鼠见到了猫。”

田思思又沉下了脸，冷冷道：“你怎么知道？”

田心道：“若非杨公子及时来救我，现在只怕我已见不着小姐了。”

田思思动容道：“葛先生要杀你？”

田心点点头，道：“他们想必已发现了我跟小姐你的关系。”

田思思道：“可是，你怎么会到这里来的呢？”

田心摇摇头叹道：“王大娘送我来的，她把我卖给了张好儿。”

田思思道：“那天你没有逃走？”

田心摇摇头，叹道：“我怎么能逃得出她的手掌心？”

田思思“扑哧”一笑，道：“王大娘又不是如来佛，你怎么连她的手掌心都逃不出？你这位孙悟空岂非一向都很神通广大的么？”

这句话说完了，她还是笑个不停。

田心撅起嘴，道：“有什么事这么好笑的？”

田思思勉强忍住笑，道：“你有没有看出来，那大头鬼很像一个人？”

田心怔了怔，道：“像谁？是不是我们认得的人？”

田思思道：“按理说，你应该认得才对，因为你们本都是从天上下凡来的，一个是天蓬元帅，一个是齐天大圣。”

田心终于明白了，失笑道：“你是说他像猪八戒？”

田思思拍手笑道：“你看他像不像？不像才怪。”

田心却摇了摇头，道：“我倒看不出他有哪点像。”

田思思道：“他又能吃，又能睡，一看到漂亮的女人，眼睛立刻就眯成一条线，那种色迷迷的样子，活脱脱就像是猪八戒进了高家庄。”

田心叹了口气，道：“但若没有他这个猪八戒，唐三藏和孙悟空这次只怕就难免要上吊了。”

田思思板起了脸，道：“你为什么总是要帮着他说话？”

田心道：“因为我佩服他。”

田思思眨了眨眼，忽又笑道：“既然如此，我就把你嫁给他好不好？”

田心道：“好。”

她答应得倒真痛快，连想都没有想。

田思思反倒怔住了，道：“你说好？”

田心道：“有什么不好？”

田思思道：“但他的头比真的大头鬼还大三倍，你难道看不出来？”

田心道：“头大有什么不好，头大的人一定比别人聪明。”

田思思道：“他的腰比水桶粗。”

田心道：“可是他的心却比针还细，无论什么事都想得那么周到。”

田思思道：“你不觉得他是个丑八怪？”

田心道：“一个男人只要聪明能干，就算真的丑一点也没关系，何况他根本就不丑。”

田思思叫了起来，道：“他还不丑？要怎么样的人才算丑？”

田心道：“依我看，那花蝴蝶就比他丑得多，连一点男人气概都没有。”

她闭着眼，就像做梦似的，接着道：“你若仔细看看，就会发觉他全身上下每个地方都长得很顺眼，尤其是笑起来的时候，更迷人极了。”

田思思瞪着她，恨恨道：“好，你既然这么喜欢他，我不如就真把你嫁给他算了。”

田心叹了口气，道：“只可惜他绝不会喜欢我，他喜欢的人是……”

这句话还没有说完，只听一人道：“我喜欢的人就是我自己。”

杨凡忽然已笑嘻嘻站到她们面前来了，微笑着道：“每个人最喜欢的人都一定是他自己，这就叫，人不为己，天诛地灭。”

田心红着脸，垂下头，不敢再开口。

杨凡打了个呵欠，道："我们走吧。"

田思思瞪眼道："走？就这样走？"

杨凡道："不这样走还能怎么样走？"

田思思道："张好儿呢？"

杨凡道："在屋里。"

田思思道："你难道真的就这样放过了她？"

杨凡道："你要我怎么样？杀了她？打她三百下屁股？"

田思思咬着牙，道："你……你……你至少应该替我出气！"

杨凡道："你有什么气好出的？她打过你没有？"

田思思道："没有。"

杨凡道："骂过你没有？"

田思思道："也没有。"

杨凡道："你跟她到这里来之后，她要你做了些什么事？"

田思思道："她要我洗澡，要我换衣服，然后……然后……"

杨凡道："然后又请你吃了顿饭，介绍了一个并不算难看的男人给你，对不对？"

田思思道："对是对的，只不过……"

杨凡道："只不过怎么？还是要出气？"

田思思道："当然。"

杨凡道："你要怎么样出气呢？是不是也要叫她洗个澡，换件衣服，然后再请她吃顿饭，介绍个漂漂亮亮的小伙子给她？"

田思思跳了起来，跺脚道："你究竟是帮着我？还是帮着她？"

杨凡笑了笑，道："我什么人都不帮，只帮讲理的人。"

田思思道："你认为我不讲理？她呢？她为什么要骗我？为什么要我嫁给那个人？"

杨凡淡淡道："那也许只因为你长得太漂亮，所以才有人一心想娶你做老婆；你若长得跟我一样，跪下来求别人娶你，人家也不娶你。"

田思思气极了，大叫道："谁说我长得漂亮，我一点也不漂亮，你难道看不出他们一定有阴谋？"

杨凡笑道："你几时变得这么谦虚起来了？难得，难得……"

他又打了个呵欠，道："我要走了，你跟不跟我走都随便你。"

田思思大声道："当然随便我，你凭什么管我？"

杨凡已施施然走了出去，悠然道："你若见到葛先生，其实也用不着太害怕，他最多也不过想要你做老婆而已，绝不会吃掉你的。"

他话还没有说完，田思思已追了上去，喘着气道："你说什么，葛先生还在这里？"

杨凡淡淡道："我怎么知道他还在不在这里，他在哪里又跟我有什么关系？"

田思思道："你刚才遇见过他？"

杨凡道："不错。"

田思思道："你为什么不抓住他？"

杨凡道："你也见过他很多次，你为什么不抓住他？"

田思思道："因为我抓不住他。"

杨凡道："我也一样。"

田思思道："你也一样？难道你武功也不如他？"

杨凡叹了口气，道："其实我本事并没有你想的那么大，你何必将我看得太高？"

田思思道："那他为什么一见到你就跑？"

杨凡想了想，道："也许只因为我是个正人君子，邪不胜正，这句话你总该知道的。"

02

巷子里很静。

淡淡的星光照着青石板铺的路，风中带着木樨花的香味。

杨凡在前面走，田思思只有在后面跟着。

这大头鬼虽然可恨，至少总比葛先生好些。

田心走在他们旁边，一双大眼睛老是不停地在他们身上溜来溜去。

田思思忽然道："你问问他，究竟想到哪里去？"

田心眨眨眼，道："你为什么自己不去问？"

田思思狠狠瞪了她一眼，还没开口。

田心忽又道：“张好儿虽然满嘴不说真话，但有件事倒不是骗你。”

田思思道：“什么事？”

田心道：“秦歌的确已到了这里，好几天之前我就听他们说过了。”

田思思眼睛亮了起来，道：“你有没有听说他在哪里？”

田心摇摇头。

杨凡忽然回过头来笑笑，道：“他若真的已到了这里，我倒知道有个地方一定能找到他。”

田思思大喜道：“什么地方？”

杨凡淡淡道：“一个单身的男人喜欢到些什么地方去，你也应该懂得的。”

03

男人喜欢到些什么地方去呢？

有趣的地方。

那地方不一定要有很美丽的风景，很堂皇的房子，只要有好酒、好菜、好看的女人、公平的赌博，十个男人中或至少有九个喜欢去。

无论是不是单身的男人都一样。

这地方风景并不美，简直根本连一点风景也没有。

这地方只不过是城墙角下的一条死弄堂。

这房子一点也不堂皇。

事实上，这房子很破烂，十年前就应该拆掉了，看来好像随随便便的一阵风就能将它吹垮。

两个油漆剥落的大门，也是紧紧关着的。

门口还堆着垃圾。

田思思还没有走到大门口，就闻到一股臭气，忍不住皱眉道：“你带我到这里来干什么？”

杨凡道：“你不是要找秦歌么？”

田思思道：“他难道会到这种见鬼的地方来？”

杨凡笑了笑，道：“他非但一定会来，而且来了就舍不得走。”

田思思道：“为什么？”

杨凡道：“你慢慢就会知道为什么的。”

田思思忽然停下脚步，道：“这地方是不是也有很多……很多像张好儿那样的‘慈善家’？”

杨凡摇摇头道：“到这地方来的人，并不来找‘慈善家’的。”

田思思道：“来干什么？”

杨凡笑道：“到这地方来的人，喜欢自己做‘慈善家’。”

田思思眨眨眼，道：“我不懂你的意思。”

杨凡道：“我的意思是，这些人喜欢将自己辛苦赚来的银子送出去救济别人，而且送得很快。”

田心忽然道：“有多快？”

杨凡道：“你若也想将自己的银子送出去，绝对找不到别的地方，能比这里送得更方便、送得更快的了。”

田心恍然道：“我明白了，这地方一定是个很大的赌场。”

杨凡笑道：“不错，到底还是你比较聪明些。”

田思思又撅起了嘴，冷冷道：“看这破破烂烂的屋子，到这里来的人也一定不会有什么大手面。”

杨凡道：“这你又不懂了，真正喜欢赌钱的人，只要有得赌，别的事根本全不讲究，你就算叫他们在阴沟里赌也没关系。”

田思思道：“既然什么地方都可以赌，他们为什么要到这里来？”

杨凡道：“因为这地方很秘密。”

田思思道：“为什么一定要如此秘密？”

杨凡道：“原因很多。”

田思思道：“你说出来听听。”

杨凡道：“有些人怕老婆，不敢赌；有些人身份特别，不能赌；还有些人的银子来路不明，若是赌得太大，怕引起别人的疑心。”

他笑了笑，道：“可是在这里，随便你怎么赌都没关系，既没有人敢到这里来抓你，更没有人会查出你银子的来历。”

田思思道：“为什么？”

杨凡道：“因为这地方的主人是金大胡子。”

田思思道：“金大胡子又是谁？”

杨凡道：“是个别人惹不起的人。”

田思思道：“秦歌既没有老婆可怕，也没有见不得人的原因，为什么要到这里来赌呢？”

杨凡道：“因为这地方赌得大，赌得过瘾，不是大手面的人，连大门都进不去。”

田思思用眼角瞟着他，道：“你呢？你进不进得去？”

杨凡笑了笑，道：“我若进不去，又怎么会带你来呢！”

田思思冷笑道：“想不到你非但是个酒鬼，而且还是个赌鬼。”

杨凡微笑道：“其实你早就应该想到的。”

大门上还有个小门。

杨凡敲了敲门上的铜环，小门就开了。

门里刚好露出一个人的脸。

一张凶巴巴的脸，看着人的时候眼睛里总带着三分杀气。

这人不但样子长得凶，声音也很凶，瞪着杨凡道：“你来干什么的？”

杨凡道：“你不认得我？”

这人道：“谁认得你？”

杨凡笑了笑，道：“金大胡子认得我。”

他忽然拿出一些东西塞到门洞里去，又道：“你拿去给他看看，他就知道我是谁了。”

这人又狠狠地瞪了他一眼，“砰”地，将门重重地关上。

田思思忍不住问道：“金大胡子真认得你？”

杨凡微笑道：“我不是‘慈善家’，我不会骗人。”

田思思道：“你怎么会认得这种人的？”

杨凡淡淡道：“因为我是个赌鬼，又是个酒鬼。”

第十四章

秦歌，秦歌

01

田思思瞪了他一眼，忽又问道：“葛先生会不会到这里来？”

杨凡道：“我怎么知道？”

田思思道：“你一定知道，我总觉得你早就认得他了，他也早就认得你。”

杨凡叹了口气，喃喃道：“女人为什么总有许许多多奇奇怪怪的想法呢？”

门忽然开了。

这次开的不是小门，是大门。

那个样子很凶的人忽然已变成了很客气的人，赔着笑躬身道：“请，请进。”

他旁边还站有个衣裳穿得很华丽的彪形大汉，浓眉大眼，满脸横肉，胡子刮得干干净净，一看见杨凡就迎了上来，大笑道：“今天是哪阵风把你吹来的？”

杨凡道：“一阵邪风。”

华衣大汉怔了怔，道：“邪风？”

杨凡道：“若不是邪风，怎么会把我吹到这里来呢？”

华衣大汉笑道：“你已有好几个月没有送钱来了，也不怕银子发霉么？”

02

屋子虽然很大，看来还是烟雾腾腾的，到处都挤满了人。

各式各样的人，大多数都很紧张，有几个不紧张的人，也只不过是在故作镇定而已，其实连小衣都只怕已被汗水湿透。

真正不紧张的人只有一个，就是带杨凡进来的华衣大汉。

因为只有他知道这屋子里谁是赢家。

他自己。

他拍着杨凡的肩，笑道：“你随便玩玩，等这阵子忙过了，我再来陪你喝酒。”

等他走远了，田思思忽然冷笑道：“看来你跟金大胡子也并没有什么交情。”

杨凡道：“哦？”

田思思道：“若是有交情的朋友，他一定会亲自出来迎接的。”

杨凡笑了笑，道：“你以为刚才带我们进来的人是谁？”

田思思道：“他总不会是金大胡子吧？”

杨凡道：“他不是金大胡子是谁？”

田思思失声道：“什么？他就是金大胡子？他连一根胡子都没有。”

杨凡道：“胡子是可以刮掉的。”

田思思道：“他既然叫金大胡子，为什么要刮胡子？”

杨凡道：“因为他最近娶了个老婆。”

田思思道：“娶老婆和刮胡子有什么关系？”

杨凡道：“非但有关系，而且关系很大。”

田思思眨了眨眼，道：“难道是他老婆叫他把胡子刮掉的？”

杨凡笑道：“你这次总算变得聪明了些。”

田思思也忍不住笑了，道：“想不到他这样的人也会怕老婆。”

杨凡道：“各种人都会怕老婆，怕老婆这种人是完全不分种族，不分阶级的。”

田思思笑道：“这么样说来，怕老婆至少是件很公平的事。”

杨凡又叹了口气，道：“像这样公平的事的确还不多——幸好还不多。”

屋子里既然有各式各样的人，就有各式各样的赌——骰子、牌九、单双、大小……五花八门，应有尽有。

墙上贴着张告示。

> 赌注限额：
> 最高壹仟两，最低十两。

田思思东张西望地看了半天，才叹了口气，道："秦歌不在这里。"

杨凡道："我保证他一定会来的。"

田思思道："你不骗我？"

杨凡道："我为什么要骗你。"

田思思想了想，的确想不出杨凡有骗她的理由，又问道："他什么时候才会来？"

杨凡道："那就难说了，反正我们一直等到他来为止。"

田思思道："这地方若是打烊了呢？"

杨凡道："这地方从不打烊的。"

田思思道："为什么？"

杨凡道："因为谁也不知道自己的赌瘾什么时候会发作，所以这个地方十二个时辰中随时都有人会来。"

田思思瞟了他一眼，道："现在你赌瘾发作了没有？"

杨凡苦笑道："既已到了这里，想不发作也不行了。"

忽听田心道："你们看，那边那个女人。"

赌场里有女人并不稀奇，但这女人却实在太年轻、太漂亮。

她正在赌牌九，而且正在推庄。

她穿的本来是件很华贵，很漂亮的衣裳，现在衣襟也敞开了，袖子也卷了起来，露出了雪白的酥胸，和一双嫩藕般的手臂。

她正在赔钱。

这一把她拿的是"鳖十"，通赔。

眼见着她面前堆得高高的一堆银子，眨眼间就赔得干干净净。

旁边一个满脸麻子的大汉正斜眼看着她，带着不怀好意的微笑，悠悠道："少奶奶，我看你还是让别人来推几手吧。"

这位少奶奶已输得满脸通红，大声道：“不行，我还要翻本。”

大麻子道：“要翻本只怕也得等到明天了，今天你连戴来的首饰都押了出去，我们这里的规矩又不作兴赌赊账的。”

少奶奶咬着嘴唇，发了半天怔，忽然道：“我还有样东西可以押。”

大麻子道：“什么东西？”

少奶奶挺起了胸，道：“我这个人。”

大麻子脸上每颗麻子都亮了起来，似笑非笑地打量着她，道：“你想押多少？”

少奶奶忽然向他抛了个媚眼，道：“你看我能押多少？”

大麻子眼睛盯着她敞开的衣襟，道：“三千两行不行？”

少奶奶一拍桌子，道：“好，银子拿来，我押给你了。”

田思思看得眼睛发直，忍不住叹息着道：“不知道这是谁家的少奶奶，输得这么惨。”

旁边忽然有个人冷笑道：“她是个屁的少奶奶，规规矩矩的少奶奶怎么会到这种地方来。”

这人一张马脸，满身布衣，那身打扮和那看门的人完全一样，想必也是金大胡子的手下。

田思思忍不住问道：“到这里来的都是些什么样的人呢？”

这人道：“一个人到这里来赌的女人，不是卖的，就是人家的姨太太。”

他指了指那位少奶奶，道：“她就是大同府王百万的第十三房姨太太；平时倒还规矩，只要一赌起来，立刻就现了原形。”

田思思冷笑道：“男人一赌起来，还不是一样要现原形？”

这人笑了笑，道：“只可惜男人就算要卖，也卖不出去。”

他笑嘻嘻地走了，临走的时候还瞟了田思思两眼。

田思思气得脸发白，恨恨道：“为什么女人好像天生要比男人倒霉些，为什么男人能赌，女人就不能赌？”

杨凡淡淡道：“因为女人天生就不是男人。”

田思思瞪眼道：“这是什么话？”

杨凡道：“这是句很简单的话，只可惜世上偏偏有些女人听不懂。”

杨凡也开始赌了。

他赌的是牌九。

这里最低赌注是十两银子，他就赌十两。无论是输是赢，他都是十两，连一两都不肯多押下去。

旁边看着他的人，嘴里虽然没有说什么，目光中却露出不屑之意。

无论别人用什么样的眼光来看他，杨凡还是一点也不在乎。

田大小姐却已受不了。

她既然坐在杨凡旁边，杨凡丢人，岂非就等于是她丢人？

她忍不住悄悄道："你能不能多押一点？"

杨凡道："不能。"

田思思道："为什么不能？"

杨凡笑笑，道："因为我既不想输得太快，也不想赢人家的。"

田思思恨恨道："你这样子算什么赌鬼？"

杨凡道："我并没有说我是赌鬼，是你说的。"

田思思瞪了他一眼，自己也忍不住笑了，嫣然道："你就算是赌鬼，也只能算第八流的赌鬼。"

杨凡还没有说话，又将赌注押了下去。

还是十两，不多也不少。

田思思叹道："看来这里赌注的限额若是一文钱，你一定不会押两文。"

杨凡笑道："你又说对了一次。"

忽然间，屋子里爆出了一片欢呼道："秦大侠来了……秦大少一来，场面就一定热闹了……"

无论是秦大侠也好，秦大少也好，田思思知道他们说的一定就是秦歌。

秦歌果然来了。

田思思只觉嘴里发干，手脚发冷，紧张得连气都透不过来。

她虽然睁大了眼睛，却还是没法子看清楚秦歌的人。

她实在太紧张，紧张得连眼睛都有点发花。

幸好她总算还是看到了一条红丝巾。

红得像刚升起的太阳。

秦歌的确是个红人，无论到什么地方都是红人。

他一来，屋子里所有的人几乎全都围了上去。

田思思连那条红丝巾都看不见了，急得简直要跳脚。

杨凡却还是稳如泰山般坐在那里，全神贯注在他的赌注上。

十两，不多也不少。

田思思真恨不得把这十两破银子塞到他嘴里去。

“像秦歌这样的大人物来了，这猪八戒居然连看都没有看一眼，在他眼中看来，秦歌好像连这十两银子都比不上。”

田思思恨得牙痒痒的，只好去问田心，道：“你看见了他没有？”

田心眨眨眼，道：“他？我怎么知道你说的‘他’是谁？”

田思思跺脚道：“当然是秦歌，除了秦歌还有谁？”

田心笑道：“看倒是看见了，只不过……”

田思思不等她说完，就抢着问道：“他长得究竟是什么样子？”

田心悠然道：“什么样子？还不是个人的样子吗？好像也并没有比别人多长两只眼睛一条腿。”

田思思又急又气，又恨不得把那十两银子塞到这小撅嘴里去。

幸好这时她总算已听到了秦歌的声音！

声音又响亮，又豪爽，听起来正是男子汉的声音。

“要赌就赌得痛快，否则，就不如回家去抱老婆了。”

大家一起大笑。

“对！秦大侠真是个痛快的人。”

“押单双最痛快，秦大侠你来推庄好不好？”

秦歌的声音还是那么痛快。

“好，推庄就推庄，只不过我有个条件。”

“秦大侠只管说！”

“我可不管金大胡子定的那些穷规矩，要押我的庄，至少就得押一百两，多多益善，愈多愈好，我赌钱一向是愈大愈风流。”

人群总算散开了些。

田思思总算看到了秦歌，总算看到了她心目中的大人物。

她最先看到的，自然还是那条鲜红的丝巾。

红得就和她现在的脸色一样。

红丝巾松松地系在脖子上。

脖子很粗，但长在秦歌身上，看来就好像一点也不觉得粗了。

大人物并不一定长得英俊漂亮，但却一定有种与众不同的气派。

秦歌的气派的确不小，只见他随手一掏，就是厚厚的一大叠银票，随随便便就摔在桌子上："押，尽管押。"

于是大家就押，几百两的也有，几千两的也有。

到这里来的人，身上的银子好像不是偷来的，就是抢来的。

又是一阵欢呼。

庄家赔出的多，吃进的少。

一赔就是好几千两，眨眼间，万把两银子就不姓秦了。

秦歌却还是面不改色，眼睛还是灼灼有光，他长得就算不太英俊漂亮，就凭这种气派，已足够让女人一队队地拜倒在他黑缎子的裤脚下。

田思思简直已看得痴了，忍不住轻轻叹了口气，道："他真是条男子汉，真是个大英雄。"

田心忽然笑了笑，道："你从哪点看出来的？"

田思思道："只看他赌钱的样子，就已足够了。"

田心道："一个人赌钱赌得凶，并不能证明他就是男子汉，就是英雄。"

她又笑了笑，道："也许只能证明一件事。"

田思思道："什么事？"

田心悠然道："只能证明他是个赌鬼，第一流的赌鬼。"

田思思气得再也不想看她。

杨凡呢？还是全神贯注在他的赌注上。

还是十两。

田思思忍不住推了他一下，悄悄道："你认不认得秦歌？"

杨凡道："不认得。"

田思思冷笑道："亏你还算是在江湖中混的，连他这样的大人物都不认得。"

杨凡笑笑道："因为我天生就不是大人物，而且一看到大人物就紧张。”

田思思恨恨道：“你为什么不想法子去认得他？”

杨凡道：“我为什么要想法子去认得他？”

田思思道：“因为……因为我想认得他。”

杨凡道：“能不能认得他，那是你自己的事，我早就说过，只能带你找到他，别的事我都不管。”

田思思道：“可是……可是你至少应该给我个机会。”

杨凡道：“什么样的机会？”

田思思道：“你若也到那边桌上去赌，说不定就认得他了。”

杨凡道：“我不能去。”

田思思道：“为什么不能去？”

杨凡道：“那边的赌注太大。”

田思思忍不住跺了跺脚，道：“你为什么不回家抱老婆去？”

杨凡淡淡道：“因为我没有老婆。”

他的回答永远都是这么简单，谁也不能说他没道理，但却可以活活把人气死。

田思思生了半天闷气，抬起头，恰巧又看到了那大麻子。

她眼珠子一转，忽又问道：“那个大麻子你认不认得？”

杨凡笑笑道：“这人我认得，因为他也不是什么大人物。”

田思思道：“他是干什么的？”

杨凡道：“据说他就是这赌场的吸血虫。”

田思思皱眉道：“吸血虫？”

杨凡道：“他专门等输光了的人拿东西到他那里去押，一天就要三分利，本来值三百两的，他最多只押一百五。”

田思思眼珠子又一转，忽然笑了，嫣然道：“你好人索性做到底，帮我个忙好不好？”

杨凡道：“帮什么忙？”

田思思道：“把我押给那大麻子。”

杨凡上上下下看了她两眼，道：“你有毛病？”

田思思笑道：“没有，一点毛病也没有。”

杨凡道：“你也想去押几把？”

田思思道："不想，我又不是赌鬼。"

杨凡道："你既没有毛病，又不是赌鬼，却要我把你押给那大麻子。"

他叹了口气，苦笑道："女人为什么总要做一些奇奇怪怪的事呢？"

田思思道："你就帮我这个忙吧，也不用管我是为了什么，只要你帮我这个忙，我以后绝对不再麻烦你了。"

杨凡想了想，道："这真的是最后一次？"

田思思道："绝对最后一次。"

杨凡叹道："好吧，长痛不如短痛，我就认命了。"

他终于向那大麻子招了招手，大声道："赵刚，你能不能过来一下？"

赵大麻子看了看他，又看了看他身旁的田思思，终于施施然走了过来，似笑非笑地，悠然道："怎么？十两十两地押，也会输光吗？"

杨凡道："一钱一钱地押，迟早也会输光的。"

赵大麻子道："你想押什么？"

杨凡指了指田思思道："你看她可以值多少两银子？"

赵大麻子上上下下打量了田思思几眼，脸上的麻子又发出了光，道："你想押多少？"

杨凡道："像这么样又漂亮、又年轻的小姑娘，至少也值三千两。"

赵大麻子又盯了田思思几眼，喃喃道："看来倒还像是原封货……好吧，我就给你三千两，但你可得保证她不能溜了。"

杨凡道："你难道还怕别人赖账？"

赵大麻子仰面大笑，道："谁敢赖我赵某人的账，我倒真佩服他。"

他终于数过了三千两银票，还没有交到杨凡手上。

田思思忽然大叫了起来："救命，救命呀。"

她叫的声音比人踩住了鸡脖子还可怕。

杨凡却连眼睛都没有眨一眨，好像早已算准了会有这种事发生的。

只有赵大麻子吓了一大跳，除了他之外，别的人好像根本没有听见。

最气人的是，秦歌也没有听见。

男人在赌钱的时候，耳朵里除了骰子的声音外，很少还能听到别的声音。

田思思咬了咬牙，索性冲到秦歌旁边去，大叫道："救命，救命呀。"

她简直已经在对着秦歌的耳朵叫了。

秦歌这才听见了，却好像还是没有听得十分清楚，回头看了她一眼，皱眉道："什么事？"

田思思指着杨凡，道："他……他……他要把我卖给别人。"

秦歌上上下下打量了她几眼，皱眉道："他是你的什么人？"

第十五章

大英雄本色

01

田思思低着头，好像随时都要哭出来的样子，道："他根本也不是我的什么人，我只不过是跟他到这里来玩的，谁知他……他……他……"

秦歌忽然重重一拍桌子，怒道："这是什么话，天下难道就没有王法了么？"

他大步走到杨凡面前，瞪眼道："你凭什么要把这位小姑娘卖给别人？"

杨凡叹道："因为我是个赌鬼，而且输急了。"

这理由简直该打屁股三百板。

谁知秦歌却好像很同情的样子，道："这倒也难怪你。你想要多少银子翻本？"

杨凡忽然笑了笑，道："既然秦大侠已出头，我一两银子也不要了。"

他站起来，拍拍衣服，头也不回地走了出去。

田思思看他就这样走了，心里反而有点难受起来。

"无论如何，这大头鬼并不能算是个坏人，我以后一定要找个机会报答他才是。"

她忽然又想起了田心。

"他既然没老婆，田心又蛮喜欢他的，我为什么不索性真的将田心许配给他呢？"

只可惜这时田心也不见了。

田心是什么时候走的？从哪里走的？田思思居然一点也不知道。

在刚才那一瞬间，她眼睛里好像已只有杨凡一个人，心里也只有杨凡一个人，别的人和别的事，她完全都没有注意。

这是怎么回事呢？

田大小姐自己也不知道，就算知道也不会承认。

她轻轻叹了口气，回过头才发现秦歌还站在她旁边，似笑非笑地看着她。

她吃了那么多苦，费了那么多事，好容易才总算认得了这位了不起的大人物，但刚才她居然连他都忘了。

这大人物在她心里的地位，难道还没那猪八戒重要？

秦歌还在看她，仿佛在等着她说话，一双眼睛当然很明亮，很有慑人之力，只不过有几根红丝而已。

“像他这么样多彩多姿的人，当然不大有时间睡觉的。”

田思思终于嫣然一笑，道：“多谢秦大侠救了我，否则我……我真不知道该怎么办才好。”

秦歌道：“你认得我？”

田思思瞟着他脖子上的红丝巾，抿嘴笑道：“江湖中的人谁不认得秦大侠呢？”

秦歌道：“你知道我一定会救你？”

田思思道：“秦大侠见义勇为，也是江湖人人都知道的。”

秦歌缓缓道：“就因为你知道我一定会救你，所以要刚才那个人把你卖给赵大麻子，是不是？”

田思思怔住了。

她再也想不到秦歌居然能看破她的心事，更想不到他会当面说出来。

田思思道：“你……你怎么会知道的？”

这句话一问出来，她就已后悔了，因为这句话已等于告诉秦歌，她刚才做的那些事完全是在演戏。

秦歌大笑道：“我怎么会不知道，你以为这法子很妙，对我说来却一点也不稀奇了，因为至少已有七八个女孩子在我面前利用过同样的法子。”

田思思的脸已红到耳根，直恨不得挖个地洞把自己藏进去。

秦歌忽又道："但你却有一点跟那些女孩子不同的地方。"

田思思咬着嘴唇，鼓起勇气，问道："哪……哪一点？"

秦歌微笑着，道："你比那些女孩子长得漂亮些，笑起来也比她们甜。笑得甜的女人，将来的运气都不会太坏，所以……"

他忽然拉起田思思，道："走，陪我去赌两手，看你能不能带点好运气给我。"

所以田大小姐总算真的认得秦歌了，而且至少已对这个人有了一点了解。

她已发觉秦歌真是个敢说敢做的人，他若要拉你的手时，无论有多少双眼睛在瞧着，他都照样要拉。

他若要说一句话的时候，无论有多少双耳朵在听着，他也都照说不误。至于这句话是不是会让别人脸红，他更完全不管不顾。

"假如是那大头鬼，也许就不会当着这么多人面前，把我的秘密揭穿了，他至少会替我留着面子。"

田大小姐本已下了决心，以后绝不再想那大头鬼了，但也不知为了什么，她无论看到什么人，都忍不住要拿这人跟他比一比。

"无论如何，秦歌至少比他坦白得多。"

田大小姐终于为自己下了个结论。

但这结论是否正确呢？

这连她自己都不知道——就算知道，也绝不会承认的。

等到田大小姐肯承认自己错误时，太阳一定已经在西边出了。

02

亲密的朋友不一定是好朋友。

譬如说，"酒"和"赌"，这一对朋友就很亲密，亲密得已很少有人能把他们分开。但这对朋友实在糟透了。

所以赌鬼通常也是酒鬼。

有的人一喝了酒，就想赌；有的人一开始赌，就想喝酒。

结果呢？

结果是，愈输愈喝，愈喝愈输；不醉不休，输光为止。

所以赌场里一定有酒，而且通常都是免费的酒，随便你爱喝多少，就喝多少。

你可以尽管喝，那意思就是你也可以尽管输。

秦歌正在尽量地喝酒。

你若还不肯承认他是个豪气干云的人，看到他喝酒时也不能不承认了。

他喝起酒来就好像跟酒是天生的冤家对头似的，只要一看见杯子里有酒，就非把它一口灌到肚子里去不可。既不问酒有多少，更不问杯子大小。

“男人就要这样子喝酒，这才是英雄本色。”

但田心若在这里，一定就会说：“这也并不能证明他是个英雄，只不过证明了他是个酒鬼而已。”

从那小撅嘴里说出来的话，好话实在太少。

“这死丫头到哪里去了呢？难道会跟着那大头鬼跑了？”

田思思咬着嘴唇，决定连她都不再想，决心全神贯注在秦歌身上。

然后她立刻就发现秦歌已输光。

输光了的人样子通常都不太好看，秦歌居然还是面不改色。

那胡子刮得干干净净的金大胡子，不知何时又出现了，正站在他身旁，脸上带着同情之色，道：“秦大侠今天手风好像不太顺，输得可真不少。”

秦歌大笑，道：“我赌钱本来就准备输的，只要赌得痛快，输个万儿八千又何妨？”

金大胡子一挑大拇指，大声道：“好！这才是男子汉大丈夫，不但赌得漂亮，输也输得漂亮。”

他挥了挥手，又道：“再去拿五万两银子来，让秦大侠翻本。”

秦歌大笑道：“我早知道你也是个漂亮人，用不着等我开口的。”

金大胡子脸上忽然露出了为难之色，沉吟着道：“只不过这里的规矩，秦大侠想必也知道的。”

秦歌道："你要抵押？"

金大胡子笑道："朋友是朋友，规矩是规矩，秦大侠豪气干云，当然绝不会要朋友为难的。"

秦歌又大笑，道："你用不着拿话来绕我，你就算把成堆的元宝堆在我面前，我姓秦的也不会平白拿你一锭。"

他拍了拍胸膛，又道："你看我全身上下有什么值五万两银子的，只管开口就是。"

金大胡子道："真的？"

秦歌沉下了脸，道："什么真的假的？只要你能开口，我就能让你如愿！"

金大胡子目光闪动，忽然压低声音，道："秦大侠可曾看见那边角落里的三个人？"

他用不着指明，别人也知道他说的是谁。

因为这三个人的确很特别。

这三人一个是道士，一个是和尚，还有一个是穷秀才。

赌场里本就是三教九流，什么人都有的，有和尚道士到这里来，也就不算稀奇。

稀奇的是这三个人并不是来赌的，根本就没有下注。

和尚手里拿着串佛珠，嘴里念念有词，像是在念经。

道士闭着眼，双手合十，居然在那里打坐。

穷秀才左手端着杯酒，右手捧着本书，正看得摇头晃脑，津津有味。

和尚念经、道士打坐、秀才看书，本也是天经地义的事，但到赌场里来做这种事，那就不但稀奇，而且简直稀奇得离了谱。

三个人一人占据了一张赌桌，别的人就算想赌也没法子坐下去。

连田思思都已看出这三人是成心来找麻烦的。

她觉得这三人用的法子不但特别，而且有趣。

秦歌皱了皱眉，道："你是不是要我把他们赶出去？"

金大胡子道："正有此意。"

秦歌道："你自己为什么不过去动手？"

金大胡子叹了口气，苦笑道："因为他们并没有破坏这里的规矩。"

他接道："这里并没有规定每个人一进来就非下注不可，你能说不准秀才看书、道士打坐、和尚念经么？"

田思思几乎忍不住笑了出来。

虽然每个人都知道他们是在成心找麻烦，却又偏偏不能说他们做错了事。

秦歌道："他们是什么时候来的？"

金大胡子道："好几天以前就来了，但有时来，有时走，谁也不知道他们什么时候会出现。"

秦歌道："你为何要放他们进来？"

金大胡子又叹了口气，道："问题就在这里，谁也不知道他们是怎么进来的。"

秦歌的眼睛好像亮了起来，沉声道："如此说来，这三人倒有几下子。"

金大胡子道："看来的确像是有点扎手，所以秦大侠若不愿意这么办，在下也不勉强。"

秦歌冷笑道："我天生就是喜欢惹麻烦的人。"

金大胡子展颜笑道："所以，这五万两银子已在等着秦大侠回来翻本。"

秦歌听了金大胡子的话，大笑起来，将面前所有的酒全都一饮而尽，大步走了过去。

秦歌做事的确很干脆，说做就做，绝不拖泥带水。

但为了五万两银子，就替赌场做保镖，岂非有失大侠身份？

田思思一直在旁边看着，心里也难免觉得有点失望。

"但大侠应该做什么呢？

"见义勇为、扶弱锄强、主持正义、排难解纷……这些事非但连一文钱都赚不到，有时还要贴上几文。

"大侠一样也是人，一样要吃饭，要花钱，花得比别人还要多些，若是只做贴钱的事，岂非一个个都要活活饿死？"

第十六章

不速之客

“大侠既不是会生金蛋的驴，天上也没有大元宝掉下来给他们，难道你要他们去拉车赶驴子？那岂非也一样丢人？”

想来想去，田思思又觉得他这么做并没有什么不对了。

只要田大小姐觉得对的事，她总有法子为自己解释的。

只要田大小姐喜欢的人，就是好人。

道士还在打坐，和尚还在念经，秀才还捧着书，在那里看得出神。

秦歌慢慢地走了过去。

他故意走得很慢，很从容，这倒并不是因为他喝了五六斤酒下肚，生怕自己的脚步走不稳，只不过他无论在做什么事的时候，都希望能先引起别人的注意。

他很欣赏别人看着他时，那种带着三分敬畏，七分羡慕的眼色。

这一点他的确做得很成功。

每个人都已在注意着他，大厅里突然变得很静，连掷骰子的声音都已停止。

秦歌脸上的微笑更洒脱，慢慢地走到那秀才面前，悠然道：“秀才你看的是什么书？”

秀才没有听见。

在江湖中人心目中，秀才的意思就是穷酸，这秀才也不例外。他身上穿着的一件蓝衫已被洗得发白，一张脸也又黄又瘦，显得营养很不良的样子。

现在他正看得眉飞色舞，突然重重地一拍桌子，仰面笑道：“好一个张子房，好一个朱亥，这一锥虽然不中，亦足以惊天动地而泣鬼神……痛快呀痛快，当浮一大白。”

话未说完，他已端起面前的酒杯，一饮而尽。

秦歌忍不住问道："这张子房是谁？朱亥又是谁？莫非也是两位使锥的武林高手？"

秀才这才抬起头来看了他一眼，那眼色就像是在看着一只骆驼突然走到面前来了一样，连半点敬畏的意思都没有。

他上上下下地看了好几眼，才皱眉道："张子房就是张良，张留侯，足下难道连这人的名字都没有听说过？"

秦歌笑了笑，道："没听说过，我只知道当今武林中，使锥的第一高手是蓝大先生，他也是我的好朋友。"

他居然还笑得很洒脱，又道："你说的那位张良，若也是条好汉，下次我若有机会见到他时，倒不妨向他讨教个一招半式。"

秀才听完他的话，好像被人打了一巴掌，连鼻子都歪到旁边去了，赶快倒了杯酒喝下去，才长长地叹了口气，喃喃地道："孺子不可教也，朽木不可雕也，足下最好还是走远点，莫让我沾着足下这一身俗气。"

秦歌沉下了脸，道："你要我走？"

秀才道："正有此意。"

秦歌道："你知道我是来干什么的？"

秀才道："人心隔肚皮，知人知面不知心，你心里在想什么，我怎会知道？"

秦歌道："好，我告诉你，我是来要你走的。"

秀才好像很吃惊，道："要我走？为什么要我走？"

秦歌道："你知道这是什么地方？"

秀才道："是个赌场。"

秦歌道："你既然知道，根本就不该来。"

秀才道："这地方连妓女都能来，秀才为什么就不能来？"

秦歌道："你来干什么？"

秀才道："当然来读书，秀才一日不读书，就觉得满身俗气。"

他瞪着秦歌，道："秀才能不能读书？"

秦歌道："能。"

秀才道："秀才既然能来，秀才既然也能读书，你为什么要赶秀才呢，这是你有理？还是我有理？”

秦歌道：“是你。”

秀才道：“既然是我有理，你就该走远些。”

秦歌道：“我不走，你走！”

秀才道：“为什么？”

秦歌道：“因为我从来不跟秀才讲理。”

秀才突然跳了起来，道：“你真不讲理？”

秦歌道：“不讲。”

秀才挽了挽袖子，道：“你想打架？”

秦歌笑了笑，道：“这次你总算说对了。”

秀才瞪着他，道：“你不跟秀才讲理，秀才为什么要跟你打架？”

他慢慢地放下袖子，道：“我看你还是快走吧，你若不走，我就……”

秦歌道：“就怎么样？”

秀才道：“就走。你不走我就走……你是不是真的不走？”

秦歌道：“真的！”

秀才道：“好，你真不走，我就真走了。”

他倒是真的说走就走，一点也不假。

秦歌大笑，将这秀才的一壶酒也喝了下去，才走到那道士面前，道：“那秀才也是道士你的朋友？”

道士合十道：“红花绿叶青莲藕，三教本来是一家，芸芸众生，谁不是贫道之友？”

秦歌道：“秀才既然能到这里来，道士当然也能。”

道士道：“正是如此。”

秦歌道：“秀才既然能在这里读书，道士当然也能在这里打坐。”

道士笑道：“施主果然是个明白人。”

秦歌道：“我还明白一样事。”

道士道：“请教。”

秦歌道：“秀才既然走了，道士也就该跟着走。”

道士想了想，道：“道士若走了，和尚就也该跟着走。”

秦歌也笑了，道：“道士也是明白人。”

道士道："却不知这和尚是不是个明白人？"

和尚道："不是。"

道士道："你难道是个糊涂和尚？"

和尚道："我不入地狱，谁入地狱？和尚不糊涂，谁糊涂？"

道士道："和尚若真的想入地狱，那倒容易，这里离地狱本就不远。"

和尚微笑道："既然如此，就请道兄带路。"

道士也微笑着道："在大师面前，贫道怎敢争先？"

和尚道："道兄请。"

道士道："大师请。"

和尚看了秦歌一眼，道："这位施主呢？是否也有意随贫僧一行？"

道士合十笑道："大师与贫道先走，这位施主想必很快就会来的！"

和尚道："既然如此，贫僧只有在地狱中相候了……阿弥陀佛。"

道士道："无量寿佛。"

和尚道："善哉善哉。"

两人双手合十，口宣佛号，向秦歌躬身一礼，微笑着走了出去。

走到门口，和尚突又回头向秦歌一笑，道："但愿施主莫忘了今日之约。"

道士道："他不会忘的。"

和尚道："道长怎知他人心意？"

道士微笑道："往地狱去的路总是好走些的。"

和尚微笑道："不错，下去总是比上去容易得多。"

道士道："也快得多。"

两人同时仰面大笑了三声，头也不回地走了出去。

秦歌也想笑，但却不知为了什么，居然好像有点笑不出了。

别的人也笑得并不十分自然，因为每个人都有点失望。

每个人却认为这和尚、道士和秀才绝不会是省油的灯。

每个人却在等着他们和秦歌的好戏，谁知他们居然全都乖乖地走了，而且说走就走，绝不啰唆。

有人在窃窃私议。

“这三个人究竟是来干什么的？”

他们当然不会是真的到这里来念经打坐的。

“若是来找麻烦的，为什么就这样乖乖地走了？”

当然是因为他们看到了秦歌脖子上的红丝巾。

“若不是秦大侠的威名镇住了他们，他们怎么会如此老实？”

秦歌真了不起。

“找秀才讲理的人是呆子，找秦大侠打架的人不是呆子，是白痴。”

田思思心里本来也有点疙瘩，听到这些话，忽然开心了起来。别人在称赞秦歌的时候，她简直比秦歌还开心。

她正在奇怪秦歌看来为什么没有很开心的样子，秦歌已忽然大笑了起来，好像直到现在才发觉这件事很滑稽，又好像他肚子里的酒已开始发生作用。

他一直笑个不停，已渐渐笑得不像是个“大侠”的样子了。

田思思忍不住走过去，悄悄拉了拉他衣角，悄悄道：“喂，别人都在看你。”

秦歌大笑着点头，不停地点着头，道：“我知道别人都在看我。”

田思思道：“你可不可以笑得小声一点？”

秦歌道：“不可以。”

田思思道：“为什么？”

秦歌道：“因为我觉得好笑极了，所以非笑不可。”

田思思道：“什么事这样好笑？”

秦歌道：“那和尚……”

田思思道：“和尚怎么样？”

秦歌道：“他说他要在地狱里等我。”

田思思道：“这句话有哪点好笑？”

秦歌道：“只有一点。”

田思思道：“哪一点？”

秦歌道：“他居然不知道我就是从地狱中出来的。”他故意压低声音，作出很神秘的样子，悄悄道：“你知不知道我为什么要从那里逃出来？”

田思思只有摇头。

秦歌道："因为那里有和尚。"

这句话没有说完，他又不停地大笑起来。

田思思看着他，心里忽然又有点怀疑："这人是不是真的秦歌？"

她已弄错过一次，这次绝不能再弄错了。

只可惜她也不知道真正的秦歌是什么样子。

幸好这时金大胡子也走了过来，手里还捧着一大叠银票。

好厚的一叠银票。

金大胡子笑道："这里是一点点小意思，请秦大侠收下。"

秦歌道："好。"

他的确是个很直爽的人，一点也不客气。

金大胡子道："除此之外，我们对秦大侠还有一点小小的敬意。"

秦歌道："你还要送我什么？"

金大胡子道："一个机会。"

秦歌道："什么机会？"

金大胡子道："让秦大侠一次就翻本的机会。"

秦歌大笑，道："好，这样才痛快。"

金大胡子也在笑，笑得就像是被人拔光了胡子的猫头鹰。

他微笑着道："却不知秦大侠想赌什么？"

秦歌道："随便赌什么都一样。"

金大胡子抚掌道："不错，随你赌什么，该赢的人都是会赢的。"

他微笑着，又道："该输的人随便赌什么都赢不了。"

所以秦歌输了。

他该输。

因为据说赌神爷最讨厌酒鬼，所以无论谁只要一喝醉，该赢的也变成要输了，而且输得精光，输得很快。

"一次就翻本的机会"这句话的意思通常就是说："一次就输光的机会"。

你只要往赌场里去，随时都会有这种机会的。

大家都围在旁边看，大家都在为他叹息——无论是真是假，叹息总是叹息。

“四五六”遇上“豹子”的机会毕竟不多。

又有人在窃窃私议：“这种事只怕也只有秦大侠这种人才会遇见！”

这是什么话？

“不错，这也得要有运气。”

输光了居然还算是运气？这简直不像话了。

“秦大侠这次虽输了，但在别的事上运气一定会特别好的，赌运本就不是正运，赌运不好的人，正运总是特别好。”

嗯，这句话好像忽然变得有点道理了，至少秦歌自己觉得很有道理。

因为他已又灌了四五斤酒下肚。

一个人肚子里若已装了十来斤酒，天下就不会再有什么没道理的事了。

同样的，一个人肚子里的酒若是装得很满，口袋就一定已变得很空。

大家还围在桌子旁，看着碗里的三只骰子。

三个六。

金大胡子居然随随便便就掷了三个六，这种人你想不佩服他都不行。

秦歌忽然发觉金大胡子比他更像是个“大侠”了。

在赌场里本只有赌得起的才是英雄。

所以秦歌从人丛里走了出去。

他摇摇晃晃地走着，忽然撞在一个人身上。

一个和尚。

秦歌皱了皱眉，喃喃道：“今天我为什么老是遇见和尚？这就难怪我要输了。”

那和尚却在微笑着，道：“施主今天遇见了几个和尚？”

秦歌道：“连你两个。”

和尚笑道：“连我也只有一个。”

秦歌抬起头，仔仔细细看了他几眼，忽然发现这和尚还是刚才那个和尚，圆圆的脸，笑起来就像是个弥勒佛。

第十七章

大英雄与酒鬼

01

不但和尚在这里，那道士和秀才也回来了。

秦歌眨了眨眼，道："我怎么会在这里的？"

和尚道："你本来就在这里。"

秦歌四面看了看，头也四面转了转。

他眼睛已不会动了，眼睛要往左面看的时候，头也得跟着往左面转。

和尚笑道："这里还不是地狱，只不过距离地狱已不远了。"

赌场和地狱有时实在差不了多少。

秦歌揉揉眼睛，道："你们刚才不是已走了吗？"

和尚点点头，道："既然能来，也就能走。"

秦歌道："你们现在为什么又来了？"

和尚道："既然能走，也就能来。"

秦歌想了想，喃喃道："有道理，和尚说的话，为什么总好像很有道理。"

和尚道："因为和尚是和尚。"

秦歌又想了想，忽然大笑，道："有道理，这次还是你们有道理。"

和尚道："你知道我刚才为什么要走？"

秦歌摇摇头。

和尚道："为了要让你赚五万两银子。"

秦歌大笑，道："我早就说过，你是个明白人。"

和尚道："你知不知道现在我们为什么要来？"

秦歌道："为了要让我再赚五万两银子？"

和尚道："不对。"

秦歌道："你们一走，我就赚五万两银子；我一输光，你们再回来，那又有什么不好？"

和尚道："只有一样不好。"

秦歌道："哪样不好？"

和尚道："你输得太快。"

秦歌又大笑，道："所以这次你们不肯走了？"

和尚道："不肯。"

秦歌忽然瞪起了眼睛，大声道："你们真的不走？"

和尚道："和尚不说谎。"

秦歌道："好，你们真的不走，我就真的走。"

他大笑着走了出去。

走到门口，忽又回头，道："我先走一步，到那里去等你。"

和尚道："到哪里去？"

秦歌向上面指了指，道："你看我现在还上得去么？"

和尚笑了。

下面的人要上去的确不容易。

就算你已上去，一个不小心，还是会掉下来的。

掉下去时就快得多了。

02

秦歌的身子一直往下沉，就好像真的要沉到地底下去。

幸好还有田思思在旁边扶着他。

像秦歌这样的人物，走出赌场时，居然没有一个人送他出来。

田思思很替他不平，也很替他生气。

就算秦歌并没有什么了不起，至少总是他们的大主顾，而且又输了那么多，金大胡子总应该照顾他才是。

事实上，她刚才就曾经气冲冲地去责问过金大胡子："你难道看不出他已经喝醉了？"

金大胡子笑笑，道："这里的酒本就是免费的。"

田思思道："你既然知道他已经喝醉了，为什么还让他一个人走？"

金大胡子道："这里不是监狱，无论谁要走，我们都没法子拦住的。"

田思思道："你至少应该照顾照顾他。"

金大胡子道："你要我怎么照顾他？"

田思思道："至少应该找个地方让他歇着，总不能让他醉倒在路上。"

金大胡子冷冷道："这里也不是客栈。"

田思思道："但你却是他的朋友。"

金大胡子道："开赌场的人没有朋友。"

田思思道："你难道不想他下次再来？"

金大胡子道："只要他有了钱，下次还是照样会来。这次就算他是爬着出去的，下次还是照样会来。"

他又笑笑，淡淡地接着道："他到这里来，也并不是为了要交朋友。"

田思思道："你对他也不能例外？"

金大胡子道："为什么要例外？"

田思思道："他总算是个成名的英雄。"

金大胡子冷冷道："这里既没有朋友，也没有英雄。"

这就是金大胡子最后的答复。

在他们眼中，世上只有两种人：一种是赢家，一种是输家。

输家是永远不值得同情的。

世上也许只有一种人比输家的情况更糟——一个已喝得烂醉如泥的输家。

秦歌还没有完全烂醉如泥，至少现在还没有。

他总算发觉旁边有个人在扶着他了，但还是过了很久之后，他才看出是什么人在旁边扶着他。

他眯着眼看了很久才看出来，忽然笑道："原来你也喝醉了。"

田思思道："我一口酒也没喝。怎么会醉？"

秦歌道："你若没有喝醉，为什么要我扶着你？"

田思思叹道："不是你在扶我，是我在扶你。"

秦歌又哈哈地笑了起来，指着田思思的鼻子，道："你还说没有醉？你看，你的鼻子都喝得歪到耳朵上去了，一个鼻子已变成了两个。"

田思思简直恨不得一下子把他丢到阴沟里去，咬着牙道："你能不能站直一点？"

秦歌道："不能。"

田思思道："为什么？"

秦歌往下面指了指，道："因为我要下去。"

他又压低声音，作出很神秘的样子，道："你知不知道我为什么要下去？"

田思思恨恨道："是不是因为那里没有和尚了？"

秦歌大笑道："一点也不错，和尚已经到赌场念经去了。"

他笑得弯下腰，笑得连气都喘不过来。

田思思看着他，又好气，又好笑，真不知该把他送到哪里去才好。

秦歌的人忽然冲了出去，冲到墙角，不停地呕吐了起来。

他吐得真不少，田思思却还希望他多吐些。

"喝醉酒的人吐出来之后，也许就会变得清醒一点了。"

她这么想，因为她自己还没有真正醉过。

真正喝醉的人，无论怎么样都不会变得清醒的，吐过了之后酒意上涌，反而醉得更厉害。

秦歌吐过了之后，酒意也随着上涌，立刻就躺了下去，不到一眨眼的工夫，已经鼾声如雷。

田思思真的急了，大声道："喂！快起来，你怎么能睡在这里？"

秦歌听不见。

田思思只有用力去摇他，摇了半天，秦歌才总算睁开了眼睛。

他眼睛只有平时三分之一那么大，舌头却比平时大了三倍。

田思思着急道："快起来，你睡在这里，被别人看见像什么样子？莫忘了你是个大男人，大英雄。"

秦歌哈哈笑道："英雄……英雄值多少钱一斤？能不能拿到赌场里去卖？"

他又压低声音，悄悄道："我告诉你一个秘密好不好？"

田思思只有苦笑道："你说。"

秦歌道："我什么都想做，就是不想做英雄，那滋味实在不好受。"

这句话刚说完，立刻又鼾声大作。

田思思完全没法子了。

这人摇也摇不醒，抱也抱不动。

一个人喝醉了之后，就好像会变得比平时重得多。

田思思真想把他丢在这里不管了，只可惜她不是心肠这么硬的人，何况秦歌又是她心目中的大英雄、大人物。

有很多女孩子只要一听见秦歌的名字，就兴奋得好像随时都会晕过去。

她们若看到秦歌这种样子，心里会有什么感觉呢？

她们当然看不到，所以她们都比田思思幸运得多。

田思思叹了口气，又看到了秦歌脖子上那条鲜红的丝巾。

红丝巾，象征着侠义、勇敢和热情。

红丝巾，红得就像是刚升起的太阳。

但现在这条红丝巾已变得像什么了呢？

像抹布。

一块刚抹过七八张桌子的抹布，上面又是汗，又是酒，又是一些刚从秦歌胃里吐出来的东西。

江湖中那些多情的少女们，现在若看到他脖子上这条红丝巾，心里又会有什么感觉呢？

田思思连想都不敢想。

"无论如何，他只不过是喝醉了，每个人都可能有喝醉的时候，那并不是什么不可原谅的罪恶。"

田思思又轻轻地叹息了一声，蹲下去，用自己的丝巾擦了擦秦歌的脸。

她自己的丝巾当然也是红的，红得就像是情人的热血。

可是她自己的血已渐渐开始没有今天上午那么热了。

这倒并不是说她已对秦歌觉得失望，而是因为她的肚子。

她可以确定自己现在就算想吐，也没有东西吐得出来。

一个空着肚子的人，在这种有风的晚上，站在一条黑黝黝的小巷子里，陪着一个鼾声如雷的醉鬼。

你叫她的血怎么热得起来？

03

天亮了。

天好像忽然就亮了，田思思看到对面墙上那一抹淡淡的晨光时，才发觉自己刚才居然睡了一觉。

她自己也不知道自己怎么会睡着的。

秦歌还躺在阴沟的旁边，鼾声总算已小了些。

田思思从墙角里站起来，脖子又酸又痛，她勉强将脖子转动了两下，忽然又发觉了一样奇怪的事。

她身上竟多了条毯子。

昨天晚上她身上绝没有这条毯子，因为那时她正觉得很冷、很饿，正坐在这墙角里发愁，不知道这一夜应该怎么样度过。

她又想到那大头鬼，现在一定正吃得饱饱的，躺在床上，旁边说不定还有个像张好儿那样的女人。

这就是她最后想到的一件事。

然后她就忽然睡着了。

“这条毯子是哪里来的呢？”

毯子就好像馅饼一样，是绝不会从天上掉下来的。

难道秦歌会在半夜忽然醒过来，找了条毯子来替她盖上？

秦歌还睡在他躺下去的地方，简直连姿势都没有改变过。

田思思咬着嘴唇，发了半天怔。

想来想去，会替她盖上这条毯子的，只有一个人。

可是她不信那个人会这么样做。

她宁可不信。

秦歌站着的时候，站得很直、很挺，但睡相却实在不高明。

他睡在那里的样子，就好像是个虾米。

幸好这里是个死巷子，只有几家人的后门在这巷子里。

昨天晚上，她糊里糊涂的，也不知怎会走到这条巷子里来，现在她才开始觉得很幸运。

只要有人看到田大小姐睡在这巷子里，那才真的丢人丢到家了。

但现在天已大亮，那几家的后门里，随时都可能有人走出来。

田思思下定决心，这次无论如何也要将秦歌摇醒。

她摇得真用力。

秦歌忽然叫了起来，终于睁开了眼，捧着头怪叫道："你干什么？我的头都快被你摇得裂开了。"

田思思咬着嘴唇，道："裂开来最好，正好乘机把你脑袋洗一洗。"

秦歌这下看清了她是谁，忽然笑道："原来是你，你怎么会到这里来的？"

田思思恨恨道："因为我遇见了个醉鬼。"

她本来决心要尽量对秦歌温柔些、体贴些，不但要让秦歌觉得她现在是个很漂亮的女人，将来也一定会是好太太。

可是她大小姐的脾气一发作，早已将这些事全都忘得干干净净。

秦歌的手捧着脑袋，还在那里不停地叹着气。

田思思看着他那愁眉苦脸的样子，忍不住道："你很难受？"

秦歌苦着脸道："难受极了，简直比生大病还难受。"

田思思道："你怎么会这么难受的？"

秦歌道："只要头一天晚上喝醉了酒，第二天就一定会难受。"

田思思道："你既然知道，为什么还要拼命地喝呢？"

秦歌正色道："男人喝酒，总得像男人的样子。"

田思思叹了口气，道："你以为那样子喝酒就能表示你是个英雄么？你错了，那只不过表示你是个酒鬼而已！”

秦歌道：“英雄也好，酒鬼也好，总之都是男人，总比娘娘腔好得多。”

田思思道：“娘娘腔的人，至少不会像你现在这么难受。”

秦歌摇了摇头，道：“我们男人的事，你们女人最好还是不要问得太多。”

他终于站起来，拍了拍田思思的肩，道：“走，我请你喝酒去。”

田思思张大了眼睛，道：“你还要喝酒？”

秦歌道：“当然要喝。”

田思思道：“你不怕难受？”

秦歌道：“难不难受是一回事，喝不喝酒又是另外一回事，这道理你们女人也不会懂的。”

他笑了笑，又道：“何况，我现在喝的叫还魂酒，一喝下去就不难受了。”

田思思道：“喝多了明天岂非还是一样难受？”

秦歌笑道：“明天的事谁管得了那么多，何况，明天就算难受，那也是明天的事，还可以再喝。”

田思思叹了口气，喃喃道：“我现在才知道酒鬼是怎么来的了。”

秦歌根本不听她在说什么，拍了拍身上的污渍，拉了拉脖子上的丝巾，站直了身子，挺起了胸，才往巷子外面走。

一个人躺在阴沟旁是一回事，走到外面去，就得挺起胸。

就算全身都难受得要命，脸上也绝不能露出半点难受的样子来。

现在他看来虽不见得容光焕发，但至少已又有了英雄气概，那条鲜红的丝巾已被拉得很平，又开始在风中飘扬。

田思思也不能不承认，他这条丝巾的料子实在不错。

秦歌正在巷口等着她，等她走过去，才微笑着道：“你看我现在的样子怎么样？”

田思思也不禁嫣然笑道：“最少已不像是条醉猫了。”

她忍不住又问道：“你想到哪里喝酒去？”

秦歌道：“当然是这地方最大的茶馆。”

田思思道：“茶馆？”

秦歌道："现在这时候，只有茶馆已开门。"

田思思道："茶馆里也有酒卖？"

秦歌笑道："茶馆里除了茶之外，几乎什么都有的。"

田思思又不禁嫣然一笑，但立刻又皱起眉，道："你身上还有没有银子？"

秦歌道："没有。"

他回答得倒真干脆。

田思思的眉却皱得更紧，道："没有银子用什么去买酒？"

秦歌笑道："我喝酒还用得着拿银子买么？"

田思思道："不用银子用什么？"

秦歌挺起胸，道："我只要一进去，就会有很多人抢着要请我喝酒的。"

田思思道："你好意思要别人请？"

秦歌道："有什么不好意思的，他们能请得到我，是他们的光彩；我喝了他们的酒，是给他们面子。"

他笑了笑，又道："做一个成名的英雄，也并不是完全没有好处的。"

田思思也笑了。

她忽然发现这人虽不如她想象中那么伟大，却比她想象中坦白得多。

他毕竟还年轻，他固然有很多缺点，但也有可爱的一面。

他是个英雄，但也是个人。

一个活生生的、有血有肉的男人。

田思思笑道："人家若看见你昨天晚上醉得那副样子，一定就不会请你了。"

秦歌接道："那样子是人家看不到的，我只让别人看到我赌钱时的豪爽，喝酒时的豪爽；等到我喝醉了，输光了，那种惨兮兮的样子我就绝不会让别人看见。"

他又笑了笑，接着道："你是不是也听说过我挨了好几百刀的事？"

田思思点点头，道："我听了至少也有好几百次了。"

秦歌道："你有没有听说过，我挨了刀之后，在地上爬着出去，半夜里醒来还疼得满地打滚，哭着叫救命的事？”

田思思道：“没有。”

秦歌微笑道：“这就对了，你现在总该明白我的意思了吧？”

田思思的确已明白。

江湖中人们能看到的、听到的，只不过是他光辉灿烂的那一面。

却忘了光明的背后，必定也有阴暗的一面。

不但秦歌如此，古往今来，那些大英雄、大豪杰们，只怕也很少会有例外。

这正如人们只看得见大将的光荣和威风，却忘了战场上那万人的枯骨。

田思思叹了口气，道：“想不到你懂得的事也不少。”

秦歌道：“一个人在江湖中混了那么多年，多多少少总会学到一点事的。”

田思思眨了眨眼，道：“你知道我昨天晚上将你看成了怎么样一个人？”

秦歌摇摇头。

田思思道：“我将你看成一个莽汉，一个乡巴佬。”

秦歌道：“乡巴佬？”

田思思道：“因为你居然连张子房是什么人都不知道。”

秦歌忽然也眨眨眼，道：“你以为我真不知道？”

第十八章

做大英雄的滋味

01

田思思道：“你知道？”

秦歌道：“张子房就是张良，是汉初三杰之一，史书上说他虽然长得温文如处子，但却雄心万丈，就凭博浪沙那一锥，已足名传千古。”

田思思吃惊地瞪大了眼睛，失声说道：“你真的知道？”

秦歌笑道：“一点也不假。”

田思思道：“那你昨天晚上为什么要那样子说呢？”

秦歌道：“我是故意的。”

田思思道：“故意的？为什么要故意地装傻？”

秦歌道：“因为我知道大家都崇拜我，就因为我是那么样一个人，什么都不懂，只懂得拼命地打架，拼命地赌钱，拼命地喝酒。”

田思思道：“别人为什么要崇拜这种人呢？”

秦歌道：“因为他们自己做不到。”

他微笑着，接着道：“无论做什么事，要能拼命都不容易。”

田思思叹了口气，道：“我明白，因为我看见过你难受的样子。”

秦歌道：“一点也不错，要拼命，就得先准备吃苦。”

田思思道：“但你为什么不做一个又拼命、又聪明的英雄呢？那样子别人岂非更佩服？”

秦歌道：“那样子别人就不佩服了。”

田思思道：“为什么？”

秦歌道：“因为那样子的人很多，至少不止我一个。”

田思思道：“你若也是那样的人，别人就不觉得稀奇了，对不对？”

秦歌笑道："一点也不错，就因为稀奇，所以我今天才会有这么大的名气，才会成为那些少年人心目中的偶像。"

他自己好像也有些感慨，所以忍不住叹了口气，道："我若变成了另外一个人，别人就一定会对我觉得很失望。"

田思思道："所以你喝醉了就会承认，这种英雄的滋味并不好受。"

秦歌道："不错。"

田思思道："但英雄也有很多种，你为什么偏偏要做这一种呢？"

秦歌道："因为别人早已将我看成是这一种的人，现在已没法子改变了。"

田思思道："你自己想不想改变呢？"

秦歌道："不想。"

田思思道："为什么？"

秦歌道："因为我自己也渐渐习惯了，有时甚至连我自己都认为那么样做是真的。"

田思思道："其实呢？"

秦歌叹道："其实是真还是假，连我自己也有点分不清了。"

田思思沉默了很久，忽又长长叹息了一声，道："我不懂。"

秦歌道："你不必懂，因为这就是人生。"

田思思沉思了很久，才慢慢地点了点头，叹道："我没有看见你的时候，做梦也想不到你是个这么样的人。"

秦歌道："你以为我是个怎么样的人？"

田思思眼珠子转动，道："你想呢？"

秦歌笑道："我想你一定会将我当作一个很了不起的大人物，所以我一定要请你喝酒。"

02

秦歌也许并不是什么真正的大人物，不是神，但在江湖中人心目中，他却的确是个很受欢迎的英雄。

无论他走到哪里，都有人欢迎他，崇拜他，为他欢呼。

现在田思思也喝了酒。

现在他们正走在一条很幽静的小路上，两旁的墙很高，树枝自墙里伸出来，为他们掩住了夏日正午酷热的骄阳。

田思思忽然笑道："想不到真有那么多人抢着要请你喝酒。"

秦歌的眼睛已变得很亮，因为他已有酒意，却没有醉。

他看着高墙里的树枝，缓缓道："你可知道他们为什么那样欢迎我？"

田思思道："因为你是个英雄？"

秦歌笑了笑，道："那当然也是原因之一，但却并不重要。"

田思思道："重要的是什么？"

秦歌道："重要的是，他们知道我对他们没有威胁。因为我只不过是个很粗鲁、很冲动，但却不太懂事的莽汉，和他们一点利害关系也没有。"

他笑得有点凄凉，接着道："他们喜欢我，欢迎我，有时就好像戏迷们喜欢一个成名的戏子一样，绝不会和他们本身的利益发生冲突。"

田思思笑道："你未免把自己看得太低了。"

秦歌道："我并没有看低自己，我也有我成功的地方，据我所知，古往今来，江湖中的成名英雄们，像我这么样受欢迎的并不多。"

田思思道："你难道认为就没有人是真心崇拜你的？"

秦歌苦笑道："当然也有，但那只不过是些还没有完全长大的孩子，譬如说……"

田思思道："譬如说我？"

秦歌道："我说的是以前，现在你当然已不同了。"

田思思道："为什么？"

秦歌道："因为你已看见了许多别人看不见的事。"

田思思沉思着，缓缓道："不错，我的确已看出你一些别人看不见的缺点。但我看到你的一些优点，也是别人看不到的。"

秦歌道："哦？"

田思思道："你固然有很多毛病，但也有很多可爱的地方。"

秦歌笑道："我真的有？"

田思思道："真的，你甚至比大多数人都可爱得多。"

她笑了笑，又道："但像你这样的男人，只能做个好朋友，绝不会是好丈夫。"

秦歌道："你以前难道想嫁给我？"

田思思垂下头，红着脸笑道："的确有这意思。"

秦歌道："现在呢？你是不是对我很失望？"

田思思道："绝不是，只不过——"

秦歌道："只不过已觉得不大满意了？"

田思思道："也不是。"

秦歌道："那是什么呢？"

田思思轻轻地叹息了一声，道："也许只因为我以前将你看得太高，现在却已对你了解得更深刻。"

秦歌道："就因为你已了解我，所以才不肯嫁给我？女孩子为什么总是喜欢嫁给她们不了解的人呢？"

田思思没有回答，她不知道该怎么回答。

她并没有对秦歌觉得失望，因为秦歌的确是个英雄。

一种她所无法了解的英雄。

但无论哪种英雄都是人，不是神——甚至连神都不是完全没有缺点的，何况人呢？现在她只不过觉得自己已没法子再嫁给秦歌了，因为她看到的秦歌，并不是她幻想中的那位秦歌。

她并不是失望，只不过觉得有点惆怅。

一种成人的惆怅。

她忽然发觉自己好像又长大了很多。

秦歌还在凝视着她。

她轻轻拉起秦歌的手，勉强笑道："我虽然不能嫁给你，但却可以永远做你一个很好的朋友。"

秦歌没有说话——想说，却没有说出来。

田思思咬着嘴唇，轻轻道："你……你是不是很失望？"

秦歌凝视着她，忽然大笑，道："我怎么会失望，天下的女人都可以娶来做老婆，但能像你这么样了解我的朋友，世上又有几个？"

田思思眼波流动，忽又叹息了一声，道："可是你为什么要让我如此了解你呢？"

秦歌的目光也在闪动着，微笑道：“也许只因为我的运气不好。”

田思思眨眨眼，嫣然道：“也许只因为你的运气不错。”

秦歌又大笑，道：“将来能娶到你的那个人，运气才真的不错。”

田思思低下头，忽然不说话了。

也不知为了什么，她居然又想起了那大脑袋。

他在哪里？是不是和田心在一起？

过了很久，她抬起头，道：“这条路我以前好像走过。”

秦歌点点头。

田思思道：“再往前面走，好像就是金大胡子那赌场了。”

秦歌又点点头。

田思思皱眉道：“你难道还想到那里去？”

秦歌笑了，道：“我想再去看看那和尚，你难道不觉得他很奇怪？”

田思思道：“奇怪倒真的有点奇怪，不过怕你并不是真的想去找他。”

秦歌道：“哦！”

田思思抿嘴笑道：“恐怕你只不过又在手痒了吧。”

秦歌瞪了瞪眼，道：“我就真还想去赌，用什么去赌呢？用我的手指头？”

田思思笑道：“就算没钱赌，去看看别人赌也是好的。”

秦歌笑道：“这次你错了。”

田思思道：“那你想去干什么，真的想去看那和尚？”

秦歌笑得很神秘，缓缓道：“不错，因为我发现这个和尚比别的和尚都有趣得多。”

和尚不应该有趣的，和尚若有趣，别人就无趣了。

第十九章

赌场和庙

和尚在庙里念经。赌鬼在赌场里赌钱。

这种事不管有没有价值，至少总是很正常的。

但和尚若在赌场里念经，赌鬼若在庙里赌钱，那就非常不正常，而且很荒唐、很奇怪。

奇怪的事总有些奇怪的原因。

奇怪的事也总会引出其他一些奇怪的事来。

01

“你为什么总是说赌场距离地狱最近？”

“因为常常到赌场里去的人，很容易就会沉沦到地狱里去。”

“赌场真的这么可怕？”

“的确可怕，你家里若有人是赌鬼，你就会知道那有多么可怕了。”

“哦？”

“一家之主若是个赌鬼，这家人过的日子简直就好像在地狱里一样。”

“我听说一个人若是沉迷于赌，有时甚至会连老婆、儿子都一起输掉的。有时连他自己的命都一起输掉。”

“唉，那的确可怕。”

“假如说世上最接近地狱的地方是赌场，那最接近西方极乐世界的，应该是什么地方呢？”

“庙？”

“不错。可是你有没有想到过，赌场和庙也有一点相同的地方？”

“没有，这两种地方简直连一点关系都没有。”

“你有没有注意到，赌场和庙通常都在比较荒僻隐秘的地方？”

“我现在才想到，但还是想不通。”

“哪点想不通？”

“我已知道赌场为什么要设在比较荒僻的地方，但是庙为什么也如此呢？到庙里去烧香的人，既不丢人，也不犯法。”

“庙为什么要盖在荒僻的地方呢？因为庙盖得愈远，愈荒僻，就愈有神秘感。”

“神秘感？”

“神秘感通常也就是最能引起人们好奇和崇拜的原因。”

“不错，人们通常总会对一些他们不能了解的事觉得畏惧。”

“因为畏惧，就不能不崇拜。”

“而且人们通常也总喜欢到一些比较远的地方去烧香，因为这样子才能显得出他的虔诚。”

“你差不多全说对了，只差一点。”

“还差一点？”

“烧香的人走了很远的路之后，就一定会很饿，很饿的时候吃东西，总觉得滋味特别好些。”

“所以人们总觉得庙里的青菜特别好吃。”

“你总算明白了，素斋往往也正是吸引人们到庙里去的最大原因之一。”

“我就知道有很多人到庙里去烧香时的心情，就和到郊外去踏青一样。”

“所以聪明的和尚都一定要将庙盖在很远很荒僻的地方。”

“我现在也觉得你的话很有道理了，但和尚听见一定会气死。”

“和尚气不死的。”

“为什么？”

“酒色财气四大皆空，这句话你难道也已忘记？”

“不错，既然气也是空，和尚当然气不死的。”

“气死的就不是真和尚。”

“所以气死也没关系。”

“一点关系也没有。”

02

偏僻的巷子。

巷子的尽头，就是金大胡子的赌场。

秦歌和田思思已走进这条巷子。

这时乌云忽然掩住了日色，乌云里隐隐有雷声如滚鼓。

狂风卷动，天色阴暗。

田思思看了看天色，道：“好像马上就有场暴雨要来临了。”

秦歌道：“下雨的天气，正是赌钱的时候。”

田思思道：“你既然知道赌很可怕，为什么偏偏还要赌？”

秦歌笑了笑，道：“因为我既不是个好人，也不聪明。”

田思思嫣然道：“你只不过是个英雄。”

秦歌叹道：“聪明的好人通常都不会做英雄。”

他突然闭上嘴，因为他忽然发现那赌场的院子里有一团团、一片片、一丝丝黑色的云雾被狂风卷起，漫天飞舞。

说那是云雾，又不像云雾，在这种阴冥的天色里，看来真有点说不出的诡秘可怖。

田思思动容道：“那是什么？”

秦歌摇摇头，加快了脚步走过去。

赌场破旧的大门在风中摇晃着，不时地“砰砰”作响。

门居然是开着的，而且没有人看门。

这门禁森严的赌场怎么忽然变得门户开放了？

黑雾还在院子里飞卷。

秦歌蹿过去，捞起了一把。

田思思刚好跟进来，立刻问道：“究竟是什么？”

秦歌没有回答，却将手里的东西交给了田思思。

这东西软软的、轻轻的，仿佛是柔丝，又不是。

田思思失声道：“是头发？”

秦歌沉着道："是头发。"

田思思道："哪里来的那么多头发？"

满院子的头发在狂风中飞舞，看来的确说不出的诡秘可怖。

秦歌沉吟着，说道："不知道那和尚是不是还在里面？"

田思思道："你为什么一定要找那和尚？"

秦歌道："因为你问的话，也许只有他一个人能解释。"

他推开门走进去。

他怔住。

田思思跟着走进去。

田思思也怔住。

无论谁走进去一看，都要怔住。

和尚还在屋子里。

不是一个和尚，是一屋子和尚！

若是在庙里，你无论看到多少和尚都不会奇怪，更不会怔住。

但这里是赌场。

赌桌没有了，赌具没有了，赌客也没有了。

现在这赌场里只有和尚。

几十个大大小小、老老少少的和尚，眼观鼻，鼻观心，双手合十，盘膝坐在地上，一眼看去，除了一颗颗光头外就再也没有别的。

每个头都剃得很光，光得发亮。

田思思忽然明白院子里那些头发是哪里来的了。

但她却还是不明白这些人为什么忽然都剃光了头做和尚。

屋子里很静。

没有骰子声，没有洗牌声，没有吆喝声，也没有念经声。

和尚虽是和尚，但却不念经。

是不是因为他们还没有学会念经？

秦歌正在找昨天那个会念经的和尚。

他慢慢地走过去，一个个地找，忽然在一个和尚面前停下了脚步。

田思思看到他面上吃惊的表情，立刻也跟了过去——他看到这和尚时的表情，简直好像忽然看到了个活鬼一样。

这和尚还是眼观鼻，鼻观心，端端正正地盘膝坐着，非但头剃得很光，胡子也刮得很光。

这和尚的脸好熟。

田思思看了半天，突然失声而呼："金大胡子！"

这和尚赫然竟是金大胡子。

他旁边还有个和尚，一张脸就像是被雨点打过的沙滩。

"赵大麻子！"

这放印子钱的恶棍怎么会也做了和尚？

秦歌盯着金大胡子，上上下下地看了很久，才拍了拍他的肩，道："你是不是有病？"

金大胡子这才抬头看了他一眼，合十道："施主在跟谁说话？"

秦歌道："跟你，金大胡子。"

"阿弥陀佛，金大胡子已死了，施主怎能跟他说话？"

秦歌道："你不是金大胡子？"

金大胡子道："小僧明光。"

秦歌又盯着他看了半天，道："金大胡子怎么会忽然死了？"

金大胡子道："该死的就死。"

秦歌道："不该死的呢？"

金大胡子道："不该死的迟早也得死。"

他一直端端正正地盘膝而坐，脸上一点表情也没有，现在看见他的人，谁也不会相信他昨天还是个赌场的大老板。

现在他看来简直就像是修为严谨的高僧。

田思思眼珠子转动，忽然道："金大胡子既已死了，他的新婚夫人呢？"

一个人新婚时就开始怕老婆，而且怕得连胡子都肯刮光，那往往只有一种原因。

因为他爱他的老婆，爱得要命。

爱得要命时，通常也就会怕得要命。

田思思这一招，实实打在金大胡子最要命的地方上了。

金大胡子虽然还在勉强控制着自己，但头上汗已流了下来。

田思思偷偷地向秦歌打了个眼色，道："你想他的新婚夫人会到什么地方去了？"

秦歌笑了笑，悠然道："他的人既已死了，老婆自然就改嫁了！"

田思思道："改嫁？这么快？"

秦歌道："该改嫁的，迟早总要改嫁的。"

田思思道："嫁给谁呢？"

秦歌道："也许是个道士，也许是个秀才，红花绿叶青莲藕，本来就是一家人。"

他的话还没有说完，金大胡子突然狂吼一声向他扑了过来。

能做赌场的老板，手底下当然有两下子。

只见他十指箕张如鹰爪，好像是恨不得一下就扼断秦歌的脖子。

秦歌的脖子刚往外面一缩，半空中忽然有根敲木鱼的棒槌飞了过来，"卜"地，在金大胡子的光头上重重敲了一下。

这一下敲得真不轻。

金大胡子脑袋虽未开花，却也被敲得头晕眼花，连站都站不住了，连退好几步，"卜"地，又坐到了那蒲团上。

"阿弥陀佛，善哉善哉。"

一个和尚口宣佛号，慢慢地走了过来，手里捧着个木鱼，却没有棒槌。

会念经的和尚终于出现了。

他慢慢地走到金大胡子面前，叹息着道："色即是空，空即是色，这一关都勘不破，怎能出家做和尚？"

金大胡子全身发抖，嘶声道："我本来就不想做和尚，是你逼着我……"

他的话还没说完，"卜"地，头上又被重重地敲了一下。

这和尚的手好像比棒槌还硬。

金大胡子竟被他一根手指敲得趴到地上去了，光头上立刻凸起了一大块。

这和尚道："是谁逼你做和尚的？"

金大胡子道："没……没有人。"

和尚道："你想不想做和尚？"

金大胡子道："想……想。"

和尚双手合十，道："阿弥陀佛，苦海无边，回头是岸，放下屠刀，立地成佛……善哉善哉，南无阿弥陀佛，南无阿弥陀佛……"

他居然又开始念经了。

金大胡子却趴在地上，放声大哭了起来。

田思思看得怔住了，怔了半天，才回过头向秦歌苦笑道："这和尚真的会念经。"

秦歌道："不但会念经，还会敲人的脑袋。"

田思思道："敲得比念经还好。"

秦歌道："这次他念经虽没有选错地方，但却敲错了脑袋。"

田思思道："他本该敲谁的脑袋？"

秦歌道："他自己的。"

和尚忽然不念经了，回过头来看了他一眼，摇着头叹道："原来又是你。"

秦歌道："又是我。"

和尚道："你怎么又来了？"

秦歌道："既然能走，为什么不能来？"

和尚道："既已走了，就不该来的。"

秦歌道："谁说的？"

和尚道："和尚说的。"

秦歌道："和尚凭什么说？"

和尚道："和尚会'一指禅'，会敲人的脑袋。"

秦歌叹了口气，道："看来这和尚好像要赶我走的样子。"

和尚道："昨天你赶和尚走，今天和尚赶你走，岂非也很公道。"

秦歌道："我若走了，有没有人给和尚五万两银子？"

和尚道："没有。"

秦歌道："那么我就不走。"

和尚沉下了脸，道："你知道这是什么地方？"

秦歌道："好像是个赌扬，又好像是个庙。"

和尚道："昨天是赌场，今天是庙。"

秦歌笑了笑，道："连妓女都可以到庙里烧香，我为什么不能来？"

第二十章

鬼　屋

和尚道：“你来干什么？”

秦歌道：“当然来赌钱，赌鬼一天不赌钱，全身都发痒。”

和尚道：“庙里不是赌钱的地方。”

秦歌道：“和尚既能到赌场里念经，赌鬼为什么不能到庙里赌钱？”

和尚瞪着他，忽然笑了，道：“这里都是和尚，谁跟你赌？”

秦歌道：“和尚。”

和尚道：“和尚不赌。”

秦歌道：“我佛如来也赌，和尚为什么不赌？”

和尚皱眉道：“我佛如来也赌，跟谁赌？”

秦歌道：“齐天大圣孙悟空。”

和尚道：“赌什么？”

秦歌道：“赌孙悟空翻不出他的手掌心。”

和尚又笑了，道：“就算你有理，和尚也没钱赌。”

秦歌道：“和尚会化缘，怎么会没有钱？”

和尚道：“到哪里化缘？”

秦歌道：“据我所知，这些和尚昨天还都是施主。”

和尚道：“哦？”

秦歌道：“尤其是金大胡子，他既已做了和尚，财即是空，他那万贯家财自然已全部施舍给和尚了。”

他笑了笑，道：“听说和尚化缘，有时比强盗抢钱还凶得多。”

和尚瞪着他，圆圆的脸忽然变得很阴沉，冷冷道：“你会抢钱？”

秦歌道：“不会。”

和尚道："会化缘？"

秦歌道："也不会。"

和尚道："你用什么来赌？"

秦歌道："用我的人。"

和尚道："人怎么能赌？"

秦歌笑道："我若输了，就跟你做和尚；你若输了，这庙就归我，和尚也归我。"

和尚道："你想怎么赌？"

秦歌道："你既然会敲脑袋，我们不如就赌敲脑袋吧。"

和尚道："敲谁的脑袋？"

秦歌道："你敲我的，我敲你的，谁先敲着谁的，谁就是赢家。"

和尚冷冷道："脑袋不是木鱼，会敲破的。"

秦歌道："你知不知道哪种脑袋最容易敲破？"

和尚大笑，笑声中，他的人忽然不见了。

地上铺着一块块石板，石板突然裂开，和尚就掉了下去。

然后石板就立刻合起。

这里本是个秘密的赌场，赌场里有翻板地道，本不是件奇怪的事。

只有田思思才会觉得很吃惊，怔了半晌，忽然笑道："看来他不想跟你赌。"

秦歌微笑道："他也知道很容易敲破的一种脑袋，就是光脑袋。"

田思思道："你真想敲破他的脑袋？"

秦歌道："只想敲破一点点。"

田思思道："为什么？看来他并不是个坏人。"

秦歌道："但他却不该逼着别人做和尚。"

田思思道："天下开赌场的人若都做了和尚，这世界岂非太平得多？"

秦歌道："这些和尚本来难道全是开赌场的？"

田思思道："说不定是他们自己愿意……"

这句话还没有说完，一屋子的和尚忽然全都叫了起来："我们不愿做和尚！"

“好好的人，谁愿意做和尚？”

“我家里有老有少，一大家人，日子过得也不错，为什么要做和尚？”

金大胡子叫得声音最响，居然跪了下来，道：“我们都是被逼的，还求秦大侠替我们主持个公道。”

秦歌叹了口气，道：“我本来还以为你是条汉子，怎么被人一逼就做了和尚？”

金大胡子道：“因为我们若不做和尚，他就要我们的命！”

秦歌道：“你们二三十个人，难道还怕他一个和尚不成？”

金大胡子惨然道：“只因那和尚实在太凶、太厉害，何况还有秀才和道士帮着他！”

秦歌道：“你们加起来也不是他们的对手？”

金大胡子叹道：“若非如此，我们怎会全都做了和尚？”

田思思忍不住问道：“你们做和尚，对他是不是有好处？”

金大胡子道：“当然有好处。”

田思思道：“什么好处？”

金大胡子苦着脸道：“他说做和尚要四大皆空，所以我们一做了和尚，家财也就全都变成他的了。”

田思思叹了口气，道：“这么样说来，连我都想敲破他的脑袋了。”

秦歌道：“不是敲破一点点，是敲个大洞。”

金大胡子摸着自己的脑袋，道：“可是他们三个人武功全都不弱，尤其是那和尚，实在太厉害。”

秦歌冷笑道：“比他更厉害的人我也见过不少。”

金大胡子展颜道：“那当然，只要秦大侠肯替我们做主，我们就有了生路。”

秦歌用脚踩了踩地上的石板，道：“这下面是什么地方？”

金大胡子道：“我也不清楚。”

秦歌道：“你是这赌场的大老板，怎么连你都不清楚？”

金大胡子苦笑道：“这屋子本来并不是我的。”

秦歌道：“是谁的？”

金大胡子道："不知道。"

秦歌皱眉道："你知道什么？"

金大胡子道："我只知道这屋子的主人多年前就死了，全家人都死得干干净净。"

秦歌道："后来就没有人搬进来过？"

金大胡子道："有是有，只不过无论谁搬进来，不出三天就又要搬走。"

秦歌道："为什么？"

金大胡子道："因为这屋子闹鬼。"

田思思失声道："闹鬼！"

金大胡子道："这屋子本是家很有名的凶宅，谁都不敢问津，所以我们很便宜就买了下来。"

田思思道："这里是不是真的有鬼呢？"

金大胡子道："有时我们的确觉得很多地方不对，但仗着人多胆大，所以倒也不太在乎。"

田思思道："是些什么地方不对？"

金大胡子沉吟着道："有时地下会忽然发出些奇奇怪怪的声音来，有时明明放在桌上的东西，忽然间就不见了。"

田思思看了秦歌一眼。

秦歌道："现在你们打算怎么办呢？"

金大胡子道："只要能不做和尚，叫我们干什么都愿意。"

秦歌想了想，道："好，你们先走吧，等我弄清楚这里的事再说。"

金大胡子脸上露出为难恐惧之色，道："那和尚不会放我们走的。"

秦歌冷笑道："你用不着害怕，他若敢追，有我挡着。"

金大胡子展颜笑道："就算天大的事，有秦大侠出面，我们也就放心了。"

这句话还没有说完，满屋子和尚都已抢着往外逃，有的夺门，有的跳窗户，眨眼间就全都走得精光。

没有人出来追。

那和尚、道士和秀才全都没有露面。

田思思笑道："看来你的威风真不小，吓得他们连头都不敢伸出来了。"

秦歌没有笑。

田思思道："你想那和尚溜到哪里去了？"

秦歌道："我只望他莫要真的被鬼捉了去。"

他又沉声道："我看你不如也赶快走吧。"

田思思瞪大了眼睛，道："你为什么要我走？"

秦歌勉强笑了笑，道："这地方说不定真的有鬼。"

田思思脸色虽也有些变了，还是摇着头道："我不走。"

秦歌道："为什么？"

田思思道："莫忘了我是你的朋友。"

秦歌道："可是……"

田思思不让他说话，抢着又道："既然我是你的朋友，就不能撇下你一个人在这里对付他们三个，就算你真的下地狱，我也只好跟着。"

这句话还没有说完，秦歌的人真的忽然就掉了下去。

"砰"地，翻开的石板又阖起。

田思思这才真的吃了一惊，用力去踢地上的石板。

随便她怎么用力也踢不开。

石板很厚，一块块石板严丝合缝，谁也看不出机关在哪里。

暴雨还没有来，狂风吹着窗户，窗户在响，门也在响。

田思思忍不住失声惊呼，道："秦歌，你在哪里？你听不听得到我说话？"

没有回应。

田思思咬着嘴唇，一步步往后退，忽然转身往门外冲了出去。

外面好大的风。

田思思刚冲出门，又有一阵狂风卷起，卷起了漫天发丝。

千千万万根头发突然一齐向她卷了过来，卷上了她的脸，缠住了她的脖子。

轻轻的、软软的、冷冷的，就好像是千千万万只鬼手在摸着她的脸，扼住她的咽喉。

她呼吸都已几乎停顿，凌空一个翻身，退回了门里去，“砰”地用力关上门，用身子抵住。

过了很久，她这口气才透出来。

风还在外面吹。

空荡荡的屋子里，只有她一个人。

她忽然发现这间屋子好大。

屋子愈大，愈令她觉得自己渺小孤单。

她掌心已全是冷汗，用力扯下了身上、脸上、脖上的头发。

头发却又粘在她手上，缠住了她的手——轻轻的、软软的、冷冷的……

她仿佛想吐，却又吐不出。

“砰”地，一扇窗户被吹开，接着又是霹雳一响，黄豆般大的雨点跟着打了进来。

她忍不住激灵灵打了个寒噤，壮起胆子，大声道：“屋子里还有没有人？这里的人，难道全都死光了么？”

还是没有人回应。

她自己又忍不住打了个寒噤。

“这家人本就早已全都死光了，莫非全都变成了鬼么？”

可是那道士和秀才呢？

对面还有扇门，门是关着的，他们会不会就藏在里面？

田思思咬了咬牙，用最快的速度冲过去，仿佛生怕后面有鬼在追她。

幸好这门没有从里面闩上。

田思思冲了进去。

里面是间布置得很精雅的小客厅，看来就令人觉得温暖而舒服。

田思思刚松了口气，突然间，“砰”地，门已从她身后关上。

她一惊，转身去推门，已推不开了。

这扇门赫然已从外面锁住！

是谁锁的门？

外面刚才明明连一个人都没有的。

田思思只觉身上的鸡皮疙瘩一颗颗冒了起来，冷汗已湿透衣裳。

她一步步地向后退，退到桌子旁，才发现桌上有三碗茶、一卷书、一串佛珠、一柄拂尘。

书是太史公作的《史记》，也就是秀才念的那本。

茶还是温的。

在田思思和秦歌还没有来到这里之前，那和尚、道士和秀才显然还坐在这里喝茶。

现在他们的人呢?

田思思冷笑了一声，道："我知道你们在哪里，你们休想吓得了我！"

其实她什么都不知道，只不过是自己在壮自己的胆子。

她说这句话，就表示她已被吓住。

天色阴冥，屋子里更暗，连书上的字都已有点看不清楚。

田思思站在那里发了半天怔，才四面打量这屋子。

这屋子的确布置得很精雅，另外还有扇门，门上挂着湘妃竹帘。

竹帘是垂下来的。

这扇门对面的墙上，挂着幅很大的山水画，烟雨蒙蒙，意境仿佛很高，显然也是名家的手笔。

这幅画两旁，当然还有副对联。

田思思还没有看清这对联上写的什么，突然听到身后响起了一阵很奇怪的声音，听来就仿佛是竹帘卷动的声音。

她一惊转身，又不禁失声而呼。

本来垂在那里的竹帘，此刻竟慢慢地向上面卷了起来。

竹帘后的门是半掩着的。

门里门外都没有人，就好像有只看不见的鬼手，在上面慢慢地卷着这竹帘。

田思思的胆子就算再大，也不禁毛骨悚然，用尽全身力气，才能大叫道："什么人？出来！"

没有人出来。

根本就连人影都没有。

田思思紧握双拳，咬紧牙关，一步步走了过去。

她一面走，冷汗一面从脸上往下流。

她走得很慢，因为腿已发软，但总算还是慢慢地走进了这扇门。

门后面是间密室，连窗户都没有，所以光线更暗。

黑黝黝的屋子里，什么都没有，只有一个人盘膝坐在地上。

一个和尚！

这和尚圆圆的脸，垂眉敛目，面前还摆着个木鱼，赫然正是刚才掉到地下去的那个会念经的和尚。

田思思长长吐出口气，无论如何，她还算看到个活人了。

但和尚既然已在这里，秦歌呢？

田思思忍不住道："喂，你怎么会到了这里？秦歌呢？"

和尚不响，也不动。

田思思大声道："喂，你怎么不说话？"

和尚还是不言不语，连眼睛都懒得张开，像是忽然变成了个聋子。

田思思冷笑道："你用不着装聋作哑，你再不开口，我也要敲破你的脑袋了。"

和尚偏偏要装聋作哑。

田思思怒道："你以为我不敢？"

田大小姐的脾气一发作，天下还有什么她不敢做的事？

她一下子就蹿了过去，真的在这和尚的光头上敲了一敲。

和尚身子摇了摇，慢慢地倒了下去。

田思思不由自主伸手拉住了他衣襟，大声道："你干什么，想装死吗？"

和尚不会装死。

和尚真的已死了！

和尚的脸本来又红又亮，现在却已经变成了死灰色的。

死灰色的脸上，正有一缕鲜血慢慢地流了下来，从他宽阔的额角上流下来，流过眉眼，沿着鼻子流到嘴角。

田思思身子一震，立刻手脚冰冷，不由自主地一步步后退。

她一退，和尚就向前倒下，脸扑在地上。

田思思这才发现他头顶上有个小洞，鲜血正是从这洞里流出来的。

“这个洞难道是我敲出来的？”

绝不是。

她下手并不重，何况这和尚全身僵木，显然已死了很久。

是谁杀了这和尚的？难道是秦歌？他的人呢？

田思思站在那里，几乎连动都不能动了。

她一走进这赌场的大门，就好像跌入了噩梦里。

从那时开始，她遇见的每件事都奇怪得无法解释，神秘得不可思议。

除了在噩梦里之外，还有什么地方会发生这种事？

这噩梦会不会醒？

田思思咬了咬牙，决心抛开一切，先冲出这鬼屋再说。

她已无法冲出去。

这屋子唯一的一扇门，不知何时又已被人从外面锁上。

随便她怎么用力也推不开，用脚一踢，连脚趾都几乎被踢断。

这扇门并不是铁门，但这见鬼的木头却简直比铁还坚硬，她就算手里有把刀，也未必能将门砍裂。

四面的墙更厚。

她忽然觉得自己就像是只落入了猎人陷阱的野兽，不但愤怒、恐惧，而且还有种说不出的悲哀。

最悲哀的是，她连制造这陷阱的猎人是谁都没有看见。

这噩梦就像是永远都不会醒了。

田思思只恨不得能大哭一场，只可惜连哭都已哭不出。

这密室中更暗，更闷，她简直已连气都透不过来。

和尚头上的血已渐渐凝结。

也许只有他才知道这所有的秘密，也许连他都不知道。

谁知道呢？

田思思用力咬着牙，只要能知道这是怎么回事，她死也甘心。

听不见风声，也听不见雨声。

这里仿佛本就是个坟墓，是为了要埋葬她而准备的坟墓？

还是为了要埋葬这和尚的？

无论如何，现在她和这和尚都在这坟墓里。

她永远也想不到自己竟会和一个和尚埋葬在同一个坟墓里。
现在她已连鬼都不怕了，就算真的有个鬼来，她也很欢迎。
想到鬼，她就不禁想到了那大头鬼。
“他在哪里？是不是还在暗中一直跟着我？”
“那毯子是不是他替我盖上的？”
“他知不知道以后永远再也看不见我了？”
“他若知道，是不是会很伤心？”

第二十一章

少女的心

想到这里，她不禁又觉得自己很无聊。

几千几万个人都可以想，为什么偏偏去想他？

“我在这里想他，他还不知道在那里想谁呢！”

于是她就开始想她的父亲，想田心，这些本是她最亲近的人，但也不知为了什么，想到这些人时，好像总不如想“他”想得那么多，那么深。

“这也许只因为最近我总是跟他在一起。”

就连她自己也不能不承认，他的确是个很难被忘记的人。

也许天下所有的怪物都是这样子。

田思思叹了口气，觉得自己的心乱极了。

在这一刻间，她的确想起了很多事，想起了很多奇奇怪怪的问题。

她想东想西，什么都想，就是没有去想一件事——怎么样离开这屋子？

一个少女的心，实在妙得很。

她们有时悲哀，有时欢喜，有时痛苦，有时愤怒，但却很少会发觉到真正的恐惧。

恐惧本是人类最原始、最深切的一种情感。

但是在少女们的心目中，恐惧却好像并不是一种很真实的感觉。

因为她们根本就没有认真去想过这种事。

何苦去问一个少女，在临死前想的是些什么，她的回答一定是你永远也想不到的。

有个很聪明的人，曾经问过很多少女一个并不很聪明的问题。

“你觉得什么是世上最可怕的事？”

他得到很多种不同的回答。

“被自己所爱的人抛弃最可怕。”

“洗澡时发现有人偷看最可怕。”

“老鼠最可怕——尤其是老鼠钻进被窝时更可怕。”

“和一个讨厌鬼在一起吃饭最可怕。”

“半夜里一个人走黑路最可怕。”

“肥肉最可怕。”

还有些回答简直是那聪明人连想都没有想到过的，简直令人哭笑不得。

但却从来没有一个女孩子的回答是：“死最可怕。”

屋子里愈来愈热，愈来愈闷。

田思思忽然想到了一碗用冰镇过的莲子汤。

一想到这件事，她就更觉得没法子忍耐下去。

她简直要发疯。

幸好就在这时，她忽然听到了一种很奇怪的声音。

声音竟是从地下发出来的。

她还没有分辨出那是什么声音，忽然发现地上的石板在向上翻。

她跳起来，退到墙角。

地上已裂开了个大洞，一个人从洞里慢慢地伸出头来……

秦歌！

田思思又惊又喜，忍不住叫了起来。

秦歌看到她，也吃了一惊，看到伏在地上的和尚更吃惊，也忍不住失声道：“你怎么真的将他脑袋敲破了？”

田思思也叫道：“我正想问你，你就算要敲破他脑袋，也不必要他的命。”

秦歌道：“谁敲破了他脑袋，我根本连他的人在哪里都不知道。”

田思思道：“你也不知道，谁知道？”

秦歌道：“你！你岂非一直都跟他在一起的？”

田思思又叫了起来，道：“谁一直都跟他在一起？他掉下去后，你岂非也掉了下去？”

秦歌道："可是我掉下去后连他的影子都没有看见。"

田思思怔了怔，道："你看见了什么？"

秦歌道："什么都没有看见，下面什么都没有，就算有，我也看不见。"

田思思道："为什么？"

秦歌道："因为下面连灯都没有，黑黝黝的，我又不是蝙蝠，怎么能看见东西。"

田思思道："你怎么找到这里来的呢？"

秦歌道："因为这下面有条石阶，我摸索了半天，才摸到这里，一走上石阶，石板就翻了起来，我还以为是你在上面救我的哩！"

田思思苦笑道："我可没有那么大的本事。"

秦歌道："你又怎么会到这里来的呢？这和尚……"

田思思打断了他的话，抢着道："你不要瞎疑心，我来的时候，他就已经是这样子了。"

秦歌皱眉道："是谁杀了他？"

田思思道："鬼才知道。"

听到"鬼"字，秦歌脸上的颜色也不禁变了变，苦笑道："看来这地方好像真有鬼，我只奇怪，你为什么一直待在这里？"

田思思道："你以为我不想走？"

秦歌道："我以为你在等我。"

田思思的脸好像有点发红，道："我怎么知道你会从这里钻出来？"

秦歌道："你既然不是在等我，为什么还不走？"

田思思叹了口气，道："因为我走不了。"

秦歌道："为什么？"

田思思道："我一走进这房子，门就从外面关起来了。"

秦歌动容道："谁关的门？"

田思思道："鬼才知道。"

这次谈到"鬼"字，她自己的脸色也不禁变了变——死虽然好像并不十分可怕，鬼总是可怕的。

秦歌道："你……你推不开这扇门？"

田思思道："从外面锁起来了，我怎么推得开？"

秦歌道："也许你没有用力。"

田思思撅起嘴，道："你以为我真的那么没用？你为什么不自己去试试？"

秦歌当然要去试。

他刚伸出手轻轻一推，门就开了。

田思思几乎不相信自己的眼睛，怔了半晌，忍不住大叫道："这扇门刚才明明是从外面锁上的，一点也不假。"

门既已开了，她已经可以出去，这本是件很开心的事。

但是她却很生气。

会不会被闷死在这里是一回事，是不是被冤枉又是另外一回事了。

田大小姐宁死也不愿被人冤枉。

秦歌叹了口气，道："就算这扇门刚才是从外面锁住的，现在我们总可以走了吧。"

田大小姐道："我不走。"

秦歌也怔了怔，道："为什么不走？"

田思思恨恨道："你冤枉我，你以为我骗你。"

秦歌眨眨眼，道："谁说你骗我，你为什么要骗我？"

田思思道："你嘴里虽这么样说，心里一定还是以为我骗你。"

秦歌笑了，柔声道："我从来没有以为你骗过我，你说的话我从来没有不信的。"

田思思道："可是这扇门……"

秦歌道："这扇门刚才当然是从外面锁住的，那个人既然能偷偷摸摸地把门锁上，自然也能偷偷摸摸地把门打开。"

田思思这才展颜一笑，但立刻又皱起眉，道："但那个人是谁？为什么要鬼鬼祟祟地做这种事呢？"

秦歌道："我们只要找到那个人，就一定能问出来的。"

田思思道："对，我们一定要找到那个人，一定要问个清楚。"

这次她不等秦歌先走，就已先冲出去。

外面的屋子就凉快得多了。

桌上的那三碗茶，还好好地放在那里。

茶当然已凉透。

田思思现在正需要一碗很凉很凉的茶。

只是在几天前，她一定将这三碗茶先喝下去再说，但现在她总算已学乖了，已考虑到这茶里是不是有毒。

她看不出茶里是不是有毒，但老江湖总应该可以看得出的。

秦歌正是个老江湖。

她正想叫秦歌来看看，才发现秦歌还站在那里发愣着。

田思思道："喂，你在发什么楞？在想什么？"

秦歌抬起头，看着她，忽然笑了笑，道："我在想，这扇门若是真的开不开，倒也蛮有趣的。"

田思思道："有趣，那有什么趣？"

秦歌微笑道："门若是真的开不开，我们岂非就要被关在里面，关一辈子。"

田思思的脸又红了，红着脸道："原来你也不是个好东西。"

秦歌笑道："男人有几个真是好东西？"

田思思忽又抬起头，道："你知不知道我本来是想嫁给你的？"

秦歌道："知道。"

田思思咬着嘴唇，道："但现在我们就算被人关在一间屋子里，关一辈子，我也不会嫁给你。"

秦歌道："为什么？"

田思思叹了口气，道："因为你虽然很好，但却不是我心里想嫁的那种人。"

秦歌眨眨眼，道："你心里想嫁的是哪种人？"

田思思怔了半晌，把嘴一抿，道："等我找到时，我一定先告诉你。"

秦歌叹了口气，道："你说这些话，也不怕我听了难受？"

田思思道："我知道你不会难受的，因为你心里想娶的，也一定不是我这种女人。"

秦歌大笑，道："既然如此，看来我们只能做好朋友了。"

田思思嫣然道："永远的好朋友。"

她忽然觉得很轻松，因为她已将心里想说的话说了出来。

秦歌道："既然如此，我也不想跟你关在一间屋子里了，还是快出去吧！”

田思思道：“对，出去找那个人。”

她突又想到这屋子的门刚才也已被人从外面锁了起来，刚才她也没有推开。

但这次她不敢再叫秦歌去试了。

她自己去试。

门果然没有锁上，她伸手轻轻一推，就开了。

“那人既然能将门锁上，就也能打开。”

这倒并没有令田思思觉得很吃惊，很意外。

令她吃惊的是，门一推开，外面就传来一阵阵奇怪的声音。

是什么声音？

是一种她做梦也没有想到，会在这里听见的声音。

门刚推开一线，门外就有各式各样，乱七八糟的声音传进来，有骰子声、洗牌声、呼噜喝斥声、赢钱时的笑声、输钱时的叹气声。

这里本是个赌场，有这种声音本是天经地义的事。

但赌场刚才岂非已不在了？这里岂非已变成了个和尚庙？

何况连那些和尚都已走得干干净净。

这里本已是个空屋子，哪里来的这种声音？

田思思几乎忍不住惊得大叫起来，用力推开门。

门一推开，她就真的忍不住大叫起来。

谁说外面是和尚庙？

谁说外面是空房子？

外面明明是个赌场，灯火还辉煌，各式各样的人在兴高采烈地赌钱。

各式各样的人都有，就只没有和尚。

连一个和尚都没有。

刚才那奇迹般消失了的赌场，现在又奇迹般出现了。

你说这是怎么回事？

这种事谁能解释？

第二十二章

似真似幻

01

赌场里灯火辉煌，每张赌桌旁都挤满了人。

华灯初上，本就是赌场最热闹的时候。

天下所有的赌场都一样。

但田思思看见这情况，却比她刚才看见满屋子的和尚还吃惊十倍。

她怔了很久，才回头。

秦歌站在后面，张大了嘴，瞪大了眼睛，脸上的表情也好像刚被人在肚子上踢了一脚似的。

田思思用舌头舔了舔发干的嘴唇，吃吃道："你看见了什么？"

秦歌道："一……一家赌场。"

田思思道："你真的看见了？"

秦歌苦笑道："谁知道是不是真的？——鬼才知道。"

田思思还想说话，忽然看见一个人笑嘻嘻地向他们走了过来。

一个穿得很讲究的人，手里端着个鼻烟壶，身材很高大，满脸大胡子，看他走路的样子，就知道这人的下盘功夫不弱。

田思思不等他走过来，就先迎了上去，道："这赌场开了多久了？"

这人好像觉得她这问题问得很妙，上上下下看了她几眼，才笑道："这赌场开张的那一天，姑娘只怕还是个小孩子。"

田思思勉强忍住心里的惊惧，道："赌场一开张，你就在这里？"

这人又笑了笑，道："这赌场的第一位客人，就是我请进来的。"

田思思道："你一直都在这里？"

这人道："除了睡觉的时候都在。"

田思思道："今天下午呢？"

这人道："下午我本来通常都要睡个午觉的，但是今天恰巧来了几位老朋友，所以我只有在这里陪着。"

田思思用力握着双手，忽然回过头，道："你……你……你听见他说的话没有？"

秦歌的脸也已发白，一个箭步蹿过来，厉声道："你最好说老实话！"

这人面上露出吃惊之色，道："我为什么要不说老实话？"

田思思接着道："你究竟是什么人？"

这人道："我姓金……"

田思思道："姓金？金大胡子是你的什么人？"

这人摸了摸脸上一部络腮大胡子，笑道："在下就正是金大胡子。"

田思思实在忍不住了，大叫道："你不是金大胡子，绝不是！"

这人显得更吃惊，道："我不是金大胡子是谁？"

田思思道："我不管你是谁，反正你绝不是金大胡子！"

这时旁边有人围了过来。

田思思也没有看清楚那都是什么人，只看见一张张笑嘻嘻的脸，笑得又难看，又奇怪。

这人也在笑，忽然道："姑娘怎知道我不是金大胡子？"

田思思道："因为我认得金大胡子，他没有胡子，连一根胡子都没有。"

这人突然放声大笑起来，指着田思思大笑道："这位姑娘说金大胡子没有胡子。"

所有的人全都放声大笑起来，就好像听到了个天大的笑话。

"金大胡子怎么会没有胡子？"

"他若没有胡子，怎么会叫金大胡子？"

笑声又难听，又刺耳。

田思思简直快要急疯了，气疯了，用尽全身力气大声叫道："金大胡子非但没有胡子，而且已做了和尚。"

这句话说出来，大家笑得更厉害，笑得弯下腰喘不过气来。

“金大胡子若是会去做和尚，天下的人只怕全都要去做和尚了。”

“这位姑娘若不是弄错了人，就一定是中了暑，脑袋发晕！”

田思思跳了起来，道：“我一点也不晕，也没有弄错人，我亲眼看见的。”

那大胡子忍住笑，道：“看见了什么？”

田思思道：“看见金大胡子做了和尚。”

有人抢着道：“他好好的为什么要去做和尚？”

田思思道：“因为有人逼他。”

那人问道：“谁在逼他？”

田思思道：“一个……一个和尚。”

笑声愈来愈大、愈刺耳，她只觉自己的头真的晕了起来。

这一天之中，她遇见的这些奇奇怪怪的事，究竟是真是假，连她自己都已分不清了。

突听一人道：“你是说一个和尚？”

这声音缓慢沉着，并没有高声喊叫，但在这哄堂大笑声中，每个人却都能听得清清楚楚，就好像这人是在自己耳边说话一样。

就算不太懂武功的人，也知道说话的这人必定是内力深厚。

本来围在一起的人，立刻都纷纷散开，不约而同向这声音传来的方向看了过去，才发现说话的这人竟然也是个和尚。

02

这和尚干枯矮小，面黄肌瘦，看来就像是大病初愈的样子，坐在那里也比别人矮了一个头。

但无论谁一眼看过去，都绝不会对他存丝毫轻视之心。

这并不是因为他一双眸子分外锐利，也不是因为还有两个相貌威严、态度沉着的中年和尚站在他身后；既不是因为这些和尚穿的僧袍质料都很华贵，更不是因为他们手里数着的那串金光耀眼的佛珠。

到底是为了什么，谁也弄不清楚，只不过无论谁一眼看到他，心里就会不由自主生出一种敬重之意。

就连田思思都不例外。

她虽然从来没见过这和尚，也不知道这和尚是谁，但心里却觉得他必定是位得道的高僧。

高僧本如名士，无论在什么地方都一样受人注意。

奇怪的是，刚才谁也没有看见他们，这屋子本来连一个和尚都没有。

谁也没有看见这三个和尚是从哪里来的。

田思思眨眨眼，道："你刚才是在问我？"

老和尚道："女施主刚才是否说起一个和尚？"

田思思道："是的。"

老和尚道："那是个什么样的和尚？"

田思思沉吟着，道："那和尚圆圆的脸，笑起来好像还有个酒窝。"

老和尚道："他有多大年龄？"

田思思道："年纪倒并不太大，但说起话来却老气横秋。"

老和尚道："是不是还有位道人跟他在一起？"

田思思道："不但有个道士，还有个秀才。"

老和尚道："现在他们的人呢？"

田思思道："秀才和道士我没有看见，只知道那和尚……"

她长长吐出口气，接着道："那和尚已死了！"

老和尚枯瘦苍老的脸上一点表情都没有，但突然间，"砰"的一声，他坐着的一张红木椅子竟已片片碎裂！

这老和尚却还是稳如泰山般，悬空坐在那里，一动也不动。

每个人都不禁在暗中倒抽了口凉气，再也没有人笑得出来了。

过了很久，才听得这老和尚一字字道："他死在哪里的？"

田思思往后面的那扇门里指了指。

她手指刚指出，老和尚身后的两个中年僧人已横空掠起。

只听衣袂带风之声猎猎作响，数十人身上的衣襟都被劲风带起，有的人甚至连帽子都已被吹走。

田思思忍不住偷偷瞟了秦歌一眼。

秦歌的脸色也很沉重，脖子上的红丝巾似已湿透。

再见那两个中年僧人已从门里走出来，架着那和尚的尸体。

两人虽在尽力控制着自己，但目中却已充满了愤怒之色。

老和尚只看了一眼，就垂下眼帘，双手合十，低宣佛号。

等他再张开眼来，田思思突然觉得好像有道电光在眼前一闪。

老和尚忽然已到了她面前，一字字道："女施主尊姓？"

田思思轻轻咳嗽了两声，道："我姓田，叫田思思。"

老和尚静静地看了她两眼，目光突然转到秦歌身上，道："这位施主呢？"

秦歌道："在下秦歌。"

老和尚道："是不是三户亡秦那个秦？慷慨悲歌那个歌？"

秦歌道："正是。"

老和尚慢慢地点了点头，满带病容的脸上突然有一根根青筋盘蛇般暴起。

但他的声音还是沉着得很，一字字道："好，好武功，好身手，果然是名不虚传。"

田思思忍不住又叫了起来，道："这和尚不是他杀的，你莫要弄错了人。"

老和尚道："不是他杀的，是你？"

田思思道："怎么会是我，我进去的时候，他早已死了。"

老和尚道："进到哪里去？"

田思思道："就是里面那屋子。"

老和尚道："那时秦施主已在屋子里？"

田思思道："不在，他是后来才去的，刚进去没多久。"

那大胡子突然道："那里是在下的私室，别无通路，秦大侠若是刚进去的，在下等为什么没有瞧见？"

田思思道："他不是从这里进去的。"

老和尚道："这位施主刚才已说得很明白，那屋子别无通路。"

田思思道："他……他是从地下钻出来的。"

她自己也觉得这句话很难令人相信，所以立刻又解释着道："今天下午我们来的时候，这和尚还没有死，还在跟我们说话的时候，突然掉到地道里去了。”

老和尚道：“然后呢？”

田思思道：“然后秦歌也掉了下去。那时屋子里已没有别的人，一屋子的和尚都已走了，所以我就进去找他们，才发现这和尚已死在这里面，我想退出来的时候，门已从外面锁着。”

她一口气说到这里，才发现每个人都瞪大了眼睛在看着她。

每个人都好像想笑，又笑不出。

只有那老和尚目中全无笑意，沉声道：“姑娘是今天下午来的？”

田思思道：“那时刚过午时没多久，距离现在最多只有一个半时辰。”

老和尚道：“那时这屋子没有人？”

田思思道：“有人。”

老和尚道：“是不是这些人？”

田思思道：“不是，是一屋子和尚，金大胡子也在其中。”

那大胡子忍不住笑了笑，插嘴道：“在下从未做过和尚，人人都可证明！”

老和尚道：“有没有人能够为女孩子证明？那一屋子和尚呢？”

田思思道：“都……都已走了。”

老和尚道：“到哪里去了？”

田思思道：“不知道。”

老和尚道：“他们走了后，这里还有别的人吗？”

田思思道：“没有，一个也没有！”

这句话没说完，她已发现有人在忍不住偷偷地笑。

等这句话说完，已有人忍不住笑出声来。

老和尚目光闪动，四面看了一眼，道：“各位今天下午都在哪里？”

几十人纷纷抢着道：“就在这里！”

老和尚道：“各位是几时来的？”

有人道：“就是下午来的。”

也有人道：“昨天晚上就来了。”

老和尚道：“各位有没有离开过？”

大家又抢着道："没有，绝对没有。"

赌徒们赌得正高兴的时候，就算用鞭子来赶，也赶不走的。

田思思气得简直要发疯，大叫道："他们在胡说，今天下午，这屋子里明明没有人——这些人连一个都不在这里。"

老和尚看着她，冷冷道："这里七八十位施主都在胡说，只有你没胡说？"

田思思道："我为什么要胡说？"

老和尚道："你可知道死的和尚是谁？"

田思思道："不知道。"

老和尚目中已充满悲愤之意，道："他法号上无下名，正是老僧的师弟。"

那大胡子突然失声道："莫非就是空门第一侠僧，人称'多事和尚'的少林无名大师？"

老和尚长叹道："既然是僧，又何必侠？既然无名，又何必多事？他不入地狱？谁入地狱？"

大胡子动容道："那么，大师你——"

老和尚道："老僧无色，来自少林。"

这名字说出来，突然没有人说话，也没有人笑了。

无论是不是武林中人，对少林寺两大护法高僧的名字，总是知道的。

田思思一直很怒，一直很气，一直在暴跳如雷。

但现在也静了下来。

因为她突然感觉到一种冷入骨髓的寒意，就好像在寒夜中突然一脚踏入已将结冰的湖水里。

这是赌场也好，是庙也好，金大胡子有胡子也好，没胡子也好，那都没有什么太大的关系。

但若杀了少林寺的弟子，杀了江湖中最得人望的侠僧，却完全是另外一回事了。

田思思直到这时，才发现这奇奇怪怪的事完全是一件早已计划好的阴谋。

这阴谋非但可怕，而且真的能要命。

她和秦歌显然已被套入这要命的阴谋里，要想脱身，只怕很不容易。

她第一次真正了解到，被人冤枉是一件多么可怕的事。

每个人都在盯着她，眼色却已和刚才完全不同了。刚才大家最多不过将她当作疯疯癫癫的女孩子，说些疯疯癫癫的谎话，还觉得她很可笑。

但现在大家看着她的时候，简直就好像在看着个死人似的。

“我为什么要说谎？”

“你当然要说谎，无论谁杀了无名大师，都绝不会承认的。”

田思思冲过去嘶声道：“我跟你们无冤无仇，你们为什么要害我？”

大胡子冷冷地睨着她，脚下一步步往后退。

别的人也跟着往后退，就好像她身上带着什么瘟疫，生怕自己会被她沾上。

田思思冲出去，揪住一个人的衣襟，道：“我知道你是个老实人，你为什么不告诉他们，你今天下午根本不在这里，这里根本连一个人都没有！”

她一生从未求过别人，但此刻目中却充满了恳求之色。

这人脸色虽已发白，却还是一口咬定，冷冷道：“今天下午我若是不在这里，怎么会输了五百两银子？”

田思思眼睛都红了，忍不住反手一个耳光掴了过去。

这人摸了摸脸，既不生气，也不计较。

谁也不会跟死人计较的。

那老和尚可真沉得住气，在这种时候，他居然闭起眼睛，数着念珠，居然像是在替无名和尚的亡魂念起经来。

他当然不必着急。

死人本就跑不了的。

田思思又冲过去，大声道：“好，我再说一句话，我跟他无冤无仇，连他的名字都不知道，有什么理由要杀他？”

无色大师沉默了很久，才缓缓道：“据说他已入了山流。”

山流？

田思思道："他入了山流，所以我就要杀了他？"

无色大师道："要杀他的，只怕还不止你们；一入山流，已无异舍身入地狱。"

田思思又跳了起来，大声道："这才是见你的鬼，我连山流是什么玩意儿都不知道。"

无色大师沉下了脸，道："在老僧面前，谁也不敢如此无礼。"

田思思道："是你无理？还是我无理？我就算想杀他，只怕也没有那么大的本事。"

秦歌一直站在那里，好像在发怔，此刻突然叹了口气，道："没有用的。"

田思思道："什么没有用？"

秦歌道："你无论说什么都没有用。"

田思思道："可是我——"

秦歌道："你虽然没有杀他的本事，我却有。"

田思思道："可是你并没有杀他。"

秦歌道："除了你之外，谁能证明我没有杀他？"

田思思怔住了。

秦歌突然仰面狂笑，道："秦某身上的刀伤创伤，大大小小不下五百处，又岂在乎多中这一次暗箭！"

无色大师沉声道："老僧也久闻秦施主你是条硬汉……"

秦歌大笑道："不错，好汉做事好汉当，你若一定要说我杀了他，就算我杀了他又何妨！"

无色大师道："好，既是如此，就请施主跟老僧回少林一趟。"

秦歌道："走就走，莫说少林寺，就算刀山油锅，我姓秦的也一样跟你去。"

田思思突然拉住他衣袖，道："你……你跟他回少林寺干什么？"

秦歌笑了笑，道："随便他们想干什么都行。"

田思思咬着牙道："他们是想要你的命。"

秦歌道："我这条命本就是捡回来的。"

田思思道："你捡回这条命并不容易，怎么能就这样不明不白地被人带走？"

那相貌威严的中年僧人突然插口道："姑娘莫忘了，杀人者死，这不但是天理，而且也是国法。"

田思思道："莫忘了你是个出家人，怎么能口口声声地要死要活，佛门中人不能妄开杀戒，这句话你师父难道没有教过你？"

中年僧人冷冷道："小姑娘好厉害的嘴。"

田思思道："这只怪大和尚的眼睛太不利，连好人坏人都分不清。"

中年僧人沉下了脸，厉声道："出家人的嘴虽不利，但……"

无色大师突然低叱道："住口！你修行多年，怎么也入了口舌障？"

中年僧人双手合十，躬身而退，道："弟子知罪。"

到了这时，每个人心里都有了两个结论。

少林寺果然是戒律森严，但也绝不容任何人轻犯。

秦歌果然是条硬汉。

但这件事的结论是什么呢？到现在还没有人知道。

无色大师沉声道："正因老僧不愿妄开杀戒，所以此番才要将秦施主带回去。"

田思思道："带回去干什么？"

无色大师道："照门规处治。"

田思思道："他也不是少林寺的弟子，你怎么能以门规处治他？"

无色大师道："他杀的是本门弟子，本门就有权以门规处治他。"

田思思道："谁说他杀了你少林寺的和尚？"

无色大师道："事实俱在，何必人说。"

田思思冷笑道："什么叫事实俱在？有谁看见他杀了多事和尚，有谁能证明是他下的手？"

无色大师道："那时只有你们才有下手的机会。"

田思思道："为什么？"

无色大师道："那时只有你们跟他在一起。"

田思思道："那时你在哪里？"

无色大师道："还在路途之上。"

田思思道："你既然还在路上，怎么知道这里的事？怎么知道那屋子里没有别人进去过？”

无色大师面上已不禁现出怒容，道：“小姑娘怎能强词夺理？”

田思思冷冷地道：“是老和尚强词夺理，不是小姑娘。”

无色大师怒道：“好个尖嘴利舌的小妇人，老僧的口舌虽不利，但降魔的手段仍在。”

他已忘了这些话正是他刚才禁止他那徒弟说出来的。

那中年僧人眼观鼻，鼻观心，连看都不敢往他这边看。

田思思冷笑道：“原来只许老和尚妄动嗔心，小和尚就不能……”

无色大师厉声道：“住口！若有人再敢无礼，就莫怪老僧手下无情了。”

田思思道：“你想动武？好！”

她转身拍了拍秦歌的肩，道：“他想动武，你听见了没有？”

秦歌道：“听见了。”

田思思道：“你怕不怕？”

秦歌笑道：“我本就只会动手，不会动口。”

田思思拍手笑道：“这就对了，硬汉是宁可被人打破脑袋，也不能受人冤枉的，否则就不能算硬汉，只能算豆腐。”

秦歌道：“好，我听你的！”

话还没说完，他拳头已飞出，一拳向离他最近的那中年人僧人迎面打了过去。

他出手可真快。

那中年僧人倒也不是弱者，沉腰坐马，左手往上一格，右拳已自下面的空门中反击而出。

少林寺本以拳法扬名天下，这一招连消带打，正是少林“伏虎罗汉拳”中的妙招。

谁知秦歌竟然不避不闪，硬碰硬地挨了他这一拳。

“砰”的一声，那中年僧人的拳头已打在他的肚子上。

看的人一声惊叫，谁也想不到威名赫赫的秦歌竟这么容易就被人打着。

更想不到的是，看的人虽然惊呼出声，挨打的人却一点事也没有。

那中年僧人一拳打在他肚子上，就好像打上块大木头，刚怔了怔。

无色大师已叱道："小心。"

叱声还没有完，这中年僧人的拳头已被秦歌扣住。

接着，秦歌的拳头也打在他肚子上。

这中年僧人可就挨不起了，踉跄后退，双手掩住肚子，黄豆般大的冷汗，一粒粒往外冒，再也直不起腰来。

田思思这才松了口气，笑道："你这叫什么功夫？"

秦歌道："这就叫挨打的功夫。"

田思思道："挨打也算功夫？"

秦歌道："这你就不懂了，未学打人，先学挨打，我的功夫就在这'挨'字上，不但能挨拳头，还能挨刀。"

他的确能挨刀，谁也不能不承认这一点。

他至少已挨过四百七十二刀。

田思思笑道："不错，你打他一拳，他也打了你一拳，本来没输赢的，只可惜他没有你这么样能挨打。"

秦歌笑道："这道理你总算明白了。"

无色大师铁青着脸，慢慢地走了过来，冷笑道："好，老僧倒要看看，你有多能挨？"

秦歌道："你也想试试？"

无色大师道："请！"

秦歌道："好！"

他拳头立刻飞出，用的还是和刚才一样的招式。

无色大师沉腰坐马，左手往上一格，右手已跟着反击而出。

这一招也和那中年僧人刚才使的一模一样。

可是行家一伸手，就知有没有；不怕不识货，就怕货比货。

无色大师身材和拳头虽都比那中年僧人小得多，但这一招神充气足，劲力内蕴，就算是块大木头，也要被打得稀烂。

谁知秦歌这一次竟不挨打了。

他身子突然跃起，凌空一个翻身，已经从无色大师头顶上掠过，并指如剑，急点无色大师脑后的"玉枕穴"。

这一招不但险绝、妙绝，而且出手又准又快，已和刚才那种硬拼硬的招式完全是另一回事。

无色大师低叱道："好！"

叱声中，大仰身，铁板桥，"叮叮当"一串响，铁念珠套向秦歌手腕。

秦歌双腿往后一踢，身子就突然移开三尺，脚尖在一个人肩上一点，跟着就冲天飞起。

谁知无色大师的铁念珠也跟着脱手飞出，风声急厉，如金刃破风。

秦歌的退势再急，总也不如铁念珠的去势急。

就算他真的能挨，但被这铁念珠打在身上——无论打在什么地方，都不会很好受的。

田思思又已不禁惊呼出声，谁知在这时，突听"砰"的一声，屋顶上突然裂了个大洞。

一只手从洞里伸出来，一下子就将那串佛珠抄走。

无色大师怒喝道："谁？"

屋顶有人笑道："一个击敲和尚脑袋的人，尤其是多事的和尚。"

田思思大喜叫道："莫让他走，也许他就是杀无名和尚的人。"

根本用不着她叫，无色大师一撩衣衫，孤鹤冲天，旱地拔葱式，人已如一只飞鹤似的自屋顶的大洞里穿了出去。

就在这同一刹那，屋顶上又飞下十几点寒星，"叮！叮！叮！"一连串急响，屋子里所有的灯光全都已被击灭。

黑暗中人群大乱。

幸好田思思早已认准了秦歌落下来的地方，立刻冲了过去，低叫道："你在哪里？"

一只手伸过来，握住了她的手。

田思思道："我们犯不上跟他们打这场糊涂官司，走吧。"

秦歌的声音道："现在就走，岂非被人认定了是凶手？"

田思思道："你不走别人更认定你是凶手。"

秦歌叹了口气，道："好，走就走。"

门是开着的。

门外有星光射入。

田思思拉住秦歌冲了过去，突见一个人迎面挡在门口，手里提着柄快刀，满脸大胡子，厉声喝道："这两人想溜，快来挡住！"

喝声中，一刀往秦歌砍了过来。

秦歌冷笑，突然冲过去，迎着刀光冲过去。

他什么都怕，就是不怕刀。

多快的刀都不怕。

那大胡子反而慌了，一刀还未砍下，手里的刀已被秦歌劈面夺走。

第二十三章

高　手

01

只见刀光一闪。

刀光就贴着大胡子的面前飞过。

大胡子只觉脸上一凉，吓得心胆皆丧，不由自主伸手往脸上一摸，下巴上好像是光溜溜的。

再见眼前黑丝飞舞，原来是他的胡子。

他脸上的大胡子竟已被人一刀剃得精光。

好快的刀，好妙的刀。

大胡子的腿都软了，一跤坐在地上。

只听田思思的笑声从门外传来，吃吃地笑着道：“我早就说过，金大胡子是没有胡子的。”

秦歌大笑道：“连一根胡子也没有。”

02

现在胡子总算没有问题了。

但和尚呢？

和尚究竟是谁杀的？是不是从屋顶上伸出手来的那个人？

他为什么要杀和尚！为什么要救秦歌？

他又是谁呢？

看来这些问题并不是很快就会解决的，要解决也很不容易。

星光满天。

田思思停下来，喘着气。

这里总算再也看不见和尚，看不见大胡子了。

田思思看看秦歌的脸，忽然笑道："幸好你没有留胡子，你运气真不错。"

秦歌道："我运气还不错？"

田思思道："你若留了胡子，我一定把它一根根地拔下来。"

她忽又皱起眉，道："你认不认得那大胡子？"

秦歌道："非但不认得，连见都没见过。"

田思思道："我也没见过，我见过的人里面，胡子最多的，也没有他一半那么多。"

秦歌看了看手里的刀，忍不住笑道："幸好这把刀很快，否则还真不容易一下子把他的胡子剃下来。"

田思思也笑了，道："想不到你除了挨打的本领外，刀法也不错。"

秦歌道："一个人若挨了四百七十二刀，刀法怎么样也错不了的。"

田思思叹了口气，道："但那老和尚也实在厉害，看起来就像是只皮猴子似的，想不到竟那么难对付。"

秦歌道："少林寺上上下下，几千个和尚，连一个好对付的都没有，何况他还是那几千个和尚里面，最难对付的一个。"

田思思道："他真的是少林第一高手？"

秦歌道："就算不是第一，也差不远了。"

田思思叹道："这就难怪连你都不是他的对手了。"

秦歌瞪眼道："谁说我不是他的对手？"

田思思撇了撇嘴，道："我也知道若不是有人救你，你已经……"

秦歌抢着道："那不能算数。"

田思思道："为什么？"

秦歌道："因为他用了兵刃，我却是空手的，先就已吃了亏。"

田思思道："他用的也不过是串念珠而已。"

秦歌道："那念珠就是他的兵器，出家人走在外面，总不好意思拿刀带剑的，尤其是他这种身份地位的和尚，所以只有用这种不像兵器的兵器。"

田思思眨眨眼，道："他若也空手呢？你就能击败他？"

秦歌笑了笑，道："至少总差不多。"

田思思道："少林派是武林正宗，几百年来，还没有一派的名声能盖过它的，你武功既然和少林的第一高手差不多，岂非已天下无敌？"

秦歌道："嘿嘿！哈哈！"

田思思道："嘿嘿哈哈是什么意思？"

秦歌笑道："就是我并不是天下无敌的意思。"

田思思也笑了，道："你总算很老实。"

秦歌叹了口气，道："大侠不能不老实。"

田思思道："依你自己看，世上有几个人武功比你高？"

秦歌想了想，道："不多。"

田思思道："不多是什么意思？"

秦歌道："不多就是也不少的意思。"

田思思道："究竟有几个？"

秦歌想了想，道："听说东海碧螺岛，翡翠城的城主，剑法之快，天下无双。"

田思思道："他算不算天下第一？"

秦歌道："不算。"

田思思道："谁能算天下第一？"

秦歌道："小李飞刀！"

说出这四个字时，甚至连他脸上都不禁显出景仰敬重之色。

无论谁提起"小李飞刀"这名字时，都不能不佩服的。

不佩服的人早已全都"再见"了。

田思思也不禁为之动容，道："你说的是不是李寻欢李探花？"

秦歌叹道："除了他还有谁？"

田思思道："听说他归隐已久，现在难道还在人世？"

秦歌道："当然还在，这种人永远都在的。"

他说得不错。

有种人好像永远都不会死的，因为他们永远活在人们心里。

田思思道："我们不算那些已归隐的人，只算现在还在江湖中走动的。"

秦歌道："那就不太多了。"

他想了想，又接着道："少林掌门无根，内力之深厚，无人可测。"

田思思道："你跟他交过手了？"

秦歌道："没有，我不敢。"

田思思嫣然道："好，算他一个。"

秦歌道："还有武当的飞道人，巴山剑客顾道人，大漠神龙……这些人我也最好莫要跟他们交手。"

田思思道："只有这几个？"

秦歌道："除此之外，至少还有一个。"

田思思道："谁？"

秦歌道："刚才救我的人。"

田思思道："那人你连看都没有看见，怎么知道他武功高低？"

秦歌道："他在屋顶上，能一伸手就穿过屋顶，而且刚巧接住无色大师的念珠，就凭这一手，我根本就比不上。"

田思思也不能不承认，点头道："这一手实在很了不起。"

秦歌道："还有一手。"

田思思道："是不是打灭灯光的那一手？"

秦歌道："不错，那样的暗器功夫，简直已无人能及。"

田思思道："你想，无色和尚是不是他杀的？"

秦歌叹道："我只知道，那和尚不是我杀的。"

田思思道："那些人跟我们无冤无仇，连面都没见过，为什么一定要冤枉我们呢？"

秦歌沉吟道："他们用的也许是嫁祸江东之计。"

田思思皱了皱眉，道："嫁祸江东之计？"

秦歌道："这句话的意思你不懂？"

田思思道："我当然懂，你是说他们想要无名和尚死，却又怕少林派的人来复仇，所以才想出这法子来嫁祸给你。"

秦歌道："差不多就是这么回事。"

田思思道："但'他们'究竟是些什么人呢？为什么一定要无名和尚死？"

秦歌道："你知不知道'少林派'这三个字的意思？"

田思思道："我知道！"

她应该知道。

数百年来，"少林派"这三个字在江湖人心目中，就等于是"武林正宗"的意思。

所以只要是正常的人，谁也不愿意去冒犯他们的。

秦歌道："你知不知道这无名和尚在少林寺中的地位？"

田思思道："他地位好像不低。"

秦歌叹了口气，道："何止不低而已。"

田思思道："听说少林寺中地位最高的，除了掌教方丈之外，就是两大护法。"

秦歌道："严格说来，不是两大护法，而是四大护法。"

田思思道："究竟是两大？还是四大？"

秦歌道："最正确的说法，是两大两小。"

田思思笑了，道："想不到做和尚，也像做官一样，还要分那么多阶级。"

秦歌道："人本来就应该有阶级。"

田思思道："但我却认为每个人都应该是同样平等的，否则就不公平。"

秦歌道："好，我问你，一个人若是又笨又懒，一天到晚，除了吃饭睡觉外，什么事都不做，他会变成个什么样的人？"

田思思道："要饭的。"

秦歌道："还有另外一个人，又勤俭、又聪明、又肯上进，他是不是也会做要饭的？"

田思思道："当然不会。"

秦歌道："为什么有人会做要饭的？有人却活得很舒服呢？"

田思思道："因为有的人笨，有的人聪明，有的人勤快，有的人懒。"

秦歌道："这样子是不是很公平？"

田思思道："很公平。"

秦歌道："人，是不是应该有阶级？"

田思思道："是。"

秦歌道：“每个人站着的地方，本来都是平等的，只看你肯不肯往上爬，你若站在那里乘凉，看着别人爬得满头大汗，等别人爬上去之后，再说这世界不平等、不公平，那才是真正的不公平。”

他慢慢地接着道：“假如每个人都能明白这道理，世上就不会有那么多仇恨和痛苦存在。”

田思思凝视着他，忽然轻轻叹了口气，道：“我忽然发现你讲话愈来愈像一个人了。”

秦歌道：“像谁？”

田思思摇了摇头，叹息着道：“你不会认得他的。他……”

她咬住嘴唇，没有再说下去。但却在心里问自己：“那大头鬼为什么连人影都不见了，我以后还会不会再见到他？”

秦歌忽又道：“我们刚才说到哪里了？”

田思思红着脸笑了笑，道：“我们在说少林寺的护法，有两大两小。”

秦歌道：“两大护法的意思，就是说这两人年纪都已不小，而且修为甚深，所以不到万不得已时，绝不过问人间事。”

田思思道：“两小护法呢？”

秦歌道：“这两位护法的年纪通常都还在壮年，少林寺真正管事的人就是他们，所以这两人非但一定极精明公平，武功也一定很高。”

田思思道：“这么样说来，原来两小护法也并不小。”

秦歌点点头，道：“那无名和尚本来就是少林寺的护法，也就是当今掌门方丈的小师弟。”

田思思道：“看起来他倒不像有这么大来头的。”

秦歌道：“数百年来，敢杀少林寺护法的，只有一种人。”

田思思道：“哪种人？”

秦歌道：“疯人。”

田思思失笑道：“你难道认为那些人都疯了？”

秦歌道：“疯人却有两种。”

田思思道：“哪两种？”

秦歌道：“一种是自己要发疯，一种是被别人逼疯的。”

田思思眼珠子转动，道：“你以为他们是被无名和尚逼疯的？”

秦歌道："一定不会错。"

田思思道："无名大师为什么要逼他们？"

秦歌道："因为这和尚喜欢多事。"

田思思道："他既然是少林寺的护法，为什么还要多事？"

第二十四章

谁是高手

01

秦歌道："我只说他本来是少林寺的护法。"

田思思道："本来是，现在可不是了？"

秦歌道："六七年前就已不是。"

田思思道："是不是被人家赶了出来？"

秦歌道："也不是，是他自己出走的。"

田思思道："好不容易才爬到那么高的地位，为什么要走呢？"

秦歌道："因为少林寺太冷，他的心却太热。"

田思思道："出家人是不是不能太热心？"

秦歌道："所以他宁可下地狱。"

田思思也叹了口气，道："我现在才总算明白了这句话的意思。"

秦歌道："哦？"

田思思道："有种人下地狱并不是被赶下去的，而是他自己愿意下去救别人。"

秦歌微笑道："你能明白这句话，就已经长大了很多。"

田思思撅起嘴，道："我本来就已是个大人了。"

秦歌道："你本来也不过是位大小姐，现在才能算是个大人。"

田思思没有再说什么。

因为她自己也已发现，这几天来她实在已长大了很多——甚至好像比以前那十几年长得还多些。

她已懂得"大小姐"和"大人"之间的距离。

这距离本是一位大小姐永远不会懂得的。

过了很久，她忽又问道：“刚才那老和尚说了句很奇怪的话，不知道你听懂了没有？”

秦歌道：“老和尚说的话，十句里总有七八句是奇奇怪怪的。”

田思思道：“但那句话特别不一样。”

秦歌道：“哪句？”

田思思道：“其实也不能算是一句话，只是两个字。”

秦歌道：“两个字？”

田思思道：“山流。”

一听到这两个字，秦歌的表情果然变得有点不同了。

田思思道：“那老和尚说无名和尚应该下地狱，因为他已入了山流，你听见了没有？”

秦歌点点头。

田思思道：“山流是什么意思？”

秦歌沉默了很久，才缓慢道：“山流就是一群人。”

田思思道：“一群人？”

秦歌道：“一群朋友，他们的兴趣相同，所以就结合在一起，用‘山流’这两个字做他们的代号。”

田思思道：“他们的兴趣是什么？”

秦歌道：“下地狱。”

田思思道：“下地狱救人？”

秦歌道：“不错。”

田思思道：“在他们看来，赌场也是地狱，他们要救那些已沉沦在里面的人，所以才要把赌场改成和尚庙？”

秦歌道：“和尚庙至少不是地狱，也没有可以烧死人的毒火。”

田思思道：“但他这么样做，开赌场的人却一定会恨他入骨。”

秦歌道：“不错。”

田思思道：“所以那些人才想要他的命。”

秦歌道：“不错。”

田思思道：“江湖中的事，我也听过很多，怎么从来没有听说过‘山流’这两个字？”

秦歌道：“因为那本来就是种很秘密的组织。”

田思思道："他们做的又不是见不得人的事，为什么要那么秘密？"

秦歌道："做了好事后，还不愿别人知道，才是真正的做好事。"

田思思道："但真正要做好事，也并不太容易。"

秦歌道："的确不容易。"

田思思道："要做好事，就要得罪很多坏人。"

秦歌道："不错。"

田思思道："坏人却不太好对付的。"

秦歌叹道："所以他们无论做什么事，都要冒很大的险，一不小心就会像无名和尚那样，不明不白地死在别人手上。"

田思思道："但他们还是要去做，明知有危险也不管？"

秦歌道："无论多困难、多危险，他们都全不在乎，连死都不在乎。"

田思思叹了口气，眼睛却亮了起来，道："不知道以后我有没有机会认得他们。"

秦歌道："机会只怕很少。"

田思思道："为什么？"

秦歌道："因为他们既不求名，也不求利，别人甚至连他们是些什么人都不知道，怎么去认得他们？"

田思思道："你也不知道他们是些什么人？"

秦歌道："到现在为止，我只知道一个无名和尚，若非他已经死了，无色只怕还不会泄露他的身份。"

田思思道："除了他之外，至少还有个秀才，有个道士。"

秦歌点点头，道："他们当然可能是山流的人，但也可能不是，除非他们自己说出来，谁也不能确定。"

田思思沉吟着，道："这群人里面既然有和尚，有道士，有秀才，也就可能有各种奇奇怪怪的人。"

秦歌道："不错，听说山流之中，分子之复杂，天下武林江湖没有任何一家帮派能比得上。"

田思思道："这些人是怎么会组织起来的呢？"

秦歌道："因为一种兴趣，一种信仰。"

田思思道："除此之外，就没有别的？"

秦歌道："除此之外，当然还有一个能组织他们的人。"

田思思道："这人一定很了不起。"

秦歌道："一定。"

田思思眼睛又发出了光，道："我以后一定要想法子认得他。"

秦歌道："你没有法子。"

田思思道："为什么？"

秦歌道："因为根本没有人知道他是谁。"

田思思眼波流动，道："所以，任何人都可能是他。"

秦歌道："不错。"

田思思盯着他，道："你也可能就是他。"

秦歌笑了，道："我若是他，一定告诉你。"

田思思道："真的？"

秦歌笑道："莫忘了我们是好朋友。"

田思思叹了口气，道："只可惜你不是。"

秦歌道："我也不是山流中的人，因为我不够资格。"

田思思道："为什么不够资格？"

秦歌道："要入山流，就得完全牺牲自己，就得要有下地狱的精神，赴汤蹈火也万死不辞！"

田思思道："你呢？"

秦歌叹道："我不行，我太喜欢享受。"

田思思嫣然道："而且你也太有名，无论走到哪里去，都有人注意你。"

秦歌苦笑道："这正是我最大的毛病。"

田思思叹道："他们选你做替死鬼，想必也正是为了你有名，既然无论什么地方都有人认得你，你就算想跑，也跑不了。"

秦歌苦叹道："人怕出名猪怕肥，这句话真他妈的对极了。"

田思思道："现在非但少林派的人要找你，山流的人也一定要找你。"

秦歌道："山流的人比少林派还可怕。"

田思思道："你这么样一走，他们更认定你就是凶手了。"

秦歌只有苦笑。

田思思看着他，又忍不住长长叹息了一声，垂下头道："我现在才知道我做错了一件事。"

秦歌道："什么事做错了？"

田思思道："刚才我不该叫你跑的。"

秦歌道："的确不该。"

田思思咬着嘴唇，道："但你为什么要跟着我走呢？"

秦歌道："也许我并不是为了你而走的呢？"

田思思道："不是为了我，是为了谁？"

秦歌道："刚才救我的那个人。"

田思思道："你知道他是谁？"

秦歌点点头道："除了他之外，天下所有的人加起来，也未必能拉我走。"

田思思道："为什么？"

秦歌道："因为我心里真正佩服的，只有他一个人。"

田思思张大了眼睛，道："想不到你居然也有佩服的人。"

秦歌道："像他那样的人，你想不佩服他都不行。"

田思思道："他是个怎么样的人？"

秦歌道："一个叫你不能不佩服的人。"

田思思道："他究竟是谁？"

秦歌笑了笑，笑得好像很神秘。

田思思目光闪动，道："是不是柳风骨？"

秦歌不开腔。

田思思道："是不是岳环山？"

秦歌还是不开腔。

田思思道："你为什么不开腔？"

秦歌笑了，道："你认不认得他们？"

田思思道："现在还不认得。"

秦歌道："我也不认得。"

田思思好像很意外，道："你怎么会连他们都不认得？"

秦歌微笑道："因为我很走运。"

田思思瞪了他半天，忽然撇了撇嘴，冷笑道：“现在我知道你佩服的人是个怎么样的人了。”

秦歌道：“哦？”

田思思道：“他一定是个不如你的人，所以你才会佩服他。”

她不让秦歌开口，又抢着说道：“男人在女人面前称赞另一个男人的时候，那人一定是个比不上他的人，就好像……”

秦歌也抢着道：“就好像女人在男人面前称赞另一个女人时，那女人一定比她丑，是不是？”

田思思忍不住笑道：“一点也不错。”

秦歌笑道：“你这就是以小女人之心，度大男子之腹。”

田思思叫了起来，道：“男人有什么了不起？”

秦歌道：“男人本来也没什么了不起，只不过他若肯在女人面前称赞另一个男人时，那人就一定很了不起。”

02

男人有很多事都和女人不同——这道理无论男人也好，女人也好，只要是个人，都知道的。

这其间的分别并不大，却很妙。

你若是男人，最好懂得一件事。

若有别的男人在你面前称赞你，不是已将你佩服得五体投地，就是将你看成一文不值的呆子，而且通常都另有目的。

但他若在你背后称赞你，就是真的称赞了。

女人却不同。

你若是女人，也最好明白这一件事：

若有别的女人不管是在你面前称赞你也好，在你背后称赞你也好，通常却只有一种意思——

那意思就是她根本看不起你。

她若在你背后骂你，你反而应该觉得高兴才是。

还有件事很妙。

当一个男人和女人单独相处时，问话的通常都是女人。

这种情况男人并不喜欢，却应该觉得高兴。

因为女人若不停地问一个男人各种奇奇怪怪的问题，无论她问得多愚蠢，都表示她至少并不讨厌你。

她问的问题愈愚蠢，就表示她愈喜欢你。

但她若连一句话都不问你，你反而在不停地问她。

那就糟了。

因为那只表示你很喜欢她，她对你却没有太大的兴趣。

也许连一点兴趣都没有——一个女人若连问你话的兴趣都没有了，那她对你还会有什么别的兴趣？

这情况几乎从没有例外的。

现在也不例外。

田思思是女人，她并不讨厌秦歌。

所以她还在问："你佩服的那个人究竟是谁？"

这问题本来很简单，很容易回答。

妙的是秦歌偏偏不肯说出来。

03

男人和女人有很多地方不同，城市和乡村也有很多地方不同。

在很多喜欢流浪的男人心目中，"城市"最大的好处就是，无论到了多晚，你都可以找到个吃东西的地方。

那地方当然不会很好。

就正如一个可以在三更半夜找到的女人，也绝不会是好女人一样。

但"有"总比"没有"好，好得多了。

04

就算在最繁荣的城市里，也会有很多空地，为了一些莫名其妙的原因，被人空置在那里。

这些地本来当然是准备用来盖房子、做生意的，谁也弄不清后来房子为什么没有盖起，生意为什么没有做成。

到后来人们甚至连这块地的主人是谁，都渐渐弄不清了。

大家只知道那里有块没有人管的空地，无论谁都可以到那里去放牛，去养猪，去打架，去杀人——甚至去撒尿。

只有脑筋动得特别快的人，才会想到利用这空地去赚钱。

用别人买来的地方去赚钱，当然比较轻松愉快，却也不是件容易事。

因为你不但要脑筋动得比别人快，拳头也得比别人硬些。

这摊子就在一块很大的空地上。

田思思问过秦歌："你要带我到哪里吃东西去？"

秦歌道："到七个半去。"

田思思道："七个半是什么意思？"

秦歌道："七个半就是七文半钱，七个半大钱。"

田思思道："那地方就叫七个半？"

秦歌点点头，笑道："那地方的老板也就叫作七个半。"

田思思道："这人怎么会有这么奇怪的名字？"

秦歌道："因为别人剃头要十五文钱，他却只要七文半。"

田思思道："为什么呢？"

秦歌道："因为他是个秃子。"

田思思也笑了。

秦歌道："这人在市井中本来已很有名，后来又在那里摆了个牛肉摊子，无论牛肉面也好，猪脚面也好，都只卖七个半大钱一碗，到后来生意做出了名，人当然就更出名，这里出来混混的人，不知道七个半的只怕很少。"

田思思道："那里的生意很好？"

秦歌道："好极了。"

这摊子的生意的确好极了。

田思思从未在三更半夜里，看到这么多人，也从未在同一个地方，看到这么多种不同的人。

几十张桌子都已坐满了，各式各样不同的人。

有人是骑马来的，有人是坐车来的，所以空地的旁边，还停着很多车马。

各式各样不同的车马。有的马车上，居然还有穿得很整齐、很光鲜的车夫在等着。

田思思实在想不通，这些人既然养得起这么漂亮的车马，为什么还要到这种破摊子上来，吃七个半大钱一碗的牛肉面？

一大片空地上，只有最前面吊着几个灯笼。

灯笼已被油烟熏黑，根本就不太亮，地方却太大，灯光照不到的地方，还是黑黝黝的，连人的面目都分辨不出。

灯光照不到的地方，远比灯光能照到的地方多。

田思思和秦歌在旁边等了半天，才总算在灯光照不到的地方找得张空桌子。

居然没有人注意到秦歌。

又等了半天，才有个阴阳怪气的伙计过来，把杯筷往桌子上一放。

“要不要酒？”

“要。”

“多少？”

“五斤。”

问完了这句话，这伙计掉头就走。

甚至连看都没有看他们一眼。

田思思怔住了，忍不住道：“这伙计好大的架子。”

秦歌笑笑，道：“我们是来吃东西的，不是来看人的。”

田思思道：“但他却没有问你要吃什么？”

秦歌道：“他用不着问。”

田思思道：“为什么？”

秦歌道：“因为这里一共只有四样东西，到这里来的人差不多都每样叫一碟。”

田思思皱眉道："哪四样？"

秦歌道："牛肉面、卤牛肉、猪脚面和红烧猪脚。"

田思思又怔了怔，道："就只这四样？"

秦歌笑道："就这四样也已经足够了，不吃牛肉的人，可以吃猪脚，不吃猪脚的人，可以吃牛肉。"

田思思叹了口气，苦笑道："能想出这四样东西来的，倒真是个天才。"

也许就因为这地方只有这四种东西，所以人们才觉得新鲜。

秦歌道："我知道他绝不是个天才。"

田思思道："哦？"

秦歌道："就因为他不是天才，所以才会发财。"

田思思又笑了。

她也不能不承认这话有道理。

但究竟是什么道理，她却不大清楚。

世上岂非本就有点莫名其妙的道理，本就没有人能弄得清楚。

没有摆桌子的地方，更暗。

田思思抬起头，忽然发现有好几条人影在黑暗中，游魂般地荡来荡去，既看不清他们的衣着，更辨不出他们的面目，只看得到一双双发亮的眼睛，就好像是在等着捉兔子的猎狗一样。

那种目光实在有点不怀好意。

田思思忍不住问道："那些是什么人？"

秦歌道："做生意的人。"

田思思道："到这里来做生意？做什么生意？"

秦歌道："见不得人的生意。"

田思思想了半天，才点了点头，却也不知道是真懂，还是假懂。

黑暗中不但有男人，还有女人。

这些女人在等着做什么生意？——这点她至少总算已懂得了。

然后她回过头，去看那比较亮的一边。

她看到各种人，有贫有富，有贵有贱。

差不多每个人都在喝酒——这就是他们唯一的相同之处；除此之

外，他们就完全是从绝不相同的世界中来的。

然后她就看到刚才的伙计托着个木盘走了过来。

面和肉都是热的。

只要是热的，就不会太难吃。

但田思思吃了几口，就放下筷子，看看秦歌道："你说这地方很出名？"

秦歌道："嗯。"

田思思道："就是卖这两种面出名的？"

秦歌道："嗯。"

田思思四面看了一眼，忽然叹了口气，道："我看这些人一定都有病。"

秦歌道："哪些人？"

田思思道："这些特地到这里来吃东西的人！"

秦歌将面碗里的牛肉一扫而光，才长长吐出口气，道："他们没有病。"

田思思道："这个人呢？"

她说的是她眼睛正在盯着看的一个人。

这人坐在灯光比较亮的地方，穿着件看来就很柔软，很舒服的淡青长衫，不但质料很高贵，剪裁得也很合身。

他年纪并不太大，但神情间却自然带着这种威严，就算坐在这种破桌子、烂板凳上，也令人不敢轻视。

田思思道："这个人一定很有地位。"

秦歌道："而且地位还不低。"

田思思道："像他这种人，家里一定不会没有丫头、佣人。"

秦歌道："非但有，而且还不少。"

田思思道："他若想吃什么，一定会有人替他准备好的。"

秦歌道："随时都有。"

田思思道："那么，他若没有病，为什么要一个人半夜三更的到这种地方来吃东西呢？"

秦歌慢慢地喝了杯酒，又慢慢地放下酒杯，目光凝视着远方的黑暗，过了很久，才低低地叹息了一声，道："你知不知道什么叫寂寞？"

田思思道："当然知道，我以前就常常都会觉得很寂寞。"

秦歌道："那时你在想些什么？"

田思思道："我想东想西，想出来到处逛逛，想找个人聊聊天。"

秦歌忽然笑了，道："你以为那就是寂寞？"

田思思道："那不是寂寞是什么？"

秦歌道："那只不过你觉得很无聊而已，真正的寂寞，不是那样子的！"

他笑了笑，笑得很凄凉，缓缓接着道："真正的寂寞是什么样子？也许没人能说得出来，因为那时你根本就不知道自己在想什么。"

田思思在听着。

秦歌道："你若经历过很多事，忽然发觉所有的事都已成了过去；你若得到过很多东西，忽然发觉那也全是一场空；到了夜深人静时，只剩下你一个人……"

他语声更轻、更慢，缓缓地接着道："到了那时，你才会懂得什么叫寂寞。"

田思思眨了眨眼，道："你懂得？"

秦歌好像没有听到她在说什么，又痴痴地怔了半天，才接着道："那时你也许什么都没有想，只是一个人坐在那里发怔，只觉得心里空荡荡的，找不到着落，有时甚至会想大叫，想发疯……"

田思思道："那时你就应该去想些有趣的事。"

秦歌又道："人类最大的痛苦，也许就是永远无法控制自己的思想，你若拼命想去回忆过去那些有趣的事，但想到的却偏偏总是那些辛酸和痛苦，那时你心里就会觉得好像有根针在刺着。"

田思思笑道："好像有根针在刺着？那只不过是文人们的形容而已……"

秦歌又喝了杯酒，道："以前我也不信一个人的心真会痛，也以为那只不过是文人们的形容过甚，但后来我才知道，就算是最懂得修辞用字的文人墨客之流，也无法形容出你那时的感觉。"

他笑得更凄凉，接着道："你若有过那种感觉，才会懂得那些人为什么要三更半夜的，一个人跑到这破摊子上来喝酒了。”

田思思沉默了半晌，道：“就算他怕寂寞，也不必一个人到这里来呀。”

秦歌道：“不必？”

田思思道：“他为什么不去找朋友？”

秦歌道：“不错，你痛苦的时候，可以去找朋友陪你；陪你十天，陪你半个月，但你总不能要朋友陪你一辈子。”

田思思道：“为什么？”

秦歌道：“因为你的朋友们一定也有他自己的问题要解决，有他自己的家人要安慰，绝不可能永远地陪着你。”

他又笑了笑，道：“何况你也不会真的愿意要你的朋友永远来分担你的痛苦。”

田思思道：“你至少可以花钱雇些人来陪你。”

秦歌道：“那种人绝不是你的朋友，你若真正寂寞，也绝不是那种人可以解除的。”

田思思眼珠子转了转，说道：“我知道另外还有种人。”

秦歌道：“哪种人？”

田思思道：“像张好儿那种人，她那地方至少比这里舒服多了。”

她又向那青衫人瞟了一眼，道：“像他那样的人，应该有力量到那里去的。”

秦歌道：“不错，他可以去，但那种地方若去得多了，有时也会觉得很厌倦，厌倦得要命。”

田思思道：“所以，他宁可一个人到这里来喝闷酒？”

秦歌道：“这里不止他一个人。”

田思思道：“但这里的人虽多，却没有他的朋友，也没有人了解他的痛苦，他岂非还是等于一个人一样？”

秦歌道：“那完全不同。”

田思思道：“有什么不同？”

秦歌道：“因为在这里他可以感觉到别人存在，可以感觉到自己还是活着的，甚至还会看到一些比他更痛苦的人……”

田思思道：“一个人若看到别人比他更痛苦，他自己的痛苦就会减轻么？”

秦歌道：“有时的确是的。”

田思思道：“为什么？人为什么要如此自私？”

秦歌苦笑道：“因为人本来就是自私的。”

田思思道：“我就不自私，我只希望天下每个人都快乐。”

秦歌长长叹息了一声，道：“等到你再长大些时，就会懂，这种想法是绝不可能实现的！”

田思思道：“人为什么不能快乐？”

秦歌道：“因为你若想得到快乐，就往往要付出痛苦的代价。你若得到了一些事，就往往会同时失去另外一些事……”

田思思道：“人为什么要这样想呢？为什么不换一种想法？”

她眼睛闪着光，又道：“你在痛苦时，若想到你也曾得到过快乐；失去了一些东西时，若想到你已得了另外一些东西，你岂非就会快乐得多？”

秦歌凝视着她，忽然笑了，举杯一饮而尽，道：“就因为世上还有你这么样想的人，所以这世界还是可爱的。”

到这里来的人，当然并不完全都因为寂寞。

秦歌道：“还有些人是因为白天见不得人，所以晚上到这里来活动活动；也有些人是因为觉得这地方不错才来的。”

田思思道：“真有人觉得这地方不错？”

秦歌道：“当然有，我就觉得这地方不错。”

田思思道：“你觉得这地方有哪点好？”

秦歌道：“这地方并不好，牛肉跟猪脚也并不好吃，但却有种特别的味道。”

田思思嫣然道：“什么味道？臭味么？”

秦歌道：“你若天天到大饭馆、大酒楼去，也会觉得没意思的，偶尔到这里来几次，就会觉得很新鲜，很好玩。”

田思思道：“是不是因为这地方特别适合心情不好的人？”

秦歌道：“也不是，那就好像……”

他笑了笑，接着道：“就好像你若每天守着自己的老婆，偶尔去找找别的女人，就算那女人比你老婆丑得多，你也会觉得有种新鲜的刺激。”

田思思故意板起了脸，道：“你怎么好意思在一个女孩子面前说这种话？”

秦歌笑道：“因为我知道你不会嫁给我的，一个男人若将一个女人当作朋友，往往就会忘记她是个女人了。”

田思思又笑了。

她笑得很甜，很愉快。

可是也不知为了什么，她心里忽然产生了一种说不出的惆怅，说不出的空虚，仿佛找不到着落似的。

秦歌本是她心目中的男人，但现在她也好像已渐渐忘记他是个男人了。

因为他已是她的朋友。

她真正需要的，并不是一个朋友，而是一个可以永远陪伴她、安慰她，可以让她躺在怀里的男人。

以后她是不是可以找到这种男人？

她不知道。

这种男人究竟应该是什么样子的？

她也不知道。

也许她只有永远不停地去找，也许她永远找不到。

也许她虽已找到，却轻易放过了。

人们岂非总是会轻易放过一些他最需要的东西？直等他已失去了之后，才知道这种东西对他有多么重要。

“无论如何，那大头鬼总不是我要找的。”

田思思咬咬牙。

“他就算永远不来看我，我也没什么，就算是死了，我也不放在心上。”

她在心里一遍又一遍地告诉自己，好像要强迫自己承认这件事。

但她也不能不承认，只有跟杨凡在一起的时候，她心里才不会有这种空虚惶恐的感觉。

她也许会气得要命，也许会恨得要命，但却绝不会寂寞的。

秦歌正看着她，忽然道：“你在想什么？”

田思思忽然端起酒杯，一口喝了下去，勉强笑道：“我在想，不知道那个人会不会来。”

秦歌道：“谁？”

田思思道：“你最佩服的那个人。”

秦歌微笑着，笑得好像很神秘，道：“那个人现在已经来了。”

田思思道：“在哪里？”

秦歌道：“你回头看看。”

第二十五章

神偷·跛子·美妇人

01

田思思立刻回过头。

一回头也就看到了杨凡。

杨凡还是老样子，大大的头，圆圆的脸，好像很笨很胖的样子。

但田思思现在居然一点也不觉得他难看了。

她只觉得心里忽然涌起了一阵温暖之意，非但温暖，而且愉快。

那种感觉，就好像一个人忽又寻回了他所失去的最心爱的东西一样。

她几乎忍不住要叫起来，跳起来。

但她却扭回了头，而且板起了脸。

因为杨凡好像并没有看见她，也没有注意她。

杨凡正在跟别的人说话。

在他心目中，全世界的人好像都比她重要得多。

田思思忽然一点也不空虚了，为什么？因为她已装了一肚子气，气得要命。

秦歌微笑着，道："现在你总该知道他是谁了吧？"

田思思冷笑道："我只知道你活见了大头鬼。"

她忍不住又问道："你最佩服的人真是他？"

秦歌点点头。

田思思道："刚才救你的人也是他？"

秦歌微笑道："而且，昨天晚上怕你着凉的人也是他。"

田思思涨红了脸，道："原来你看见了。"

秦歌道："我只好装作没看见。"

田思思瞪着他，恨恨地道："你们是不是早就认得的？"

秦歌道："我若不认得他，就不会佩服他了。"

他微笑着，又道："一个真正值得你佩服的人，总是要等到你已认得他很久，才会让你知道他是怎么样一个人的。"

杨凡究竟是个怎么样的人呢？

田思思本来知道得很清楚——

他是名门之子，也是杨三爷千万家财的唯一继承人，本来命中注定就要享福一辈子的。

可是他偏偏不喜欢享福。

很小的时候，他就出去流浪，出去闯自己的天下。

他拜过很多名师学武，本来是他师傅的人，后来却大都拿他当朋友。

吃喝嫖赌，他都可以算是专家。有一次据说曾经在大同的妓院连醉过十七天，喝的酒足够淹死好几个人。

但有时他也会将自己一个人关在和尚庙里，也不知他是为了想休息休息，还是在忏悔自己的罪恶。

他的头很大，脸皮也不薄。

除了吃喝嫖赌外，他整天都好像没什么别的正经事做。

这就是杨凡——田思思所知道的杨凡。

她知道得可真不少。

但现在她忽然发现，她认得他愈久，反而愈不了解他了。

这是不是因为她看得还不够清楚？

田思思瞪大了眼睛，看看杨凡。

他还站在那里跟别人说话。说话的声音很低，好像很神秘的样子。

他做事好像总有点神秘的味道。

跟他说话的这个人，本来是五六个人坐在那里的，也不知什么时候，别的人都走了，只剩下他一个还坐在那里吃面。

他肚子真不小，面前的空碗已堆了六七个。

杨凡走过来的时候，他还在那里啃猪脚，看见杨凡，就立刻站起来，说话的态度好像很恭敬。

除了田思思之外，每个人对杨凡好像都很尊敬。

但他们在那里究竟说什么呢？为什么唠唠叨叨的一直说个没完？

田思思忽然叫了起来，大声道："杨凡，能不能先过来一下子？"

杨凡这才回头看了她一眼，好像还皱了皱眉。

跟他说话的那个人却赔着笑点了点头，又轻轻说了两句话，就一拐一拐地走了。

田思思这才发现他是个跛子——一个又高又瘦的跛子。

这人一定好几天没吃饭，所以捉住机会，就拼命拿牛肉面往肚子里塞。

田思思撇了撇嘴，冷笑道："我真不懂，他跟这种人有什么话好说的。"

这句话没说完，杨凡已走过来，淡淡道："你认得那个人？"

田思思道："谁认得他？"

杨凡道："你既然不认得他，怎么知道他是哪种人？"

田思思道："他是哪种人，有什么了不起？"

杨凡道："嗯，真没什么了不起，只不过他若想跟我说话，就是说三天三夜，我也会陪着他的。"

田思思的火更大了，道："他说的话真那么好听？"

杨凡道："不好听，但却值得听。"

他悠悠地接着道："值得听的话，通常都不会很好听。"

田思思冷笑道："有什么值得听的？是不是告诉你什么地方可以找得到女人？"

秦歌忽然笑了。

田思思回头瞪了他一眼，道："你笑什么？"

秦歌笑道："我在笑你们。"

田思思道："笑我们？我们是谁？"

秦歌道："就是你跟他。"

他微笑着，又道："你们不见面的时候，彼此都好像想念得很，一见面，却又吵个不停……"

田思思板起了脸，大声道："告诉你，我是我，他是他，八棍子也打不到一起去。"

她虽然板起了脸，但脸已红了。

杨凡忽然笑了笑，道："八棍子也打不到一起去，九棍子呢？"

田思思狠狠道："九棍子就打死你，打死你这大头鬼。"

话还没有说完，她自己也忍不住"扑哧"一笑，脸却更红得厉害。

你当真将一个女孩子，和一个八棍子也打不到一起去的男人拉到一起，她的脸绝不会发红只会发白。

她更不会笑。

田大小姐第一次觉得这破地方也有可取之处，至少灯火还不错。

她实在不愿意被这大头鬼看出她的脸红得有多么厉害。

那阴阳怪气的伙计，偏偏又在这时走了过来。

看见杨凡，他居然像是变了个人，脸上居然有了很亲切的笑容，而且还居然恭恭敬敬地弯了弯腰，赔着笑道："今天想来点什么？"

杨凡道："你看着办吧。"

伙计道："还是老样子好不好？"

杨凡道："行。"

伙计道："要不要来点酒？"

杨凡道："今天晚上我还有点事。"

伙计道："那就少来点，斤把酒绝误不了事的。"

他又弯了弯腰，才带着笑走了。

田思思突又冷笑道："这里一共才只有两样东西，吃来吃去都是那两样，有什么好问的？"

杨凡眨眨眼，道："也许他只不过想听我说话。"

田思思道："听你说话？有什么好听的？"

杨凡悠然道："有很多人都说我的声音很好听，你难道没注意到？"

田思思立刻弯下腰，捧住肚子，做出好像要吐的样子来。

秦歌忽然又笑了。

田思思瞪眼道："你又笑什么？"

秦歌道："我忽然想起了一句话，这句话不但有趣，而且有理。"

田思思道："什么话？"

秦歌道："一个女人若在你面前装模作样，就表示她已经很喜欢你。"

田思思又叫了起来，道："狗屁，这种狗屁话是谁说的？"

秦歌道："杨凡。"

他笑着又道："当然是杨凡，除了杨凡外，还有谁说得出这种话来。"

田思思眨了眨眼，板着脸道："还有一个人。"

秦歌道："谁？"

田思思道："猪八戒。"

02

这次东西送来得更快，除了牛肉、猪脚外，居然还有各式各样的卤菜。

只要你能想得出的卤菜，几乎都全了。

田思思瞪着那伙计，道："这里岂非只有牛肉跟猪脚？"

伙计道："还有面。"

田思思道："没别的了？"

伙计道："没有。"

田思思几乎又要叫了，大声道："这些东西是哪里来的？"

伙计道："从锅里捞出来的。"

田思思道："刚才你为什么不送来？"

伙计道："因为你不是杨大哥。"

他不等田思思再开口，扭头就走。

这人若也是个女的，身上若没有这么多油，田大小姐早已一把拉住了他，而且还一定会好好教训他一顿。

只可惜他是个大男人，衣服上的油拧出来，足够炒七八十样菜。

所以田思思只有坐在那里干生气，气得发怔。

这大头鬼究竟有什么地方能够使人对他这么好？她实在不明白。

田思思怔了半晌，又忍不住道："刚才那人叫你什么？杨大哥？"

杨凡道："好像是的。"

田思思道："他为什么要叫你杨大哥？"

杨凡道："他为什么不能叫我杨大哥？"

田思思道："难道他是你兄弟？"

杨凡道："行不行？"

田思思冷笑道："当然行，看来只要是个人，就可以做你的朋友，跟你称兄道弟。"

秦歌笑道："但却一定要是个人，这点才是最重要的，因为有些人根本不是人。"

田思思瞪了他一眼，道："你也是他兄弟？"

秦歌道："行不行？"

田思思冷笑道："当然行。你连说话的腔调都已变得跟他一模一样了，若非头太小了些，做他的儿子都行。"

秦歌道："还有个人说话的腔调也快变得跟他一样了。"

田思思道："谁？"

秦歌道："你。"

世上的确有种人，一举一动都好像带着种莫名其妙的特别味道，就好像伤风一样，很容易就会传染给别人。

你只要常常跟他在一起，想不被他传染上都不行。

田思思忽然发觉自己的确有点变了，她以前说话的确不是这样子的。

一个女孩子是不是不应该这么样说话呢？

她还是没有想下去，忽然发现前面的黑暗中，有五六条人影走过去。

走在最前面的一个人，一拐一拐的，是个跛子。

田思思又忍不住问道："这跛子也是你兄弟？"

杨凡道："他不叫跛子，从来也没有人叫他跛子。"

田思思道："别人都叫他什么？"

杨凡道："吴半城。"

田思思道："他名字叫吴半城？"

杨凡道："他名字叫吴不可，但别人却都叫他吴半城。"

田思思道："为什么？"

杨凡道："因为这城里本来几乎有一半都是他们家的。"

田思思道："现在呢？"

杨凡道："现在只剩下了这一块地。"

田思思怔了怔，道："这块地是他的？"

杨凡道："不错。"

田思思道："他已经穷成这个样子，为什么不将这块地收回去自己做生意？"

杨凡道："因为他生怕收回了这块地后，一到了晚上就没地方可去。"

田思思道："所以他宁可穷死，宁可看着别人在这块地上发财？"

杨凡道："他并不穷。"

田思思道："还不穷，要怎么样才算穷？"

杨凡道："他虽然将半城的地全都卖了，却换来了半城朋友，所以他还是叫吴半城。"

秦歌道："所以他还是比别人都富有得多。"

在某些人看来，有朋友的人确实比有钱的人更富有、更快乐。

田思思叹了口气，道："这么样说来，他倒真是个怪人。"

杨凡道："就因为他是个怪人，所以我才常常会从他嘴里听到些奇怪的消息。"

田思思眼睛亮了，道："今天是不是又听到了些奇怪的消息？"

杨凡道："朋友多的人，消息当然也多。"

田思思道："你听到的是什么消息？"

杨凡道："他告诉我，城外有座庙。"

田思思道："你觉得这消息很奇怪？只有一辈子没看过庙的人，才会觉得这消息奇怪，可是连个猪都至少看到过庙的！"

杨凡也不理她，接着道："他还告诉我，庙里有三个老和尚。"

田思思更失望，道："原来这个猪非但没见过庙，连和尚都没见过。"

杨凡道："他又告诉我，今天这座庙里竟忽然多了几十个和尚，而且不是老和尚，是新和尚。”

田思思的眼睛又亮了，几乎要跳了起来，道：“这座庙在哪里？”

杨凡淡淡道：“这消息既然并不奇怪，你又何必要问？”

田思思嫣然道：“谁说这消息不奇怪，谁就是猪。”

她忽然觉得兴奋极了。

庙里忽然多出来的几十个和尚，当然就是他们下午在赌场里看到的和尚。

其中当然有一个就是金大胡子。

只要能找到这些和尚，他们就可以证明今天下午发生的事不是在做梦，也不是胡说八道。

只要能证明这件事，就可以证明多事和尚不是秦歌杀的。

揭穿这阴谋的关键，就在那座庙里！

就连秦歌也忍不住问道：“这座庙在哪里？”

杨凡道：“在北门外。”

秦歌道：“这里岂非已靠近北门？”

杨凡道：“很近。”

田思思跳了起来，抢着道：“既然如此。我们为什么还不快去？还等什么？”

杨凡道：“等一个人。”

田思思道：“等谁？”

杨凡道：“一个值得等的人。”

田思思道：“我们现在若还不快点赶去，万一那些和尚又溜了呢？”

杨凡道：“他们若要溜，我也没法子。”

田思思道：“我们为什么不能快点赶去，为什么要等那个人？”

杨凡道：“因为我非等不可。”

田思思道：“他就有这么重要？”

杨凡道：“嗯。”

田思思坐下来，撅着嘴生了半天气，又忍不住问道：“他是不是又有什么很重要的消息要告诉你？”

杨凡道：“嗯。”

田思思道：“究竟是什么消息？”

这次杨凡连“嗯”都懒得“嗯”了，慢慢地喝了杯酒，拈起个鸭肫嚼着。

秦歌忽然笑道：“我看你近来酒量已不行了。”

杨凡笑了笑，道：“的确是少些了，但还是一样可以灌得你满地乱爬，胡说八道。”

秦歌大笑，道：“少吹牛，几时找个机会，我非跟你拼一下不可。”

杨凡道：“你记不记得上次我们在香涛馆，约好一人一坛竹叶青……”

在这种时候，这两人居然聊起天来了。

田思思又急又气，满肚子恼火，忽然一拍桌子，大声道：“你们既然是早就认得的，为什么一直不肯告诉我？”

杨凡道：“为什么一定要告诉你？”

秦歌笑道：“我们认得的人太多了，假如一个一个都要告诉你，三天三夜说也说不完。”

男人真不是好东西，昨天他们还装作好像不认得的样子，现在居然联合起阵线来对付她了。

最恼火的是，他们说的话，偏偏总是叫她驳不倒，答不出。

田思思忽然想起了田心。

这丫头一向能说会道，有她在旁边帮着说话，也许就不会被人如此欺负。

可是这死丫头，偏偏又连人影都看不见了。

田思思忽又一拍桌子，大声道：“我的人呢？快还给我。”

杨凡道：“你在说什么？”

田思思道：“你拐跑了我的丫头，还敢在我面前装傻？”

杨凡皱了皱眉，道：“我几时拐走她的？”

田思思道：“昨天，你从那赌场出去的时候，她岂非也跟着你走了？”

杨凡道：“你随随便便就让她一个人走了？”

田思思道：“我本来就管不住她。”

杨凡没有说话，脸色却好像已变得很难看。

田思思也发现他神色不像是在开玩笑了，急着问道："你难道没有看见她？"

杨凡摇摇头。

田思思道："你……你也不知道她在哪里？"

杨凡又摇摇头。

田思思突然手脚冰冷，嗄声道："难道她……又被那些人架走了？"

一想起葛先生，她就手脚冰冷。

想到田心可能又已落到这不是人的恶魔手里，她连心都冷透了。

过了很久，她才挣扎着站起来。

杨凡道："你要走？"

田思思点点头。

杨凡道："到哪里？"

田思思咬咬嘴唇，道："去找那死丫头。"

杨凡道："到哪里去找？"

田思思道："我……我先找张好儿，再去找王大娘。"

杨凡道："就算她真在那里，你又能怎么样？"

田思思怔住。

田心若在那里，葛先生也可能在那里。

她一看见葛先生，连腿都软了，还能怎么样？

杨凡道："我看你最好还是先坐下来等着……"

田思思大声道："你究竟想等到什么时候？"

杨凡道："等到人来的时候。"

田思思道："人若不来呢？"

杨凡道："就一直等下去。"

田思思恨恨叫道："那人难道是你老子，你对他就这么服帖？"

只听身后一人淡淡道："我不是他老子，最多也只不过能做他老娘而已。"

这声音嘶哑而低沉，但却带着种说不出的诱惑力。甚至连女人听到她的声音，都会觉得很好听。

田思思回过头，就看见了一个女人。

她从未见过这样的女人。

03

灯光照到这里，已清冷如星光。

她就这样懒懒散散地站在星光般的灯光下。

她脸上并没有带着什么表情，连一点表情都没有，既没有说话，也没有动，连指尖都没有动。

但也不知为了什么，田思思一眼看过去，只觉得她身上每一处都好像在动，每一处都好像在说话。

尤其是那双眼睛，蒙蒙眬眬的，半阖半张，永远都像是没睡醒的样子。

但这双眼睛看着你的时候，你立刻会觉得她仿佛正在向你低诉着人生的寂寞和凄苦，低诉着一种缠绵入骨的情意。

无论你是什么样的人，都没法子不同情她。

但等你想要去接近她时，她忽然又会变得很遥远，很遥远……

就仿佛远在天涯。

田思思从未见过这样的女人。

但她却知道，像这样的女人，正是男人们梦寐以求，求之不得的。

张好儿的风姿也很美。

但和这女人一比，张好儿就变得简直是个土头土脑的乡下小姑娘。

“原来杨凡等的就是她。”

第二十六章

酒与醉

田思思咬了咬牙，但却也不能不承认，她的确是个值得等的女人。

也值得看。

杨凡和秦歌的眼睛，就一直都在盯着她。

她懒懒散散地坐了下来，拿过杨凡面前的酒杯。

秦歌立刻抢着为她倒酒。

她举杯一饮而尽，喝得甚至比秦歌还快。

女人本不该这么样喝酒的。

可是她这样子喝酒，别人非但不会觉得她粗野，反而会觉得有种说不出的醉人风情，令人不饮自醉。

她一连喝了五六杯，才抬起头，向田思思嫣然一笑。

连笑容都是懒懒散散的，只有久已对人生厌倦的人，才会笑得如此懒散，又如此冷艳。

田思思抬起头，看看天上的星星。

看过她的眼睛再看星星，星光已失色。

她又在喝第七杯酒。

田思思咬着嘴唇，忍不住道："这里有个人一直在等你。"

她的回答又是那懒懒散散的一笑。

田思思故意不去看她，冷冷道："你们有什么重要的话，最好快说，我们也有很重要的事等着要做。"

杨凡忽然笑了笑，道："王三娘的酒还没有喝够时，一向懒得说话的。"

看样子他倒很了解她。

田思思嘴唇已咬疼了，板着脸道："她要等到什么时候才喝够？"

王三娘忽也淡淡一笑，道："醉了时才够。"

田思思道："醉了还能说话？"

王三娘手里拿着酒杯，目光凝注着远方，悠悠道："我说的本就是醉话。"

田思思道："想不到醉话也有人听。"

杨凡又笑了笑，道："芸芸众生，又有谁说的不是醉话。"

王三娘忽又一笑，轻轻拍了拍杨凡的肩，嫣然道："你很好，近来我已很少看见像你这样的男人了，难怪有人要为你吃醋了。"

田思思虽然在忍耐着，却还是忍不住道："谁在吃醋？"

王三娘没有回答，却将一张脸迎向灯光，道："你看见我脸上的皱纹了么？"

灯光凄清。

田思思虽未看清她脸上的皱纹，却忽然发现她的确已经显得很憔悴、很疲倦。

王三娘道："灯下出美人，女人在灯光下看来，总是显得年轻些的。"

田思思道："哦？"

王三娘淡淡笑道："像我这种年纪的女人，有时还真难免会忍不住要吃醋，何况你这样的小姑娘呢？"

田思思又板起了脸，道："你在说醉话？"

王三娘轻轻叹息了声，道："醉话往往是真话，只可惜世上人偏偏不喜欢听真话。"

杨凡道："我喜欢听。"

王三娘眼波流动，飘过他的脸，道："你听到的话本不假。"

杨凡脸色仿佛变了变，道："你已知道不假？"

王三娘慢慢地点了点头，不再说话。

杨凡也不再说话，只是直着眼睛在发怔，怔了很久，才长长吐出口气，道："多谢。"

王三娘道："你以后总有机会谢我的，现在……"

她忽又抬起头来向田思思一笑，道："你们还是快走吧，莫让这位小妹妹等得着急……男人若要女孩子等，就不是好男人。"

田思思道："女人若要男人等呢？"

王三娘道："那没关系，只不过……"

田思思道："只不过怎么？"

王三娘目光又凝注到远方，悠悠道："只不过你最好记住，男人都没什么耐性，无论你多值得他等，他都不会等太久的。"

田思思沉默了下来。

她似已咀嚼出她话里一种说不出的辛酸滋味。

杨凡道："我们走了，你呢？"

王三娘道："我留在这里，还想喝几杯。"

秦歌抢着道："我陪你。"

王三娘道："为什么要陪我？"

秦歌也叹息了一声，道："因为我知道一个人喝酒的滋味。"

那滋味并不好受。

王三娘却笑了笑，淡淡道："无论是什么样的滋味，习惯了也就无所谓了，你不必陪我，你走吧。"

她又举起了酒杯。

忽然间，她就似已变得完全孤独。

也许无论有多少人在她身边，她都是孤独的。

杨凡也没有再说话，慢慢地站起来，向前面的黑暗挥了挥手。

黑暗中立刻闪出了一条人影。

谁也没有看清他是从哪里来的，他本身就像是黑暗的精灵。

那人影还站在那里，仿佛又落入黑暗中。

他向杨凡弯腰一礼后，就等在那里。

杨凡回头看着王三娘，道："三娘，我再敬你一杯就走。"

王三娘幽幽道："只望这不是最后一杯。"

杨凡道："当然不是。"

王三娘举杯饮尽。

田思思忍不住道："我们现在就走？"

杨凡点点头。

田思思道："不等你们说完话？"

杨凡道："话已说完了。"

田思思道："只有那一句？"

杨凡仿佛在沉思，过了很久，才缓缓道："有时只要一句话，就已胜过千言万语！"

他慢慢地走入黑暗里。

黑暗中那人影忽然凌空一个翻身，就像幽灵般消失。

杨凡已跟了过去。

秦歌和田思思只有立刻赶过去追。

追了很远，田思思还忍不住回头看了一眼。

王三娘却没有回头。

田思思只能看到她纤秀苗条的背影。她的背似已有些弯曲，就仿佛肩上压着副很沉重的担子。

那是人生的担子。

她的背影看来竟是如此孤独，如此疲倦，如此寂寞。

杨凡在前面等着。

更前面的黑暗中，依稀可以分辨出有条人影，也在那里等着。

田思思终于赶了上来，轻轻喘息着，道："你拼命追那个人干什么？"

杨凡道："因为他是带路的。"

田思思道："是那跛子要他带我们到那庙里去的？"

杨凡道："不是跛子，是吴半城。"

田思思道："看来他交游的确很广，居然认得这种人。"

杨凡道："你知道他是哪种人？"

田思思摇摇头，道："我只知道他轻功真不错。"

杨凡道："还有呢？"

田思思道："还有什么？没有了。"

杨凡笑了笑，忽然向前面那人影招了招手。

那人影立刻就轻烟般向他们掠了过来。

杨凡也已掠起，两人身形凌空交错，杨凡好像说了句话。

说话的声音很低，田思思也听不见他说的是什么。

就在这时，那人影已从她身旁掠过，轻快得就像是一阵风。

杨凡也回来了，正带着笑在看她。

田思思皱了皱眉，忍不住问道："你们究竟在搞什么名堂？"

杨凡微笑道："我只不过想要你看看，他究竟是个怎样的人。"

田思思道："那么你就该叫他站到我面前来，让我看得清楚些，现在我连他的脸是黑是白都没有看清楚。"

杨凡道："他的脸没什么可看的，你应该看看他别的地方。"

田思思道："什么地方？"

杨凡道："譬如说，他的手。"

田思思道："他的手又有什么好看的？难道他手上多长了几根指头？"

杨凡道："手指头倒并不多，只不过多长了几只手而已。"

他看看田思思，忽又笑了笑，道："你身上掉了什么东西没有？"

田思思看了看自己，道："没有。"

杨凡道："真没有。"

田思思叹了口气，苦笑道："我身上根本已没什么东西可掉的。"

杨凡道："头上呢？"

田思思道："头上更没……"

她这句话没说完，就已怔住，因为她忽然发觉本来束起的头发，现在已披散了下来。

系住头发的那根带子，竟已不见了。

难道那人刚才从她身旁一掠而过时，就已将她头发上的带子解了下来？

她又不是死人，怎么会连一点感觉都没有？

杨凡微笑道："现在你总该明白他是个什么样的人了吧？"

田思思撅起了嘴，道："我想不到你的朋友里，居然还有三只手。"

杨凡淡淡道："何止三只手，他有十三只手。"

田思思冷笑道："就算有十三只手，也只不过是个小偷。"

杨凡道："这样的小偷你见过几个？"

田思思道："一个也没见过——幸好没见过。"

那人影又在前面等着他们了，还是静静地站在那里，就好像从来也没有移动过。

田思思眨了眨眼，忍不住又道："你能不能叫他再过来一下，我想看看他。"

杨凡悠然道："既然只不过是个小偷，又有什么好看的。"

田思思道："我……我想看看他究竟有几只手？"

杨凡道："他的手你连一只也看不见。"

田思思又撅起嘴，道："那么，我看看他的脸行不行？"

杨凡道："不行。"

田思思道："为什么不行？"

杨凡道："没有人看见过他的脸。"

田思思道："你呢？"

杨凡道："我看过。"

田思思道："为什么你能看，别人就不能看？"

杨凡道："因为我是他的朋友。"

田思思瞪着他，恨恨道："除了小偷和跛子外，你还有没有像样一点的朋友？"

杨凡道："没有了。"

田思思忍住笑道："龙交龙，凤交凤，老鼠交的朋友会打洞，这句话我们也听说过的，但你居然连一个像样的朋友都没有，我倒没想到。"

杨凡道："我还有个更妙的朋友，别人知道了，说不定会笑掉大牙的。"

田思思道："这人妙在哪里？"

杨凡道："她什么地方都妙到极致了，最妙的是，除了闯祸外，别的事情她连一样都不会做。"

田思思忍不住笑道："这人又是谁呢？"

杨凡道："你。"

田大小姐简直连肚子都快被气破了。

还没有认得杨凡的时候，她从来也不明白，一个人怎么会被别人活活气死。

现在她总算明白了。

这大头鬼就好像天生是为了要来气她的。

最气人的是，除了对她之外，对别的人他全都很友善，很客气。

更气人的是，无论她说什么，他却连一点也不生气。

你说她还能有什么法子？

一个男人若真能把一个女孩子气得半死，他就算不太聪明，也已经很了不起。

只可惜这样的事并不多。

大多数男人都常常会被女孩子气得半死。

所以大多数女孩子都认为，男人才是天生应该受气的。

第二十七章

梵音寺

01

山坡。密林。

这座庙就在山坡上的密林里。

梵音寺。

夜色凄迷，但依稀还是可以分辨出这三个金漆已剥落的大字。

“十三只手”到了这里，人影一闪，就不见了。

虽然夜已很深，但佛殿上的长明灯总还是亮着的。

暗淡的灯光根本照不到高墙外，远远望过去，只见一片昏黄氤氲，也不知道是烟？是云？还是雾？

田思思暗中叹了口气，每次到了这种地方，不知为了什么，她心里就会觉得很不舒服。

她只觉得庙好像总是和死人、棺材、符咒、鬼魂……这些令人很不愉快的事连在一起的。

在庙里你绝对听不到欢乐的笑声，只能听到一些单调呆板的梵音木鱼，一些如怨妇低泣般的经文咒语，和一些如咒语经文般的哭泣。

她喜欢听人笑，不喜欢听人哭。

幸好现在什么声音也没有。

不幸的是，没有声音，往往就是种最可怕的声音。

杨凡的脸色也很凝重。

田思思本来以为他一定会要她和秦歌在外面等一等，让他先进去看看。

她当然一定会反对。

现在无论杨凡说什么，她都一定要反对。

谁知杨凡什么都没有说，就这样光明堂皇地走了过去。

田思思反而沉不住气了，忍不住道："这座庙并不是什么很秘密的地方。"

杨凡回头看了看她，等她说下去。

田思思道："那些人的关系却很大。"

杨凡道："哪些人？"

田思思瞪了他一眼，道："当然是金大胡子那些人，已经做了和尚的那些人。"

杨凡道："哦？"

田思思道："他们既然敢将这些人送到这庙里来，当然就会防备着我们找到这里来。"

杨凡道："嗯。"

田思思道："他们当然不能让我们找到这些人，所以……"

杨凡道："所以怎么样？"

田思思道："所以我认为这座庙里一定不简单，一定有埋伏。"

杨凡道："有埋伏又怎么样？"

田思思道："既然有埋伏，我们就不能这样子闯进去。"

杨凡道："那我们不如回去吧。"

田思思道："既已到了这里，怎么能回去！"

杨凡道："既不能进去，又不能回去，你说该怎么办呢？"

田思思道："我们先让一个人进去，看看里头的情况，其余两个人，留在外头接应。"

这主意本是她决心要反对的，现在她自己反而说了出来。

杨凡居然连一点反对的意思都没有，只淡淡地道："你的意思是要谁先进去看看？"

这种话他居然好意思说得出来。

若是换了别的男人，在女人面前当然会自告奋勇抢着要去的。

田思思咬着嘴唇，回头看了看秦歌。

秦歌居然也连一点反应都没有。

他本来很像个人的，但跟这大头鬼在一起之后，连他也变得不太像人了。

田思思恨恨道："你说呢？你的意思是谁应该先进去看看？"

杨凡淡淡道："这主意是你提出来的，当然是应该你去。"

这猪八戒居然好意思叫女人去闯头阵，叫女人去冒险！

田思思简直快要气疯了，狠狠跺了跺脚，道："好，我去就我去！"

杨凡悠然道："你进去后，就算遇着什么三长两短，我们还可以想法子去救你，我们若遇着危险，你就没法子救我们了。"

他做出这种见不得亲戚朋友的事，居然还能说得振振有词。

田思思连听都懒得听了，扭头就走。

这两个男人实在没出息，简直不是人，田大小姐实在连看都懒得再看他们一眼。

她头也不回地走了过去，穿过石径，走到这座庙的大门口，走上石阶。

她突然停了下来。

大门是关着的，但却关得不紧。

一缕缕淡黄色的烟雾，正缥缥缈缈地从门缝里飘出来。

庙里既然还有香火，就应该有人。

既然还有人，为什么连一点声音都没有？

难道他们已看到田思思走过来，所以静静地在那里等着？

难道他们都已被人杀了灭口，都已变成死人？

田大小姐本来是一肚子火，现在却连一点火气都没有了，只觉得手脚冰冷，很想拉住一个男人的手。

尤其是杨凡的手。

他的手，好像永远都很温暖，很稳定，也很干净，正是女孩子最喜欢去拉的那种手。

只可惜这大头鬼现在已连鬼影子都看不见了。

秦歌也不见了。

田思思回过头，看了半天，也看不到他们。

她的手更冷，手心湿湿的，好像已有了冷汗，似乎已忍不住要大声叫出来。

可是田大小姐当然不能做这种事，她宁死也不愿在这猪八戒面前丢人。

在石阶上站了半天，田大小姐总算壮起了胆子，伸手去推门。

门是关着的，但却没有栓上。

田思思轻轻一推，门就开了，发出了“吱”的一声响。

好难听的声音，听得人连牙齿都酸了。

田思思咬着牙，走上最后一级石阶，先将头探进去看了看。

她什么也看不见。

院子里浮着一片淡黄色的烟雾，却也不知是烟，还是雾。

幸好佛殿里还隐隐有灯光照出来，灯光虽不亮，至少总比没有光好。

田思思长长吸进了一口气，一步步慢慢地走了进去。

她只希望莫要一脚踩在个死人身上。

02

院子里没有死人。

也没有活人。

穿过院子，佛殿里的灯光就显得亮了些。

佛殿里也没人，无论死活都没有，只有殿前的炉鼎中，正在散发着淡黄色的烟雾。

金大胡子那些人呢？

难道他们早已料到田大小姐会找到这里来，所以先开溜了？

田思思用力咬着牙，一步步走了过去，走得更慢。

她是怕看见个活人呢？还是怕看见个死人呢？

她自己也不清楚。

佛殿里的塑像却总是那种阴阳怪气，半死不活的样子，尤其在这种凄迷的烟雾里，看起来更令人觉得可怕。

田思思忽又想起葛先生。

葛先生正是这种阴阳怪气、半死不活的样子。

这些塑像中，会不会有一个就是他装成的？只等着田思思走过的时候，就会突然复活，突然跳起来，扼住她的咽喉，逼着她嫁给他？

想到这里，田思思两条腿都软了，好像已连站都站不住。

看到旁边好像有个方方的凳子，她就坐了下来。

这种时候她本来绝对不会坐下来的，就算坐下，也坐不住。

无论怎么说，这里绝不是个可以让人安心坐得下来的地方。

可是她的腿实在已发软，软得就像面条似的，想不坐下来都不行。

一阵风从外面吹进来，吹得佛殿里的烟雾缥缈四散，那些阴阳怪气、半死不活的泥像，在飘散的烟雾中看来，就像是忽然全都变成了活的，正在那里张牙舞爪，等着择人而噬。

田思思只觉得额角上正一粒粒地往外冒着冷汗。

“那死大头，居然真的让我一个人进来，他自己居然直到现在还人影不见。”

田思思愈想愈气，愈想愈恨，就在这时，她忽又发现了一件可怕的事。

她坐着的凳子竟好像在动，往上面动，就好像下面有个人将这凳子往上面抬似的。

她忍不住低下头看了看。

不看还好些，这一看，田大小姐全身的毛发都竖了起来。

她坐的并不是凳子，而是口棺材。

棺材也并不太可怕，可怕的是，这棺材的盖子正慢慢地掀起。

忽然间，一只手从棺材里伸出来，一把拉住了田思思的手。

手冷得像冰。

田思思全身都软了。

她本来是想冲出去的，但身子往前一冲，人就已倒下，几乎吓得晕了过去。

若是能真的晕过去，也许还好些。

只可惜她偏偏清醒得很，不但什么都看得见，而且什么都听得见。

棺材里不但有只手伸了出来，还有笑声传出来。

阴森森的冷笑，听起来简直就像是鬼哭。

田思思忽然用尽全身力气，大声道：“什么人躲在棺材里？我知道你是个人，你扮鬼也没有用的。”

她真能确定这只手是活人的手么？

第二十八章

意想不到的事

活人的手怎会这么冷？

棺材里忽然连笑声都没有了，只有她自己的叫声还在空荡荡的大殿里激荡着。

那种声音听来也像鬼哭。

田思思用尽平生力气，想甩脱这只手。

但这只手却像已粘住了她的手，她无论怎么用力也甩不脱。

她喘息着，全身的衣服都已被冷汗湿透。

这只手究竟是谁的手？

他既已伸出了手，为什么还不肯露面？

难道他根本就没有头，也没有身子，只有这一只冰冷的鬼手？

田思思正想再试一试，能不能把这只手从棺材里拉出来。

谁知她力气还没有使出来，这只手已使出了力气。

一股可怕的力量将她的人一拉，她简直连一点挣扎的法子都没有。

忽然间，她整个人已被这只手拉到棺材里去。

这下子无论谁都要被吓晕的。

只可惜她偏偏还是很清醒，清醒得可怕。

棺材里并非只有一只手，还有个人，有头，也有身子。

身子硬邦邦的，除了僵尸，连吊死鬼的身子也许都没有这么硬。

田思思一进了棺材，整个人就扑在这硬邦邦的身子上。

然后棺材的盖子就“砰”地落了下来。

灯光没有了，烟雾也没有了，剩下的只有一片黑暗，绝望的黑暗。

田思思的神志虽然还清醒着，但整个人却已连动都不能动。

她全身都已僵硬，甚至比这僵尸更冷、更硬。

这僵尸的手忽然抱住了她，紧紧地抱住了她，抱得她连气都透不过来。

她想叫，但喉咙却像是已被塞住。

她已气得要发疯，恨不得立刻死了算了。

只可惜死有时也不容易。

一连串冰冷的泪珠，已顺着她的脸流了下来。

还有谁会经过如此悲惨，如此可怕的遭遇，这种事为什么偏偏总是让她遇着。

这种事简直就像是个噩梦——永远不会醒的噩梦。

若是能放声痛哭，也许还好些，怎奈现在她竟连哭都哭不出，只能无声地流着泪。

这僵尸却又阴森森地笑了。

一阵阵热气随着他的笑声，喷在田思思耳朵上。

这僵尸居然还有热气！

田思思喉头僵硬的肌肉忽然放松，立刻用尽全身力气大叫了出来。

直等她叫得声嘶力竭时，这僵尸才阴恻恻地笑道："你再叫也没有用的，这里绝没有人听见，连鬼都听不见。"

这声音又低沉，又单调，很少有人听见过如此可怕的声音。

但田思思却听见过。

她呼吸立刻停顿。

这并不是僵尸，是个人。

但世上所有的僵尸加起来，也没有这个人可怕。

葛先生。

她本来想说出这三个字来的，但喉咙里却只能发出一连串"咯咯咯"的声音。

葛先生大笑，道："现在你总该已猜出我是什么人了，你还怕什么？"

田思思不是怕。

她的感觉已不是"怕"这个字所能形容。

葛先生的手在她身上滑动，慢慢地接着道："莫忘了你答应嫁给我的，我就是你的老公，你跟你的老公睡在一起，还有什么好怕的？”

他的手就像是一条蛇，不停地滑来滑去。

他冰冷僵硬的身子，似乎也已活动起来。

田思思突然大叫，道：“放开我……放开我……”

葛先生道：“放开你？你想我会不会放开你？”

田思思道：“你想怎么样？”

她说出的声音忽然又变得很清楚。

一个人恐惧到了极点时，全身反而会莫名其妙地放松。

这是为了什么呢？谁也不懂，因为这种遭遇本就很少有人经历过。

葛先生悠然道：“我想怎么样？我只想跟你睡在一起，活着的时候既然不能睡在一张床上，只好等死了睡在一个棺材里。”

田思思道：“那么你为什么还不快杀了我？”

葛先生道：“你真的想死？”

田思思咬紧牙，道：“只要我死了，就随你怎么样对付我都没关系。”

葛先生道：“只可惜现在我还不想让你死。”

田思思道：“你……你要等到什么时候？”

葛先生道：“你猜呢？”

他的手已像蛇一般滑入田思思的衣服里。

两个人掉在一口棺材里，田思思就算还有挣扎躲避的力气，也根本就没有地方可躲。

她用力咬着嘴唇，已咬得出血。

痛苦使得她更清醒，她忽然长长叹了口气，道：“你真的想要我？”

葛先生道：“我为你花了多少心血，你总该明白的。”

田思思道：“你若真的想要我，就不该用这种法子。”

葛先生道：“我应该用什么法子？”

田思思道：“父母之命，媒妁之言，这句话你总该听说过的。”

葛先生道：“你的意思是要我去向田二爷求亲？”

田思思道：“不错。”

葛先生道：“他若答应了呢，你是不是马上就肯嫁给我？”

田思思道："当然。"

葛先生忽又笑了，道："这就容易了！"

田思思道："容易？"

葛先生笑道："当然容易，我现在马上就去求亲。"

他居然答应得如此干脆，田思思又不禁怔住。

她实在想不通他凭什么觉得这件事很容易？凭什么如此有把握？

就在这时，她忽然觉得棺材在慢慢地往下沉。

她忍不住又问道："你想带我到哪里去？十八层地狱？"

葛先生咯咯笑道："那地方有什么不好？至少总比在天上暖和些，而且吹不到风，也淋不到雨。"

田思思道："但我爹爹却绝不会在那里，无论是死是活，都绝不会在那里！"

葛先生冷冷道："你还没下去过，怎知道田二爷不在那里？"

棺材还在往下沉，田思思的心也跟着沉了下去。

"难道我爹爹也落入这恶鬼的手里，所以他才会如此有把握？"

绝不会的。

她只有想尽法子来安慰自己——

我爹爹可不是这么容易对付的人，绝不是！

想到田二爷一生辉煌的事迹，田大小姐才稍微安心了些。

就在这时，棺材已停下来。

然后棺材的盖子忽又掀起，一盏暗淡的灯光就随着照进了棺材里。

田思思又看到葛先生的脸。

他脸上还是那种阴阳怪气、半死不活的样子，连一点表情都没有。

就算真是个死人脸，也不会像这么样难看，这么样可怕。

一看到这张脸，田思思就不由自主闭起眼睛。

葛先生道："你为什么不睁开眼睛来看看？"

田思思道："看……看什么？"

葛先生道："看看田二爷是不是在这里？"

他的手居然放松了。

田思思用尽全身力气跳起来，突又怔住，就像是一下子跳入了可以冷得死人的冰里。

她一跳起来，就看到了田二爷。

若不是自己亲眼看到，她死也不会相信田二爷真的在这里。

这里是个四四方方的屋子，没有门，也没有窗户，就像是口特别大的棺材。

灯光也不知是从哪里照出来的，惨碧色的灯光，也正如地狱中的鬼火。

前面居然还有几张椅子。

一个清癯的老人，坐在中间的一张椅子上，手里捧着碧绿的旱烟袋。

他背后站着个女人，正在为他轻轻地敲着背。

还有个女人居然就坐在他腿上，正在吹着纸媒，为他点烟。

田思思全身冰冷。

她当然认得这个人就是田二爷，也认得这管翡翠烟袋。

她小时也曾坐在田二爷腿上，为他点过烟。

无论谁在这种情况下，看到自己亲生的父亲，都会立刻扑过去的。

但田思思却只是站在棺材旁发抖。

因为她认得这两个女人。

站在背后为田二爷捶背的，竟是王大娘，坐在腿上的，竟是张好儿。

这不要脸的女人好像总喜欢坐在男人的腿上。

田思思不但全身发抖，连眼泪都已气得流了满脸。

田二爷看到她，却显得很开心，微笑着道："很好，你总算来了。"

这就是一个做父亲的人，看到自己亲生女儿时说的话？

田思思满面泪痕，颤声道："你……你知道我会来的？"

田二爷点了点头。

王大娘已咯咯地笑着道："你来得正好，我们刚才还在说你。"

田思思咬着牙，道："说我什么？"

王大娘笑道："我们刚才正在替葛先生向田二爷求亲。"

田思思道："他……他怎么说？"

王大娘道："男大当婚，女大当嫁，你们两人可正是郎才女貌，天生的一对儿，你想他会怎么说呢？”

张好儿回眸一笑，嫣然道：“田二爷当然答应了，你们小两口就快过来谢谢我们这两位大媒吧。”

田思思瞪着眼睛，看看她的父亲，没有说话，也不动。

她整个人就像是忽然已麻木。

葛先生不知何时已站到她身旁，用手揽住了她的腰。

田思思眼睛发直，脸上忽然变得全无表情，冷冷道：“快把你的臭手拿开。”

葛先生微笑道：“现在父母之命已有了，媒妁之言已有了，你还怕什么羞？”

田思思也不理他，眼睛还是瞪着田二爷，忽然大声道：“你究竟是什么人？”

王大娘娇笑道：“你看你，怎么连自己亲生的爹爹都不认得了？”

田思思忽然冲过去，嘶声道：“你究竟是谁？为什么要扮成我爹爹的样子？我爹爹呢？”

她身子刚冲出，已被葛先生拦腰抱起。

王大娘眼波流动，道：“你知道他不是田二爷？你怎么看出来的？”

田思思拼命挣扎大叫道：“我爹爹究竟在哪里，带我去找他！”

王大娘忽然沉下了脸，沉着道：“告诉你，从今以后，这个人就是田二爷，就是你爹爹，世上已只有这一个田二爷，绝没有第二个。”

田思思身子突然软瘫，终于忍不住放声痛哭了起来。

王大娘本来是在替“田二爷”捶着背，此刻忽然一个耳光掴在他脸上，冷冷道：“我已教过你多少遍，你怎么还是被她看出来了？”

这人哭丧着脸，道：“我……我也不知道。”

王大娘又是一个耳光掴去，道：“叫你少开口的，你为什么偏偏要多嘴？”

这人手捂着脸，道：“我刚才只不过说了一句话呀，我……我怎么知道……”

他的人忽然从椅子上滑了下去，跪倒在地上。

王大娘冷笑着从椅子后面走出来，目中已露出杀气。

葛先生忽然道："留着他，这人以后还有用。"

王大娘冷笑着，突然一脚将这人踢得在地上直滚，厉声道："不成材的东西，还不快给我滚到后面去……快……"

张好儿轻轻叹了口气，道："我早就知道他扮不像的，就算他的脸跟田二爷有几分像，但田二爷那种派头，他怎么装得出来？"

王大娘用眼角瞟着她，似笑非笑地悠然道："他当然骗不过你，但别人又不像你，都跟田二爷有一腿。"

张好儿也正在似笑非笑地瞪着她，道："你是不是在吃醋？"

王大娘又笑了，道："我吃的哪门子干醋？难道你现在还敢陪他去睡觉？"

田思思突又跳起来，咬着牙，道："我爹爹现在究竟在哪里？你们就算不敢带我去见他，至少也该告诉我他在哪里？"

王大娘轻轻叹了口气，道："我倒是真有点不敢带你去见他。"

田思思脸色更白，道："为什么？"

王大娘淡淡道："我问你的话，你还没有说完，我凭什么要告诉你？"

田思思道："你问我什么？"

王大娘道："你怎么看出那个人不是田二爷的？"

田思思冷笑道："你难道看不出来？"

王大娘道："他当然没有田二爷那种神情气派，一举一动也没有法子学得跟田二爷一模一样，可是他坐在这里连动都没有动，这里的灯光又这么暗，你怎么会一下子就看出来了？"

田思思迟疑着，终于大声道："告诉你，我爹爹已经有好几个月没抽过烟了，他近来身子不好，根本就不能抽烟。"

王大娘跟葛先生对望了一眼，两个人同时都点了点头。

田思思道："我问你们的话呢？"

葛先生道："你问什么？"

田思思道："我爹爹……"

葛先生忽然打断了她的话，道："你若想看到你爹爹，也容易得很，只要你嫁给我，我当然会带你回门去拜见老丈人的。"

田思思咬着牙，恨恨道："我劝你还是赶快死了这条心。"

葛先生悠然道："我这人就是不死心。"

田思思突又大叫，道："不管你死心不死心，反正我死也不会嫁给你，就算我爹爹真的答应，我也宁可去死。"

葛先生道："为什么呢？"

王大娘道："是呀，你这是为什么呢？他年纪不大，既没有老婆，人品也不差，武功更是一等一的身手，又有哪点配不上你？"

田思思大叫道："他凭哪点配得上我，他根本就不是人！"

张好儿眨着眼，忽然笑道："我明白了，你一定是嫌他长得太丑。"

田思思道："哼。"

王大娘走过来，拍了拍葛先生的肩，笑道："你若是变得像样些，她也许就会嫁给你了。"

张好儿道："是呀，十七八岁的小姑娘，有哪个不爱俏的。"

葛先生道："你们要我变得俏些？"

张好儿道："愈俏愈好。"

葛先生忽又笑了笑，道："那也容易。"

他身子突然转了过去，过了半天，才又慢慢地转了回来。

张好儿拍手笑道："果然变得俏多了，这样的男人，连我都喜欢。"

王大娘吃吃笑道："看来田姑娘若还不肯嫁，她就要抢着嫁了。"

张好儿道："一点也不错。"

田思思本来死也不肯去看这人一眼的，现在却忍不住抬起头。

她只看了一眼，又怔住。

葛先生果然已完全变成了另一个人。

一个成熟、英俊、潇洒的中年人，带着某种中年人特有的魅力。

那正是最能使少女们动心的魅力。

田思思几乎不能相信自己的眼睛了。

王大娘看着她，微笑道："你难道从未听说易容术这件事？"

田思思听过。

但葛先生的脸上虽然没有任何表情，看来却不像是易容改扮过的样子。

这也许只不过因为她根本就没有仔细看过这个人。

她根本就不敢多看这个人一眼。

但他明明是一个好模好样的人，为什么偏偏要扮成那种不是人的样子呢？

是不是因为他不敢揭露自己真实的身份，所以不敢以真面目见人？

他真实的身份又是什么样的人呢？

田思思怀疑，但却已不再像以前那么恐惧。

葛先生现在的样子，无论谁看见都不会觉得恐惧的，他不但相貌英俊潇洒，笑容更温柔可亲。

他看着田思思，微笑道：“我现在总该已配得上你了吧？”

张好儿笑道：“像你这样子，就算真的是天女下凡，你也配得过了。”

田思思的心好像已有些动了，但忽又用力摇头，大声道：“不行！”

张好儿道：“为什么还不行？”

田思思道：“我连他是谁都不知道，怎么能嫁给他呢？”

张好儿道：“这倒也有理，像田大小姐这种身份，当然要嫁个有头有脸的人。”

王大娘截口笑道：“幸好我们这位葛先生也不是没来历的人，你们两位不但郎才女貌，而且也正是门当户对。”

田思思道：“哦？”

王大娘道：“你若知道他的真名实姓，说不定也会吓一跳的。”

田思思道：“哦？”

王大娘悠然道：“柳风骨这名字你听说过没有？”

柳风骨！

这人居然是江南第一名侠柳风骨！

田思思真的吓了一跳。

柳风骨也正是她心目中的大人物，她连做梦也想不到，这卑鄙下流又无耻的人，居然就是她心目中的大人物！

第二十九章

杨凡与柳风骨

01

若是换了以前，田大小姐说不定早叫了起来，跳了起来。

可是现在的田大小姐，已跟以前大不相同了。

这次她居然沉住了气，瞪着这个人，道："你真的是柳风骨？"

柳风骨微笑着，道："一点不假。"

田思思道："你真的就是那个武功江南第一、机智天下无双的柳风骨？"

柳风骨笑道："柳风骨只此一家，别无分号。"

他不但样子变了，连说话的声音都变了，变得又温柔，又有礼，而且居然还很风趣——至少他自己觉得很风趣。

田思思道："你说你是柳风骨，但我又怎知道你是真是假呢？"

柳风骨淡淡一笑，身子突然凌空而起。

眼见他已快撞上屋顶，突然间双臂一张，人如燕子般翩翩向旁边飞了出去。

贴着屋顶飞了出去。

张好儿已娇笑着拍起手来。

王大娘道："这正是轻功最难练的飞燕七式，也正是柳风骨的独门功夫。"

张好儿笑道："用不着你说，田大小姐又不是不识货的。"

田思思当然识货。

她当然知道这种凌空变式的轻功，正是轻功中最高妙的一种。

她忍不住暗中叹了口气，看来这卑鄙下流无耻的人，的确就是她心目中的大人物。

柳风骨已轻飘飘地落在她面前，脸上的笑容还是那么温柔亲切，微笑着道："现在你相信了么？"

田思思怔了半晌，忽然长长地叹息了一声，道："我相信了，但却更不懂。"

柳风骨道："不懂？什么事不懂？"

田思思道："像你这么样的人，若是光明正大地来求亲，说不定我早就嫁给你了，为什么偏偏要兜这么大的圈子呢？"

柳风骨笑道："你现在嫁给我也还不迟。"

田思思叹道："现在已太迟了。"

柳风骨道："为什么？"

田思思道："因为……因为我已经有了心上人。"

柳风骨沉下了脸，冷冷道："只可惜你那心上人是个永远见不得天日的凶手。"

田思思眨了眨眼，道："你以为我说的是秦歌？"

柳风骨道："难道不是？"

田思思眼睛好像在发着光，忽然冷笑，道："你若以为我的心上人是秦歌，所以故意栽赃，说他是杀死多事和尚的凶手，那你就错了。"

柳风骨变了脸，道："若不是秦歌是谁？"

田思思咬着嘴唇，道："他虽然长得没有你好看，但却是个很聪明、很可爱的人。"

柳风骨沉声道："你说的究竟是谁？"

田思思道："他姓杨，叫杨凡。"

她故意用眼角偷偷去看柳风骨的表情，谁知柳风骨脸上连一点表情也没有。

田思思又道："他不但是我自己很喜欢的人，而且也是我爹爹认定的女婿，所以我就算不想嫁给他都不行，除非……"

柳风骨道："除非怎么样了？"

田思思淡淡道："除非他愿意把我让给你。"

柳风骨沉吟着，道："只要他肯让给我，你就肯嫁？"

田思思道："不错。"

柳风骨道："这次你绝不再反悔？"

田思思道："绝不反悔。"

她说话的时候，心里已忍不住在偷偷地笑。

那大头鬼虽然也有可恨的地方，但却绝不会出卖朋友的。

何况，他表面的样子虽然装得很凶，其实心里说不定早已在偷偷地爱着她。

"他若知道我在这里，一定会不顾一切赶着来救我的。"

他岂非已救过她很多次？

想到这里，田思思心里就忍不住升起了一种温暖甜蜜之意。

忽然间，她想着的已全都是他的好处。

虽然刚才她还在恨他，在生他的气，但现在却已全忘得干干净净。

柳风骨居然已沉默了下来。

他似乎也已发觉这是件绝不可能的事。

田思思用眼角瞟着他，悠然道："我说过这次绝不反悔，你为什么不找他来谈谈，说不定他会答应的。"

柳风骨沉默了很久，忽又淡淡笑了笑，道："我用不着去找他。"

田思思眨着眼，道："为什么？难道你已不想要我了？"

柳风骨道："我想，但却用不着去找他，因为……"

田思思忍不住问道："因为什么？"

柳风骨笑得很奇怪，一字字道："因为他本就已快来了。"

田思思怔了怔，道："你……你怎么知道？"

柳风骨笑得更神秘。

"难道那大头鬼也已落入了他们的圈套？"

绝不会的！

他的头那么大，怎么会随随便便就上别人的当，何况还有秦歌在他旁边哩。

凭他们两个人的武功和机智，十个柳风骨也未必能对付得了。

田思思怔了半晌，也忍不住笑了。

现在她只希望柳风骨没有骗她，只希望杨凡真的很快就会来。

就在这时，她已看到了一个人，施施然从外面走了进来！

杨凡！

杨凡果然来了！

02

你若仔细观察，就会发现世上有很多人的样子随时随地都会改变的。

一刹那之前，他也许还是个君子，一刹那之后，就忽然变成了个恶棍；一刹那之前，他还在替你端茶倒酒，甚至恨不得跪下来舔你的脚，一刹那之后，他也许就会板起了脸，一脚把你踢出去。

这种人虽不太多，也不太少。

幸好世上还另外有种人，你走运的时候看见他，他是那样子，你倒霉的时候看见他，他还是那样子。

杨凡就是这种人。

你无论在什么时候、什么地方看见他，他总是那副嘻嘻哈哈、满不在乎的样子。

他的头看起来永远都比别人大，走起路来永远都不慌不忙，好像就算天塌了下来，他也不会着急。

这种样子并不能算是很潇洒的样子，更不能算很可爱。

但此刻在田思思眼中看来，世上简直已没有一个比他更可爱的人了。

“他一定是拼着命来救我的！”

只要杨凡一来，天下还有什么不能解决的事？

田思思欢喜得几乎忍不住要跳了起来。

奇怪的是，柳风骨看到杨凡，居然连一点吃惊的样子都没有，反而显得很欢喜。

他居然还向杨凡招了招手，道：“你过来。”

杨凡就过来了。

田思思本来以为他的人一过来，秦歌也立刻就会跟着过来。

谁知杨凡只是静静地站在那里，脸上居然还带着笑容。

田思思心里已开始在嘀咕："也许他只不过是在等机会，这大头鬼一向很沉得住气的。"

她盯着他的手，只希望这双手一下子就能扼住柳风骨的咽喉。

杨凡却始终没有看她一眼，就好像根本没有看见她这个人。

柳风骨微笑着道："你来迟了。"

杨凡也在微笑着，道："抱歉。"

柳风骨道："你用不着对我抱歉，这位姑娘一直在等你，已等得很着急。"

杨凡道："哦？"

他似乎直到现在才发现田思思在这里，转过头来对她笑了笑，淡淡道："抱歉，我不知道你在这里等我。"

田思思瞪大了眼睛，道："你不知道？"

杨凡摇摇头。

田思思几乎忍不住要大叫起来，勉强忍耐着，道："你以为我会在什么地方？"

杨凡淡淡笑道："无论你在什么地方，好像都跟我没什么关系。"

田思思道："你……你忘了是谁叫我来的？"

杨凡道："脚长在你自己的身上，当然是你自己要来的。"

田思思怔在那里，再也说不出话来。

她忽然发现杨凡好像已完全变成了另一个人。

一个她从未见过的陌生人。

"这个杨凡难道也是别人冒名顶替的？"

绝不会的！

别人的头绝不会有这么大，笑起来也绝不会像这么讨厌。

柳风骨背负着手，在旁边看着，显然又愉快，又得意，直到这时，才微笑着道："田姑娘想要我找你来谈谈。"

杨凡道："谈什么？"

柳风骨道："谈谈她。"

杨凡道："她有什么好谈的？"

柳风骨道："我想要她嫁给我，但她却说一定要你同意。"

杨凡道："要我同意？"

他好像觉得这是件很滑稽的事，忽然大笑道："我又不是她老子，为什么要我先同意？"

柳风骨道："因为她本来是要嫁给你的。"

杨凡道："我早就说过，就算天下的女人都死光了，也不敢要她嫁给我。"

柳风骨道："她说什么？"

杨凡道："她说天下的男人都死光了，也不会嫁给我的。"

他忽又转头向田思思一笑，道："这话是不是你说的？"

田思思咬着牙，全身抖个不停。

她已气得说不出话来，也已无话可说。

她只恨不得一下子就将这大头鬼的脑袋像西瓜般砸得稀烂。

柳风骨笑道："你既然这么说，看来我们的婚事已没问题了。"

杨凡道："本来就连一点问题都没有。"

柳风骨大笑，道："好，好极了，到时候我一定请你来喝喜酒。"

杨凡道："你想不请我也不行。"

柳风骨大笑着揽住他的肩，到现在为止，田思思就算真是个白痴，也已看出这两人是什么关系了。

但她还是忍不住问了一句："你们早就是朋友？"

杨凡道："不是，我们不是朋友……"

柳风骨微笑着，接下去道："我们只不过是兄弟，而且是最好的兄弟。"

田思思连嘴唇都已发白，道："这件事从头到尾都是你们早就计划好的？"

杨凡悠然道："他刚才已经说过，我们是好兄弟。"

田思思瞪着他，突然用尽全身力气大叫起来，道："姓杨的，杨凡，你究竟是不是人？你究竟是什么东西？"

杨凡笑道："杨凡本来就不是东西。"

柳风骨也笑了，道："你以为他真的姓杨？真的是杨凡？"

田思思又好像突然挨了一鞭子，连站都站不住了，后退了几步，又"扑"地坐到那棺材上。

她就像是个已快淹死的人，好容易才抓住一块木头，但忽然又发现抓住的不是木头，是条鳄鱼，吃人的鳄鱼。

现在她整个人都似已沉入了水底。

过了很久，她才能说出话来，嗄声道："你不是杨凡？"

杨凡道："幸好我不是。"

田思思道："真的杨凡呢？"

杨凡道："在少林寺。"

田思思道："在少林寺干什么？"

杨凡道："念经，敲木鱼。"

田思思道："他……他已经做了和尚？"

杨凡笑道："现在他简直已可算是老和尚了。"

田思思慢慢地点了点头，喃喃道："我明白了，我总算明白了……"

她真的明白了么？

也许她的确已明白了很多，但另外的一些事，还是做梦也想不到的。

第三十章

绝　路

01

田思思坐在棺材上，只恨不得能早些躺到棺材里去。

她本来以为自己一定会大哭一场的，但现在连眼泪都没有流下来。

难道她已没有泪可流?

没有希望，就没有眼泪，只有已完全绝望的人，才懂得无泪可流是件多么痛苦，又多么可怕的事。

可是她看起来反而好像很平静，特别平静。

柳风骨一直在看着她，微笑着道:“你说过这次绝不反悔的。”

田思思茫然点了点头，道:“我说过。”

柳风骨道:“你已答应嫁给我。”

田思思道:“我可以答应你，只不过……我还要先问你一句话。”

柳风骨笑道:“只要你高兴，问一千句也行。”

田思思道:“我只想问你，你为什么一定要我嫁给你?世上的女人又不止我一个。”

柳风骨柔声道:“女人虽然多，但田思思却只有一个。”

田思思道:“我要听实话！现在你还怕什么?为什么还不肯说实话?”

柳风骨道:“因为实话都不太好听。”

田思思道:“我想听。”

柳风骨沉吟着，忽又笑了笑，道:“你知不知天下最有钱的人是谁?”

田思思道:“你说是谁?”

柳风骨含笑道："是你，现在世上最有钱的人就是你。"

田思思怔了半晌，慢慢道："原来你要娶的并不是我这个人，而是我的钱。"

柳风骨叹了口气，道："我早已说过，实话绝没有谎言那么动人。"

田思思道："你为什么不索性杀了我，再把钱抢走，那岂非更方便得多？"

柳风骨道："那就反而麻烦了。"

田思思道："怎么会麻烦？"

柳风骨道："你知不知道田家的财产一共有多少？"

田思思道："不知道。"

柳风骨道："但我却已调查得很清楚，北六省每一个大城大县里，差不多全都有田家的生意，我若一家家地去抢，抢到我胡子白了也未必能抢光。"

他微笑着，又道："但我若做了田大小姐的夫婿，岂非就顺理成章地变成了田家所有生意的大老板，你若万一不幸死了，田家的生意就顺理成章变成姓柳的。"

田思思又慢慢地点了点头，道："这法子的确方便得多。"

柳风骨笑道："现在你总算明白了。"

田思思道："其实我早就该明白了。"

柳风骨道："但你却一直没有想通这道理，因为这道理实在太简单，最妙的是，愈简单的道理，人们往往反而愈不容易想通。"

田思思道："我的确还有件事想不通。"

柳风骨道："你说。"

田思思道："你既然想要逼着我嫁给你，为什么又要叫这人假冒杨凡来救我？"

柳风骨道："因为我本来是想要你嫁给他的。"

田思思冷笑道："你以为我会嫁给他？"

柳风骨道："有很多女人为了报救命之恩，都嫁给了那个救她的男人。"

田思思道："所以你才故意制造机会，让他来救我？"

柳风骨笑道："这法子虽已被人用过了很多次，但却还是很有效。"

田思思道："你为什么不选别人，偏偏选上了这么样个猪八戒？"

柳风骨道："因为他是我的好兄弟，他若有了钱，就等于我的一样。"

田思思道："你为什么不想法要我感激你，嫁给你，那岂非更简单？"

柳风骨淡淡道："像我这样的人，无论做什么事都最好不要自己露面，这道理你现在也许还不懂，但以后就会慢慢明白的。"

田思思冷冷道："也许我现在已明白。"

柳风骨道："哦？"

田思思道："你自己若不露面，做的事就算失败了，也牵涉不到你身上去，所以你永远是江南大侠，谁也没法子找出你的毛病来。"

她忽然冷笑，道："但我却已找出了你的毛病，就是太聪明了些。"

柳风骨微笑道："你好像也不笨。"

田思思道："现在你却还是露面了。"

柳风骨道："不错。"

田思思道："你怎么会改变主意的？"

柳风骨道："第一，因为我以为你很讨厌我这兄弟，绝不肯嫁给他，第二，因为我现在急着要钱用，没时间再跟你玩把戏。"

田思思道："所以你才会对我说实话？"

柳风骨道："现在我无论怎么说，都已没什么太大的关系。"

田思思道："现在你究竟想怎么做呢？"

柳风骨道："我们当然要先回田家庄去成亲，而且还得要田二爷亲自来主办这婚事。"

田思思道："哪个田二爷？"

柳风骨笑了笑，道："当然是你刚才见到的那一个。"

田思思道："然后呢？"

柳风骨道："等到江湖中人都已承认我是田家的姑爷，这个田二爷就可太太平平地寿终正寝了。"

田思思道："等到那时，我当然也就会忽然不幸病死。"

柳风骨淡淡道："红颜多薄命，聪明漂亮的女孩子，往往都不会太长命的。"

田思思道："然后田家的财产，当然就全都变成了姓柳的。"

柳风骨悠然道："你们家对我的好处，我还是永远都不会忘记，每当春秋祭日，我一定会到田家的祖坟去流几滴眼泪。"

田思思叹了口气，道："你想得的确很周到，只可惜你还是忘了一件事。"

柳风骨道："哦？"

田思思道："你既然已说了实话，我难道还肯嫁给你么？"

柳风骨道："你岂非已答应了我？而且说过绝不反悔的。"

田思思道："女孩子答应别人的话，随时都可以当作狗屁。"

柳风骨突然大笑，道："你以为我真的没有想到这一招？柳风骨机智无双，算无遗策，这名声又岂是容易得来的？"

田思思道："你……你就算能逼我嫁给你，也绝对没法子要我在大庭广众间，跟你拜堂成亲的，你做梦也休想！"

柳风骨道："我从来不喜欢做梦。"

田思思道："难道你有什么法子能要我改变主意？"

柳风骨道："我用不着要你改变主意，只要让你没法子说话就行了。"

田思思道："但腿还是长在我自己身上的，你有什么法子能要我跟你去拜天地？"

柳风骨道："但我却可以用别人的腿，来代替你的腿，新娘子走路时，岂非总是要别人搀扶着的？"

田思思一直很坚强，一直很沉得住气。

一个人若已到了没有任何东西可以依赖的时候，往往就会变得坚强起来的。

可是现在她眼泪却又忍不住要流了下来。

她用力咬着嘴唇，过了很久，才透出这口气，道："我知道你嘴里虽这么样说，其实却绝不会真的这么样做。"

柳风骨道："你不信我是说得出，就做得到的人？"

田思思道："但你自己当然也明白，这么样做一定会引起别人怀疑，否则你早就做了，又怎会费这么多事，又何必等到现在？"

柳风骨道："不错，田二爷的朋友很多，以我的身份地位，当然不能让别人怀疑我，所以我一定要先找个可以代替你说话的人。"

田思思道："没有人能代替我说话。"

柳风骨道："有的，我保证她替你说的话，无论谁都一定会相信。"

田思思道："难道你已找到了这么样一个人？"

柳风骨道："你不信？"

田思思道："你……你找的是谁？"

这句话其实她已用不着再说，因为这时她已看到张好儿拉着一个人的手，微笑着走了过来。

她永远也想不到这个人也会出卖她。

她宁死也不愿相信，但却已不能不相信。

田心。

她终于又见到了田心。

02

田心甜甜地笑着，拉着张好儿的手，就好像她以前拉着田思思时一样。

她看来还是那么伶俐，那么天真。

她脸上甚至连一点羞愧的样子都没有。

田思思本来最喜欢看她笑，最喜欢看她笑的时候撅起小嘴的样子，有时她也好像很老练、很懂事，但只要一笑起来，就变成了个婴儿。

婴儿总是可爱的。

现在她笑得就正像是个婴儿。

但现在田思思却没有看见这种笑，幸好没有看见，否则她也许立刻就会气死。

她的眼睛虽然瞪得很大，但却已什么都看不见。

甚至柳风骨说话的声音，她听来都已很遥远。

柳风骨正在问田心："这件事应该怎么做，现在你已经完全明白了么？"

田心嫣然道："刚才张姐姐已说了一遍，我连一个字都没有忘记。"

柳风骨道："她怎么说的？"

田心道："明天晚上，我就陪老爷和小姐回家，那时家里的人已经全都睡了，所以我们就可以从后门偷偷地溜回屋里去。"

柳风骨道："为什么要偷偷溜回去？"

田心道："因为那时小姐已说不出话，也走不动路了，当然不能让别人看到她那样子。"

柳风骨道："第二天若有人问她，为什么不像以前一样到花园来玩呢？"

田心道："我就说小姐怕难为情，所以不好意思出来见人。"

柳风骨道："为什么怕难为情？"

田心道："因为大后天，就是小姐大喜的日子，要做新娘子的人，总是怕难为情的！"

柳风骨道："喜事为什么要办得如此匆忙？"

田心道："因为田二爷病了，急着要冲冲喜。"

柳风骨道："田二爷怎么会忽然病了的？"

田心道："在路上中了暑，引发了旧疾，所以病得很不轻。"

柳风骨道："就因为他病得不轻，所以才急着要为大小姐办喜事，老人家的想法本就是这样子的。"

田心道："也就因为他病得不轻，所以不能出房来见客，就算是很熟的朋友来了，也只能请到他的房里去坐。"

柳风骨道："还有呢？"

田心道："病人当然不能再吹风，所以他屋里的窗户都是关着的，而且还得垂下窗帘。"

柳风骨道："要很厚的窗帘。"

田心道："病人既不能坐起来，也不能说话，最多只能在床上跟朋友打个招呼。何况，喜事既然办得很匆忙，能通知到的朋友根本就不多。”

柳风骨道：“愈少愈好，只要有几个能说话的就行了。”

田心道：“客人的名单我已拟好，刚才已经交给了张姐姐。”

柳风骨脸上露出满意之色，道：“然后呢？”

田心道：“然后大喜的日子就到了，张姐姐和王阿姨就是喜娘，负责替新娘子打扮起来，再跟我一起扶新娘子去拜堂。”

柳风骨道：“然后呢？”

田心笑道：“然后新娘子进了洞房，就没有我们的事了。”

柳风骨大笑道：“然后这件事就算已功德圆满，我就可以准备办你跟我这兄弟的喜事了，那才是真正的喜事。”

田心红着脸垂下头，却又忍不住用眼角偷偷去瞟杨凡，目光中充满了柔情蜜意。

难道她真的看上了这大头鬼？

难道她就是为了他，才出卖田思思的？

世上有很多事的确太荒唐、太奇怪，简直就叫人无法思议，无法相信。

每个人都在笑。

他们的确已到了可以笑的时候。

无论笑得多大声都没关系。

田思思反正已听不到他们的笑声。

刚才她若已沉在水底，现在这水简直就似已结成了冰。

她只觉得自己连骨髓里都在发冷。

“杨凡，你好，田心，你好，你们两个人都很好。”

她真想大笑一场，笑自己居然会将这两个人当作自己的朋友。

还不止是朋友，这两人本已是她生命中的一部分。

现在呢？

现在什么都完了，这世界是否存在，对她都已完全不重要。

她忽然发觉自己在这世界上，竟没有一个亲人，没有一个朋友——

也许还有一个！

秦歌！

秦歌绝不会和这些卑鄙下流无耻的人同流合污的，否则他们又何必费那么多心机来陷害他？

可是他人呢？到哪里去了？是不是正在想法子救她？

这已是田思思最后的一线希望，只要能知道秦歌的消息，她不惜牺牲任何代价。

就在这时，她忽然听到柳风骨在问杨凡："秦歌呢？你没有带他来？"

杨凡笑了笑，道："若不是为了要带他来，我怎么会来迟？"

柳风骨也笑了笑，道："他怎么样？是不是真的很不好对付？"

杨凡道："一个人若挨了五六百刀，总不会是白挨的！"

柳风骨道："你为什么不将他留给少林寺的和尚？又何必自己多费力气？"

杨凡道："这人太喜欢多管闲事，留他在外面，我总有点不放心。"

柳风骨笑道："看来你做事比我还仔细，难怪别人说，头大的人总是想得周到些。"

杨凡又笑了，道："我已经将他交给外面当值的兄弟，现在是不是要带他进来？"

柳风骨道："好，带他进来。"

于是田思思又看到了秦歌。

现在她宁愿牺牲一切，也不愿看到秦歌这样子被别人抬进来。

03

秦歌已被两个人抬了进来。一个人抬头，一个人抬脚，就像是抬着死人似的，将他抬了进来。

死人至少还是硬的，至少还有骨头。

但秦歌却似已完全瘫软，软得就像是一摊泥。

别人刚把他扶起来，忽然间，他的人又稀泥般倒在地上。

他喝醉酒时，也有点像这样子。

可是现在他却很清醒，眼睛里面绝没有丝毫酒意，只有愤怒和仇恨。

柳风骨叹了口气，道："你究竟用什么手段对付他的？怎么会把他弄成这样子？"

杨凡淡淡道："也没有用什么特别的手段，只不过用手指戳了他几下子而已。"

柳风骨皱眉道："以前他能挨得别人五六百刀，现在怎么会连你的手指头都挨不住了？"

杨凡道："以前他还是个穷小子，穷人的骨头总是特别硬些。"

柳风骨道："现在呢？"

杨凡道："人一成了名，就不同了，无论谁只要过一年像他那种花天酒地的日子，就算是个铁人，身子也会被淘空的。"

柳风骨又叹了口气，道："快搬张椅子，扶秦大侠坐起来，地下又湿又冷，秦大侠万一若受了风寒，谁负得起责任。"

这两人一搭一档，一吹一唱，满脸都是假慈悲的样子。

田思思咬着牙，真恨不得冲过去，一人给他们几个大耳光。

椅子虽然很宽大，秦歌却还是坐不稳，好像随时都会滑下来。

柳风骨走过去，微笑着道："秦兄，我们多年未见，我早就想劝劝秦兄，多保重保重你自己的身子，酒色虽迷人，还是不能天天拿来当饭吃的。"

秦歌看着他，突然用力吐了口痰，吐在他脸上。

柳风骨连动都没有动，也没有伸手去擦，脸上甚至还带着微笑。

这世上真能做到"唾面自干"的人又有几个？

秦歌忽然用尽全身力气大笑，道："我真佩服你，你他妈的真有涵养，真他妈的不是个人，我只奇怪你妈怎么把你生出来的？"

柳风骨也在看着他，过了半天，才转头向杨凡一笑，道："你明白他的意思吗？"

杨凡点点头，道："他想要你赶快杀了他。"

柳风骨淡淡道："现在少林寺已认定了他是谋杀多事和尚的凶手，

他无论是死是活，都已完全没什么两样。”

杨凡道：“但你还是不会很快就杀他的。”

柳风骨道：“当然不会，很久以前，我就想知道这一件事，除了他之外，没有人能告诉我，我怎么能让他死得太快？”

杨凡道：“你想知道什么事？”

柳风骨冷冷道：“我一直想知道他究竟能挨几刀？”

杨凡道：“你猜呢？”

柳风骨道：“至少一百二十刀。”

杨凡道：“没有人能挨得了一百二十刀。”

柳风骨忽然又笑了，道：“你赌不赌？”

杨凡道：“怎么赌？”

柳风骨道：“假如他挨到一百十九刀时就死了，就算我输。”

杨凡道：“那也得看你一刀有多重？”

柳风骨道：“就这么重。”

他突然出手，手里多了把刀，刀已刺入秦歌的腿。

秦歌连眉头都没有皱一皱，冷笑道：“这一刀未免太轻了，老子就算挨个三五百刀也不在乎。”

柳风骨悠然道：“秦兄真的想多挨几刀，在下总不会令秦兄失望的。”

田思思忽然大声道：“我跟你赌。”

柳风骨又笑了，道：“你想跟我赌，赌什么？”

田思思咬着牙，道：“我赌你绝不敢一刀就杀了他。”

柳风骨道：“哦？”

田思思道：“我若输了，我……我就心甘情愿地嫁给你，你用不着多费事了。”

柳风骨微笑着，道：“这赌注倒不小，倒值得考虑考虑。”

田心忽然慢慢走过来，嫣然道：“我们家小姐心肠最好，生怕看到秦少爷活受罪，所以才故意想出这法子来，既然迟早都要死，能少挨几刀总是好的。”

她笑得那么天真，接着又道：“小姐的心意，没有人比我知道得更清楚了。”

柳风骨道："你还知道什么？"

田心笑道："我还知道小姐的心虽然好，但变起来却快极了，有时她想吃冰糖莲子，想得要命，但等我去把冰糖莲子端来时，她却碰都不碰，因为她忽然又想吃咸的元宵了。"

她眨着眼，又笑道："所以我们家小姐无论说什么，你都最好听着，听过了就算了，千万不能太认真，尤其不能跟她打赌，因为她若赌输了，简直没有一次不赖账的。"

田思思瞪着她，眼睛里好像已冒出火来。

田心忽又转头向她一笑，道："我说的是实话，小姐可不能生气。"

田思思冷笑道："你放心，我就算生王八蛋的气，也不会生你的气。"

田心垂下头，幽幽道："我知道小姐心里一直很恨我，其实我也有我的苦处。"

田思思道："哦？"

田心道："我生来就是个丫头，你生来就是小姐，我的苦处，你当然不会明白，一个人若做了丫头，就像变成了块木头，既不能有快乐，也不能有痛苦。"

她叹了口气，接着道："其实小姐是人，丫头也是人，没有人愿意一辈子做丫头的。"

田思思身子发抖，道："我……我几时拿你当作丫头看了，你说！"

田心道："无论小姐怎么看，我总是个丫头。"

田思思道："所以你就应该害我？"

田心又垂下头，道："小姐若在我这种情况下，说不定也会像我这么样做的。"

田思思忽然也叹了口气，道："好，我不怪你，可是我还有句话要跟你说。"

田心道："我在听着。"

田思思道："你过来，这句话不能让别人听见。"

田心垂着头，慢慢地走了过来。

田思思道：“再过来一点，好……”

她忽然用尽平生力气，一个耳光掴在田心的脸上。

然后她自己也倒在地上，放声痛哭起来。

她实在已忍耐得太久，她本来还想再忍耐下去，支持下去。

可是她整个人都已崩溃。

没有希望，连最后一线希望都已断绝。

一个人若已完全绝望，就算能苦苦支持下去，为的又是什么呢？

人生本是一条路，她的路现在已走完了。

她已被逼入了绝路。

第三十一章

请君入棺

01

世上真的有绝路?

路岂非就是人走出来的么?

一个人只要还没有真的躺进棺材，总会有路走的——就算没有路，你也可以自己去走出来。

田思思已倒在棺材旁。

她距离棺材实在已太近了。

02

密室中忽然静了下来，这倒不是因为他们要专心欣赏田思思的哭声，而是因为他们忽然听到了一阵很奇怪的脚步声。

脚步声是从上面传下来的，上面就是梵音寺。

梵音寺是个庙，有人在庙里走路，并不能算是件很奇怪的事。

奇怪的是，这脚步声实在太沉重。

就算是个十丈高的巨人在上面走路，也不会有这么沉重的脚步声。

每个人都在听着，只听这脚步声慢慢地走过去，又慢慢地走回来。

柳风骨忽然道:“无色来了。”

王大娘脸色已有些发白，道:“你怎么知道是他来了?”

柳风骨冷冷道:“除了这老和尚之外，谁脚下能有如此深厚的内力？”

杨凡道：“来的一共有三个人。”

王大娘道：“三个人？”

柳风骨点点头，道：“旁边有两个人的脚步声很轻，你们听不出。”

张好儿道：“这老和尚在上面穷兜圈子干什么？”

柳风骨笑道：“他这是在向我们示威。”

张好儿动容道：“这么样说来，他莫非已知道有人在下面？”

杨凡点点头，道：“但他却还没有找出到下面来的路。”

张好儿道：“可是他迟早找得出来的，是不是？”

王大娘道：“他既然已知道有人在下面，不找到我们，怎么肯走？”

张好儿勉强笑了笑，道：“幸好金大胡子他们已没法子再开口，这件案子已死无对证了。”

王大娘道：“但他若看到我们在下面，还是会起疑心的。”

张好儿道：“那么我们不如就快点走吧。”

杨凡忽然道：“我们不能走！”

张好儿道：“为什么？”

杨凡沉着脸，道：“不能走就是不能走。”

张好儿道：“难道我们就这样在这里，等着他找来？”

杨凡道：“我们也不必等。”

张好儿道：“既不能走，也不必等，你说该怎么办呢？”

杨凡道：“我上去找他。”

王大娘失声道：“你上去找他？你疯了？”

杨凡沉声道：“他既已找到这里来，说不定已对这件事起了疑心，不查个水落石出，他是绝不肯放手的，所以……”

张好儿抢着道：“所以怎么样？”

杨凡道：“所以我们就不如一不做，二不休，索性连他也……”

王大娘也抢着问道：“你难道想连他也一起杀了灭口？”

杨凡淡淡道：“我们已杀了一个和尚，和尚又不是杀不得的。”

张好儿道：“问题是，谁去杀他呢？”

杨凡道：“我。”

张好儿瞪大了眼睛，道："你？你不怕他的罗汉伏虎拳？"

杨凡笑了笑，道："我又不是老虎，为什么要怕他的伏虎拳？"

张好儿叹了口气，转身看着柳风骨，道："你说他是不是疯了？"

柳风骨淡淡道："他没有疯，就算天下的人全都疯了，他也不会疯的。"

上面的脚步声还在响，杨凡已大步走了出去。

张好儿叹了口气，喃喃道："我只希望他这一去，莫要变成了个死老虎。"

柳风骨忽然笑了笑，悠然道："就算他死了，我又没有要你陪着他死，你急什么？"

脚步声突然停了下来。

张好儿轻轻吐出口气，道："现在他已经上去了，那老和尚已看到他了。"

王大娘道："那老和尚既然不认得他，当然也不知道他是去干什么的。"

张好儿道："所以老和尚现在一定在问他，你是什么人？想来干什么？"

王大娘道："他会不会说，我是来杀你的？"

张好儿道："绝不会，他又不是猪，怎么会让那老和尚先有了戒备。"

王大娘点点头，道："不错，他一定要在那老和尚猝不及防时下手，得手的机会才比较大。"

张好儿道："就算不能一把得手，至少也能抢个先机。"

王大娘道："所以他现在一定在跟那老和尚鬼扯！"

张好儿笑道："凭他那张油嘴，一定能把那老和尚骗得团团乱转。"

王大娘也笑了，道："你是不是也被他骗得团团乱转过？"

张好儿道："你是不是又在吃醋？"

她拉起田心的手，笑道："现在就算有人要吃醋，也轮不到你了。"

田心一直瞪大了眼睛，在听着——不是在听他们说话，是在听着上面的动静。

对杨凡，她显然比谁都关心。

田思思呢?

她是不是真希望杨凡的大脑袋，被无色大师像西瓜般砸得稀烂?

田心忽然道："你们听，他们好像已打起来了。"

其实用不着她说，别人也已全都听见。

这时上面又响起了很沉重的脚步声，甚至比刚才更沉重。

脚步很快，但却只踏在几个固定的地方。

据说一个真正对罗汉伏虎拳有造诣的少林高僧，在雪地上将一趟拳打完，最多也只不过在地上留下七个脚印。

王大娘道："看来那老和尚果然是在用罗汉伏虎拳对付他。"

张好儿叹了口气，道："所以，他并没有能一击得手。"

王大娘叹道："看来这老和尚果然有两下子，要对付他还真不容易。"

上面的脚步声更急，更沉重，仿佛已用出全力。

张好儿忽又笑了笑，道："可是他也不是好对付的，否则这老和尚怎么会使这么大的劲。"

忽然间，脚步声很快地连响了七次，就好像巨锤连击鼙鼓。

柳风骨脸色也很凝重，沉声道："这一招想必是'风雷并作'。"

"风雷并作"正是伏虎拳中最霸道的一招，而且招中有招，连环变化，变化无穷。

以无色大师的功力火候，使出这一招来，江湖中人能避开的人不多。

但杨凡却显然避开了。

上面并没有他的惊呼声，也没有人倒下。

也不知为了什么，田思思居然也在暗中松了口气——她不是一心希望杨凡快点死的么?

女孩子的情感，实在真难捉摸。

但男人们的情感难道就有什么不同?

世上本没有人真的能控制自己的情感，就正如没有人能控制天气一样。

张好儿也松了口气，道：“看来这老和尚的‘风雷并作’没有制住他。”

柳风骨沉着脸，道：“他的确避开了。”

张好儿道：“我真想上去看看，他在用什么功夫对付那老和尚。”

柳风骨道：“到现在为止，他还没有攻出一招。”

张好儿道：“难道他只挨打，不还手？”

柳风骨道：“正是这样。”

张好儿道：“这又算哪门子打法？”

柳风骨道：“这就算是最厉害的打法，他只有用这种法子，才能对付无色。”

张好儿道：“你知道他用的是什么法子？”

柳风骨点点头，道：“现在他正以八卦游身拳的轻功身法在诱那无色全力抢攻，要等无色的体力消耗完了，他才肯出手。”

张好儿眨眨眼，道：“我明白了，无色不管多么强，毕竟已经是一个老头子，体力总不如年轻人的。”

柳风骨道：“何况罗汉伏虎拳讲究的本是以强欺弱，以刚克柔，所以最消耗真力，能将一百零八招伏虎拳打完，还能开口说话的，已经是少见的高手。”

张好儿道：“但他又不是八卦门的徒弟，怎么会游身拳那一类的功夫呢？”

柳风骨道：“这人会的武功很杂……”

他目中带着若有所思的表情，过了很久，才慢慢接着道：“他是个很好的帮手，很有用，我既然很需要这种人，又何必去追究他的来历？”

张好儿眼珠子转了转，笑道：“这话你是说给谁听的？”

柳风骨淡淡道：“说给我自己听的。”

王大娘忽然道：“其实我一直都想不通，你怎么会跟他有这么好的交情？”

柳风骨冷冷道：“我说过，我很需要他，他也很需要我。”

王大娘道：“他为什么需要你？”

柳风骨道：“据说他在关外作了几件大案子，得罪了很多高手，所以他才逃到江南。"

王大娘道："你调查过？"

柳风骨冷冷道："你以为我随随便便就会相信一个人？"

王大娘道："但你还是并没有完全相信他，有很多事你都没有让他知道。"

柳风骨忽又笑了笑，道："你以为你每件事全都知道？"

他笑得很亲切，也很潇洒。

但王大娘的脸却似已有些发白，连话都说不出了。

张好儿却又笑道："我也有件事一直都想不通。"

柳风骨道："哦？"

张好儿吃吃笑道："他的头那么大，肚子也不小，怎么能施展轻功来呢？是不是因为他的骨头太轻了……"

她笑声忽然停顿。

柳风骨忽然道："这一招是伏虎扬威！"

就在这时，一个人忽然从上面跌了下来，恰巧正跌入了那口棺材。

棺材并不是没有盖子的。

棺材盖虽掀开，却还是有一半盖在棺材上。

这人居然还是跌入了棺材，因为他的人实在太瘦、太小。

就算棺材的盖再盖起来一点，他还是照样能掉得进去。

他跌进棺材后，就像真的是个死人，连动都不能动了。

这人当然不是杨凡。

他的头太大，肚子也不小，再大点的棺材，他也很难掉下去。

掉下去的人是无色。

伏虎扬威正是一百零八式罗汉伏虎拳的最后一招！

这一招刚使出，无色已跌了下来。

他不能开口说话。

然后杨凡才轻飘飘地落下来。

他只算一个脑袋，至少已有十来斤重，但落在地上时，却轻得好像四两棉花。

难道他真的骨头奇轻？

就算他的骨头真轻，总算连一根都没有少，总算完完整整地回来了。

田思思闭起眼睛。

她永远不想再看到这个人，永远不想！

可是他刚才没有回来的时候，她为什么还仿佛在替他担心呢？

他明明是个卑鄙下流无耻的人，明明在骗她，在害她。

无色大师明明是个正直侠义的高僧。

可是她心里为什么还偏偏希望这一战胜的是他？

她实在不能了解自己。

她恨自己，恨自己为什么会有这种颠颠倒倒、莫名其妙的感情。

她虽然闭着眼睛，却还是可以想象到这大头鬼现在的样子。

“现在他一定是神气活现，洋洋得意。”

现在他不得意谁得意？

连无色大师都已败在他手里。

他们的阴谋计划，现在眼看已大功告成，再也没有一个能阻挠他们的人。

田思思以前也曾听到过很多有关阴谋和恶徒的故事，无论多么复杂周密的阴谋，到后来总是要被人揭穿，总是要失败的。

善良正直的一方，迟早总有胜利出头的时候。

但现在，她亲身遭遇到的情况，竟和她听到的故事完全不同。

现在恶徒已得胜，阴谋已得逞，好人反而要被打进悲惨黑暗的地狱里。

田思思真恨，不但恨自己，恨这些卑鄙下流无耻的恶徒，也恨这世界。

这世界上难道已没有天理？

杨凡果然是满脸神气活现、洋洋得意的样子。

他有理由得意。

柳风骨已走过来，用力拍着他的肩，笑道：“好兄弟，你真有两下子，这一战打得真漂亮。”

杨凡淡淡道："其实那也没什么。"

张好儿抢着道："谁说那也没什么？江湖上能击败少林护法的人，又有几个？"

杨凡微笑道："其实他功力的确比我深厚得多，我只不过靠了几分运气而已。"

柳风骨道："那绝不是运气，是你的战略运用成功。"

张好儿又抢着道："你究竟是怎么打倒他的？说给我们听听好不好？"

杨凡缓缓道："少林的罗汉伏虎拳，经过十余代少林高僧的修正、改进，到现在几乎已无懈可击，我也知道他将这趟拳一施展开来，我绝不可能有击倒他的机会，所以……"

王大娘也忍不住道："所以你怎么样？"

杨凡道："所以我只有等，等他将这路拳的一百零八招打完，等着他变招提气的那一瞬间，用尽全力，给他一下子。"

张好儿笑道："你果然一下子就将他打倒了。"

柳风骨道："这一下子说来容易，其实可真不简单，那不但要先想法子避开无色大师那一百零八招伏虎拳，而且还得算准他换气的时候，算准他空门在哪里，时间部位都要拿捏得连半分都不能错，因为这种机会只要一错过，就永远不会再来的。"

王大娘忽又问道："那两个小和尚呢？"

杨凡微笑道："那两个也不是小和尚，也是少林寺中有数的硬手。"

王大娘笑道："你当然也把他们一起收拾了。"

杨凡道："没有。"

王大娘道："没有？你难道……"

杨凡道："他们已走了。"

王大娘愕然道："你怎么能让他们走？"

杨凡道："我故意放他们走的。"

王大娘道："为什么？"

杨凡笑了笑，道："因为我要让他们回去，告诉少林寺的门下，多事和尚是死在谁手里的。"

王大娘想了想，嫣然道：“脑袋大的人，想得果然比别人周到些。”

秦歌一直瘫在椅子上，像已奄奄一息，此刻忽然道：“你们如此陷害我，难道就为了怕田思思嫁给我？”

柳风骨道：“我们也并不完全是为了这原因。”

秦歌道：“还有什么原因？”

柳风骨道：“多事和尚实在太多事，我久已想除掉他！”

秦歌道：“可是你又怕少林寺的门下来报复？”

柳风骨微笑道：“现在我的确不愿和少林寺正面冲突，再过几年，情况也许就不同了。”

秦歌道：“所以你现在就要找个替死鬼？”

柳风骨笑道：“其实我跟你也没什么特别难过的地方，只不过当时想不着更好的替死鬼，所以只好找到你了。”

秦歌冷笑道：“其实你早就跟我难过得很。”

柳风骨道：“哦？”

秦歌道：“因为我忽然蹿起来，这两年我的名头已经比你响，你早已把我看成眼中钉，迟早总要想法子来修理我的，这就叫一计害双贤，一下子就拔掉两个眼中钉。”

柳风骨悠然道：“你既然一定要这么想，我也不必否认。”

秦歌道：“现在我只问你，多事和尚究竟被谁杀的？”

柳风骨道：“你猜呢？”

秦歌道：“你！当然是你！”

柳风骨道：“你看见了？”

秦歌道：“我虽然没有看见，但却知道当时多事和尚从翻板上掉下去的时候，你已在下面等着，趁他身形还未站稳，就给了他致命的一击。”

柳风骨道：“然后呢？”

秦歌道：“然后你就将他的尸身，从地道中送到后面密室里去。”

柳风骨道：“我为什么要这样做？”

秦歌道：“因为你要争取时间，你将我们诱到密室中去，为的就是要趁这一段时间，将外面布置好，等我们出去时，外面已又是个赌场。”

柳风骨沉着脸道："说下去。"

秦歌道："同时你故意透露消息给无色大师，说多事和尚有了危难，要他在那时赶到赌场去。"

柳风骨道："我怎么知道他一定会及时赶到？"

秦歌道："多事和尚不但是无色大师的师弟，而且从小就跟着这位师兄练武，两人的情感就如同父母手足一样，无色大师若知道这小师弟有了危难，当然会不顾一切赶去的。"

柳风骨道："还有呢？"

秦歌道："你为了要让无色大师亲眼看到当时的情况，所以一定要将时间算得很准确，而且早已收买了一批人，要他们做赌场中的赌客，好在无色大师面前作伪证。"

柳风骨道："然后呢？"

秦歌道："被多事和尚强迫剃光了头的那些人，虽然本也是你的心腹手下，但你为了要将这件事做得天衣无缝，死无对证，所以不惜杀了他们灭口。"

柳风骨道："我在哪里杀他们的？"

秦歌道："就在这里。"

他喘了口气，接着又道："这梵音寺本是个古寺，远在梁武帝屠僧时，寺已落成，寺僧们为了避祸，所以在庙里建造了很多地道复壁。"

柳风骨冷冷道："再说下去。"

秦歌道："在这里杀人不但隐秘，而且有很多地方都可以埋葬尸体，要布置埋伏暗卡也很容易，所以你才会选择这里做你的狗窝。"

他冷笑着，接着道："所以你们这一群公狗母狗，才会约在这里相见，等着吃你们的狗屎。"

柳风骨冷冷地看着他，道："还有没有？"

秦歌道："没有了，现在狗屎眼看已经快被你们吃到，我还有什么话可说。"

柳风骨忽然长长叹了口气，道："想不到你居然也是聪明人，我们一直低估了你。"

秦歌道："多事和尚究竟是不是你杀的？"

柳风骨淡淡道："我很少杀人，若非多事和尚这样的高僧，还不配我亲自出手。”

他悠然接着道：“我杀的一向只不过是名士、高僧、英雄、美人。”

秦歌道：“我呢？”

柳风骨冷笑道：“你还不配。”

杨凡忽然道：“但你也不必着急，我们总会找个合适的人来杀你的。”

秦歌冷笑道：“我想死了。我情愿死，也不愿再看你们这群饿狗的嘴脸。”

杨凡也不生气，淡淡地笑道：“饿狗至少总比死狗好。”

柳风骨忽又道：“你会的武功很杂，不知道有没有学过少林派的拳法？”

杨凡笑道：“练武的人，没练过少林拳法的，只怕还不多。”

少林拳的确太普遍，只不过练少林拳的人虽多，能得到其中精髓的，加起来也许还不到十个。

柳风骨道：“你既然练过少林拳，这件事就交给你了。”

杨凡道：“哪件事？”

柳风骨道：“最后一件事。”

他微笑着，接道：“你只要用少林拳在秦大侠的玄机穴重重一击，再用秦大侠的刀，刺在无色大师的咽喉里，我自然会找人将他们送到嵩山去。”

张好儿抢着道：“我明白了，你要叫少林寺的人，以为他们是在决战之下，同归于尽的。”

王大娘笑道：“这么样一来，秦歌虽然杀了无色大师，但无色大师总算也替他师弟报了仇，这件公案到此就算结束了。”

张好儿笑道：“我们这计划，也就完全大功告成，只等着喝喜酒了。”

柳风骨悠然笑道：“所以我说这是最后一件事，也是最容易的一件事。”

杨凡忽然摇了摇头，道：“你们全都错了。”

柳风骨皱了皱眉，道：“怎么错了？”

杨凡道："依我看，这才是最困难的一件事。"

张好儿道："为什么困难？现在要杀他们，只不过是举手之劳而已。"

杨凡淡淡地笑了笑，道："你若认为很容易，你为何不去杀他们？"

张好儿眨了眨眼，道："你若不肯动手，我动手也没关系。"

她扬起了一双春葱般的玉手，吃吃地笑道："你莫以为我这双手只会摸男人的脸，有时候它也会变得很硬很硬的，硬得叫你吃不消。"

杨凡道："哦？"

张好儿道："你不信？"

她忽然从怀里拿出铁护手，戴在她那柔若无骨的玉手上，嫣然道："现在你信不信？你要不要试试？"

杨凡笑道："既然已经有人试，我又何必抢人家的生意？"

张笑儿笑道："你总算不笨。"

柳风骨已沉下了脸，忽然道："慢着。"

张好儿道："你别瞧不起我，少林派的拳法，我也练过的，不信你就看这一招伏虎扬威。"

她忽然蹿到秦歌面前，沉腰坐马，"呼"地一拳击出！

这一拳果然很有少林拳的架子，也很够力。

可是这一拳并没有打到秦歌身上。

她的手突然被秦歌捉住！

看来已软得就像一摊泥般的秦歌，竟忽然间又变得硬了起来。

他的手硬得就像是一道铁匣。

张好儿用尽力量，也挣不脱他的手，突又飞起了一脚。

她的脚也被捉住。

她脸上已变得惨无人色。

杨凡这才叹了口气，淡淡道："我说这才是最困难的事，现在你们总该相信了吧。"

柳风骨冷冷看着他，脸上一点表情也没有。

田思思也在看着，并且已看呆了。

她实在弄不清这究竟是怎么回事。

只听一人厉声道："你杀的是名士高僧、英雄美人，我杀的是佞臣逆子、无耻小人，今日我就为你这小人开一开杀戒！"

无色大师。

忽然间，无色大师竟也从棺材里站了起来。

他身材虽枯瘦矮小，但宝相庄严，看起来就像是个十丈高的巨人。

王大娘也已面色惨变，忽然转身，就想往外面冲出去。

秦歌一手提着张好儿的腕子，一手提着她的脚，忽然将她提起来一抡。

张好儿的人就飞了起来，扑到王大娘身上，两个人就一起扑倒在地。

秦歌笑道："这就对了，你们本是好姐妹，谁也不能抛下谁走的。"

王大娘挣扎着，转过身，忽然张开嘴，重重地一口咬住了张好儿的耳朵。

张好儿惨呼一声，扼住了她的咽喉。

王大娘曲起腿，用膝盖猛撞张好儿的小肚子。

她们就是这种人。

能够彼此利用的时候，她们就是好姐妹，到了大难临头时，她们就变成了疯狗，你不咬我，我也要咬你。

她们就是这种不是人的人。

柳风骨突然走过去，一把拉住了张好儿，正正反反给了她十几个耳刮子，再拉起王大娘，也给了她十几个耳刮子。

两个人被打得满脸是血，连动都不敢动。

柳风骨这才转过身，淡淡一笑，道："这种女人就不知羞耻为何物，在下本不该要她们参与大事的，倒让三位见笑了。"

到这种时候，他居然还能沉得住气。

秦歌长长叹息了一声，道："看来一个人要做大侠真不容易，不但要心黑手辣，脸皮也得比别人厚些才行。"

杨凡微笑道："但大侠也并不是全都像这样子的，像他这样子的大侠，世上还没有几个。"

柳风骨道："像阁下这样的好朋友，世上只怕不多。"

杨凡笑道："的确不多。"

柳风骨也长长叹息了一声，道："现在我才知道，交朋友的确是件不太容易的事。"

杨凡道："有些事其实你本来早就该想到的。"

柳风骨道："哦？"

杨凡道："你难道还不明白我的意思？"

柳风骨道："我很想明白！"

杨凡道："你这里防守得很好，里里外外至少有三十六道暗卡，无论谁只要走近这里周围百丈之内，你立刻就知道。"

柳风骨道："你只算错了一点，这里的暗卡一共有四十九道。"

杨凡道："所以无论谁要找你算账，还没有走进这里，你早已远走高飞。"

柳风骨道："要找到我的确不容易。"

杨凡道："何况，就算能找到你，也未必能抓住你害人的证据，你当然绝不会承认多事和尚是死在你手上的。"

柳风骨道："所以你只有用这法子，才能将他们带到这里来？"

杨凡道："我让田思思一个人先进来，为的就是要你认为已可以放手对付她，我绝不能让你对这件事起一点点疑心。"

柳风骨道："所以你就连她也一起瞒住？"

杨凡道："因为她不是个会说谎的人，若已知道这秘密，一定会被你看出破绽的。"

柳风骨轻轻叹息，道："但若换了我，我就舍不得让她这样子害怕担心，看来你实在一点也不懂得怜香惜玉。"

杨凡道："但我却懂得怎么叫一个不老实的人说实话。"

柳风骨道："哦？"

杨凡道："我只有用这法子，才能叫你在无色大师面前说实话。因为这件事的确已死无对证，你若不亲口招认，就根本没法子洗清秦歌的罪名。"

柳风骨慢慢地点了点头，道："你做得很好，的确做得太好了。"

杨凡笑道："你是不是也很佩服我？"

柳风骨道："我一直都很看得起你，一直都将你当我的好朋友看待，想不到你……"

他长长叹息了一声，脸上的表情好像痛苦得要命，好像痛苦得连话都说不下去。

杨凡却又笑了笑，道："你真的一直将我当朋友？"

柳风骨道："你自己难道不明白？"

杨凡道："我当然明白，而且太明白了，不明白的是你。"

柳风骨道："哦？"

杨凡道："你知不知道我为什么要去找你？"

柳风骨道："我只知道自从那一天开始，我就跟你交上了朋友，是你要来对付我，我从来就没有想到要对付你。"

杨凡道："所以你还是不明白。"

柳风骨道："不明白什么？"

杨凡道："是你先想要对付我，所以我才会去找你。"

柳风骨道："我几时对付过你？"

杨凡道："很久以前。"

他不让柳风骨开口，接着又道："我问你，你一心想田家的财产，为的是什么？"

柳风骨道："因为我需要钱。"

杨凡道："你为什么忽然急着要钱？"

柳风骨道："因为我要做一件大事，做大事总是需要钱的。"

杨凡道："这件大事是什么事？"

柳风骨目光闪动，沉吟着道："这件事难道你已经知道了？"

杨凡笑了笑，道："我只知道江湖中最近又出现了一个叫'七海'的秘密组织。"

柳风骨道："你还知道什么？"

杨凡道："我也知道这组织为的是要对付山流的，因为这组织的老大，在暗中做了很多见不得人的生意，都被山流破坏了。"

他笑了笑，又道："我当然也知道这组织的老大就是你。"

柳风骨的脸色好像有点变了，瞪着他看了很久，才一字字道："这件事和你又有什么关系？"

杨凡道："不但有关系，而且关系很大。"

柳风骨道："你……你难道也是山流的人？"

秦歌忽然也笑了，接着道："若没有他，又怎会有山流？"

柳风骨就好像突然被人抽了一鞭子，过了很久，才能说得出话来。

他长叹了一声，苦笑道："我一直猜不出山流的龙头大哥是谁，一直想找到他，想不到这个人每天都跟我见面的。"

杨凡微笑道："你若真的将我当朋友，为什么不要我参加你的组织？"

柳风骨道："因为……"

杨凡打断了他的话，道："你若没法子说出口，我可以替你说，那只不过因为你利用我做过这件事之后，就不会让我再活着的。"他淡淡地接着下去道，"像'七海'这种严密的组织，当然不需要一个已经快死的人。"

柳风骨道："至少我要你做的，并不是坏事，你并没有吃亏。"

杨凡道："哦？"

柳风骨道："我要你表演英雄救美人，又给你这样的美人做老婆，像这么好的事，有很多人都愿意抢着来做的。"

杨凡道："但你却绝不会去找别人。"

柳风骨道："不错，就因为我看得起你，拿你当朋友，所以才没有去找别人。"

杨凡道："不是这原因。"

柳风骨道："不是？"

杨凡道："你找我，只不过因为没有人比我长得更像杨凡，你早就想找这么样一个人了。"

柳风骨道："为什么？"

杨凡道："因为你想要我冒充杨凡，去田家骗婚。"

柳风骨道："我不怕被人揭穿？"

杨凡道："没有人能揭穿，杨三爷眼已失明，耳已失聪，只因他壮年时结怨不少，生怕仇家找上门，所以这件事江湖中极少有人知道。"

柳风骨沉吟着，道："但前几天还有人看到他。"

杨凡道："那只不过是杨三爷自己用的替身。"

柳风骨道：“替身？”

杨凡道：“就因为杨三爷不愿江湖中人知道他已残废失明，所以自己找了个替身，每年替他到江湖中来走动一两次。”

柳风骨道：“这替身难道也分不清杨凡的真假？”

杨凡道：“他根本也很少能见到杨凡的面。”

柳风骨道：“田二爷呢？”

杨凡道：“田二爷近几年来，根本就没有见到过杨凡。”

柳风骨道：“真的杨凡若回来了呢？”

杨凡道：“他失踪已有三四年，有人说他已做了和尚，也有人说他已经死了，你算准了他绝不会忽然出现的。”

柳风骨道：“他的朋友呢？”

杨凡道：“他脾气本就有点古怪，本就很少和人接近，接近他的人，脾气大多比他更古怪，你当然也算准这些人不会去喝酒的。”

他笑了笑，又道：“何况，就算杨凡和他的朋友忽然出现，你也一定有法子对付他们，叫他们永远没法子露面。”

柳风骨沉默着，似已默认。

杨凡又道：“这件事本来已计划得很好，谁知事情忽又有了变化。”

柳风骨道：“什么变化？”

杨凡道：“变化就发生在田二爷身上。”

柳风骨皱了皱眉，道：“你知道他已经死了？”

杨凡道：“我本已有些怀疑，直到今天晚上，才完全证实。”

柳风骨道：“怎么证实的？”

杨凡笑了笑，道：“你莫非已忘记王大娘还有个比男人更豪爽洒脱的妹妹？”

柳风骨道：“你已见过她？”

杨凡点了点头，道：“这消息你一直都瞒着我，就因为田二爷既已去世，你已用不着我，已准备一脚把我踢开。”

柳风骨看着他，又沉默了很久，才长长叹了口气，道：“如此复杂的事，想不到你居然知道得这么清楚。”

杨凡道：“我的确知道得很清楚。”

柳风骨道："有些事你本来绝不该知道的。"

杨凡道："你想不出我怎会知道的？"

柳风骨苦笑道："我实在想不出。"

杨凡又笑了笑，道："那只不过因为你还有一件事不明白，这件事才是最大的关键。"

柳风骨道："哪件事？"

杨凡悠然道："杨凡本来就是我，我本来就是杨凡。"

他微笑着接道："你当然绝对想不到，这假杨凡就是真杨凡。"

柳风骨这才真的怔住。

杨凡道："这几年来我忽然失踪，既没有做和尚，也没有死，只不过因为山流有很多事要做，所以我才一直没有在江湖中露面。"

柳风骨脸色苍白，再也说不出话来。

杨凡回头向秦歌笑了笑，道："这件事实在很复杂，连你也许直到现在才明白。"

秦歌叹了口气，苦笑道："说老实话，我直到现在还是不太明白。"

杨凡道："我岂非已将每个细节都说出来了么？"

秦歌道："你虽然说出来了，我却没法子记得住。"

他看着杨凡的头，忽又笑道："我又没有你这么大的脑袋，怎么能记得住这么多乱七八糟的头绪？"

杨凡也笑了，道："其实你只要仔细地再想一遍，就会发觉这件事非但一点也不乱七八糟，而且很合理。"

秦歌道："很合理？"

杨凡道："这件事的头绪虽多，但结局却只有一种，而且是早已注定了的。"

秦歌道："早已注定要有什么样的结局？"

杨凡并没有直接回答这句话，却又转头看看柳风骨。道："无论谁都不会无缘无故去买口棺材，是不是？"

柳风骨点点头。

他也不能不承认，若没有死人，谁也不会去买口棺材。

杨凡道："你并不知道无色大师和秦歌会到这里来。"

柳风骨道："我不知道。"

杨凡道："所以这口棺材，你本来是为我准备的，是不是？"

柳风骨道："这口棺材并不坏。"

杨凡道："有了死人，就不能没有棺材；有了棺材，也不能没有死人。"

柳风骨看着秦歌，又看了看无色大师，终于慢慢地点了点头，道："你的意思现在我总算已完全明白了。"

杨凡道："所以现在我也不必再说什么……也许有一句话。"

柳风骨道："哪句话？"

杨凡道："请君入棺。"

第三十二章

大人物

01

“柳风骨已死了多久？”

“九个月。”

“九个月并不长，有时好像一眨眼就过去了，但这九个月却真长。”

“那只因你心里还是很闷。”

“我总觉得若不是我太荒唐，爹爹就不会死得那么快的！”

“现在你已经长大了，为什么还会有这种小孩子的想法？”

“你叫我怎么想？”

“你并没有对不起别人，也没有对不起自己，这就已够了。”

“可是我……”

“你应该出去走走，多看看，多听听，你心胸就会变得开朗起来的。”

“你要我到哪里去？”

“江南——你岂非早就想到江南去？”

02

江南。

江南春浓。

长堤翠柳，水绿如蓝。

田思思挽着杨凡的手，漫步在长堤上。

秦歌和田心走在他们前面，鲜红的丝巾在春风中飞扬。

飞扬着的红丝巾，轻拂着田心的脸。

田思思忽然笑了笑，道："这小鬼终于长大了，我本来几乎以为她永远都长不大的。"

杨凡微笑着道："你也长大了，我本来也几乎以为你永远都长不大的。"

只有经过忧患的人，才会真正懂得生命的意义，才会真正长大。

田思思的确长大了。

她看来更沉静，也更美。

杨凡似在沉思着，慢慢地说道："田心实在是个很忠实的朋友，为了你，她什么事都肯做，若不是她肯冒险，柳风骨也许还不会那么容易上当。"

田思思道："那次她的确连我都骗过了。"

杨凡道："我一直觉得，我们应该想个法子谢谢她。"

田思思道："你说什么法子呢？"

杨凡看着那飞扬的红丝巾，微笑着道："我们不如就送她一条红丝巾吧。"

田思思也笑了，笑得真甜。

只有生活在感情与幸福中的女人，才能笑得这么甜。

长堤外，红男绿女，成双成对。

春天本就是属于情人们的。

现在正是春天。

田思思满面春风，心里甜甜的，看着这些人，只希望每个人都和她同样幸福，同样快乐。

忽然间，也不知是谁在呼喊："岳大侠也来游湖了，就是威震天下的岳环山岳大侠。"

人群立刻向湖岸上涌了过去，成名的英雄本就是人人都想看一看的。

杨凡忽又笑道："你是不是也想去看看？"

田思思眨眨眼，道："看谁？"

杨凡道："岳环山，他本来岂非也是你心目中的大人物？"

田思思道："但现在我却不想看他了！"

杨凡道："为什么？"

田思思抬起眼，凝视着他，眼波温柔如春水，轻轻道："因为我已找到了一个真正的大人物，在我心里，天下已没有比他更伟大的大人物。"

杨凡也故意眨了眨眼，道："这个人是谁？"

田思思嫣然一笑，附在他耳旁，轻轻道："就是你，你这个大头鬼。"

《大人物》完